D1096001

Josef H. Reichholf

Rabenschwarze Intelligenz

Josef H. Reichholf

Rabenschwarze Intelligenz

Was wir von Krähen lernen können

Mit 32 Abbildungen

Herbig

Bildnachweis:
1–8 und S. 23, S. 35, S. 61, S. 118, S. 123, S. 125, S. 127, S. 199, S. 227, S. 235:
Wolfgang Alexander Bajohr/www.natur-5seenland.de;
S. 216: Behavioural Ecology Research Group, Oxford University;
S. 224: Anna Braun, Konrad Lorenz Forschungsstelle, Grünau;
S. 11, S. 53, S. 93, S. 153, S. 173, S. 231, S. 243: aus Wilhelm Busch
»Hans Huckebein«, 1867; S. 22: Piotr Rydzkowski/Dreamstime.com;
S. 211: Götz; S. 25, S. 85, S. 157, S. 186: Josef H. Reichholf

Besuchen Sie uns im Internet unter:
www.herbig-verlag.de

1. Auflage März 2009
2. Auflage April 2009
3. Auflage Juni 2009
4. Auflage Juli 2009
5. Auflage November 2009
6. Auflage Dezember 2009

© 2009 F. A. Herbig
Verlagsbuchhandlung GmbH, München
Alle Rechte vorbehalten
Umschlaggestaltung: Wolfgang Heinzel
Umschlagmotiv: okapia, Frankfurt
Lektorat: Dagmar von Keller
Herstellung und Satz: VerlagsService Dr. Helmut Neuberger
& Karl Schaumann GmbH, Heimstetten
Gesetzt aus der 11,25/14,15 Punkt Minion
Druck und Binden: GGP Media GmbH, Pößneck
Printed in Germany
ISBN 978-3-7766-2600-1

Inhalt

Vorwort

Meine erste nähere Bekanntschaft mit den Rabenvögeln machte ich mit einer Dohle. Damals war ich gerade zehn Jahre alt. Ein älterer Junge hatte seit dem Jahr davor eine »Dachl«, wie die Dohlen im Niederbayerischen hießen. Einen frei fliegenden Vogel zu besitzen, beeindruckte mich so sehr, dass ich unbedingt auch eine Dohle haben wollte. Auf mein Bitten und Drängen hin verriet er mir schließlich, wie man an eine junge Dohle kommt. In die Spitze unseres Dorfkirchturms müsse man zur rechten Zeit im Mai steigen. Ganz oben sind ihre Nester! Eine Treppe im gemauerten Turm und dann Steiggriffe am zentralen Balken führen dort hinauf.

An einem ruhigen Tag in den Pfingstferien riskierte ich es. Die Treppen hoch, das ging sehr schnell. Schwieriger wurde es in der engen Turmspitze, weil ich bald nicht mehr aufwärts schauen, sondern nur noch tasten konnte. Zudem war es stickig heiß und sehr staubig. Die Dohlen nisteten seit Jahrhunderten in diesem Turm. Sie bauten die Nester auf den Sparren und Streben alljährlich Schicht um Schicht höher, bis so ein Nestturm zu hoch wurde und abstürzte.

Die Bestandteile der Nester voller Kotreste, mit viel Staub und Mumien von Jungvögeln, die nicht zum Ausfliegen kamen, landeten in der Tiefe auf der oberen Plattform des gemauerten Turms, wo sie der Mesner alle Jahre wieder einmal entfernen musste. Beliebt waren sie daher nicht, die kleinen schwarzen Dohlen mit ihren silbrig grauen, irgendwie »klug« wirkenden Köpfen und den stahlblauen Augen. Aber man duldete sie, weil es schon immer so gewesen war, dass sie in der Turmspitze lebten. Wenn die Glocken geläutet wurden, kamen sie aus allen Luken mit lautem Geschrei hervor, umschwärmten flatternd den Turm, beruhigten sich wieder und verschwanden darin.

Mindestens 50 Dohlenpaare hausten damals im Kirchturm. Die meisten hatten Junge, als ich die Kolonie erreichte. Daher war es leicht, einen passend erscheinenden Jungvogel aus einem der Nester zu holen, die in Griffweite waren. Ziemlich verdreckt von all dem Zeugs, das auf mich niederging, weil ich unweigerlich an alte Nester stieß, aber mit einer schreienden Jungdohle als Beute, die ich unter dem Hemd versteckthielt, kehrte ich zurück und schlich mich wie ein Dieb aus der Kirche.

Ein schlechtes Gewissen hatte ich nicht, denn mit zwei bis drei Jungen pro Nest und somit sicherlich über 100 Jungvögeln allein in jenem Jahr schien mir der Verlust einer Dohle vertretbar. Zudem sollte diese ja nicht umkommen, sondern großgezogen werden und frei fliegen. Vielleicht würde sie auch wieder zur Kolonie zurückkehren – was sie später tatsächlich tat. Denn ich hatte nicht bedacht, dass die so muntere, schon richtig keck um sich schauende Jungdohle viel zu alt gewesen war, um auf Menschen geprägt zu werden. Sie fraß, schien unersättlich, wuchs heran, lernte von selbst das Fliegen und als sie so richtig schön groß geworden war, flog sie davon, zurück zu den Ihrigen. In den knapp zwei Monaten, die sie unter meiner Fürsorge aufwuchs, hatte ich viel gelernt.

Am eindrucksvollsten war, wie genau sie mich kannte und von allen anderen Menschen unterschied. Egal, wie ich gekleidet war, sie irrte sich niemals. Als sie fliegen konnte, streifte sie ums Haus herum, lernte die Umgebung kennen und verflog sich nicht ein einziges Mal. Die Leute im Dorf beeindruckte ich mit meiner Dohle sehr. Denn wenn ich sie »Hansi« rief, so hatte ich sie genannt, antwortete sie mit »da, da« und kam auch meist sogleich angeflogen. Gern saß sie auf meiner Schulter, knabberte dabei am Ohrläppchen und quatschte mir unentwegt auf Dohlisch ins Ohr.

Die Stunden, die ich in die Schule musste, mochte sie nicht. Da blieb sie im Haus eingesperrt. Nachmittags gingen wir »fliegen«. Gemeinsam suchten wir dann auf der Wiese nach Insekten. Da war sie natürlich viel besser als ich. Als die Sommerferien begannen und ich den ganzen Tag Zeit für sie gehabt hätte, verließ sie mich. Sie verstand offenbar die Rufe ihrer Artgenossen. Leider hatte ich sie nicht beringen können, weil die Ringe aus Plastik, die unsere Hühner trugen, für ihre dünnen Beine zu groß waren. Deshalb weiß ich nicht, wie es ihr bei den Dohlen im Kirchturm weiter erging.

Die kleine Dohle hatte ein Interesse erweckt, das nachwirkte. Fünfzehn Jahre später zog ich eine Rabenkrähe auf. Diese war klein genug. Sie hatte die Augen noch geschlossen und als sie sich öffneten, mich als erstes Lebewesen erblickt. Da hielt sie sich selbst für meinesgleichen und blieb. Über Jahre bekam ich mit dieser Krähe höchst ungewöhnliche Einblicke in das Leben von Rabenvögeln. Besonders Spannendes kam hinzu, als ein Freund den intelligentesten aller Vögel, einen Kolkraben, erhielt. Dieser Rabe lernte auch mich und einen kleinen Freundeskreis individuell kennen.

Jahrzehnte der Forschung an frei lebenden, »wilden« Rabenkrähen, Elstern und Dohlen folgten. Mein Interesse an dieser »Rabenschwarzen Intelligenz« ist nach einem halben Jahrhundert Beschäftigung mit den Krähenvögeln ungebrochen. Aus allen Teilen der Erde kommen immer wieder neue Entdeckungen und die erstaunlichsten Berichte über ihre Fähigkeiten.

9

Bei uns werden sie hingegen alljährlich zu Zehntausenden abgeschossen. Ist die Bekämpfung der Krähenvögel gerechtfertigt und sinnvoll? Warum ist unser Verhältnis zu ihnen so zwiespältig? Das habe ich mich früher oft gefragt. Ich meine, einige Antworten dazu geben zu können, warum ausgerechnet die intelligentesten Vögel am wenigsten beliebt sind.

Vorstellung der Rabenvögel

Die »Schwarzfedrigen« und die Intelligenz

Raben, Krähen und dergleichen

Wer mag sie schon, die Raben und die Krähen? Sie prunken nicht mit schönem Gefieder. Ihr Rabenschwarz passt für »schwarze Tage« besser. Im Flug mangelt es diesen Vögeln an Eleganz. Zu Fuß wirken sie einfältig, mitunter richtig komisch. Sie können weder klettern noch schwimmen. Selbst ganz jung sehen sie schon alt aus. »Alte Krähe« ist ein Schimpfwort der üblen Sorte. »Verrückte Hühner« sind jung und vergleichsweise weniger schlimm. Krähen singen nicht, sie krächzen. Das passt zwar zu ihnen, allerdings nicht zu ihrer Verwandtschaft, den Singvögeln. Dass sie mit der Nachtigall näher verwandt sein sollen als mit Hühnern oder Tauben, wird man ohne nähere Erklärung kaum für möglich halten. Und bei ihrem Gekrächze immer noch nicht so recht glauben wollen! Verwirrung gibt es schon bei den Namen. Wer ist »Rabe«, wer »Krähe« und wer »Rabenkrähe«? Selbst Vogel-kundler werden, um Klarstellung befragt, leicht verlegen. Raben sind die Großen, Krähen die Kleineren und Dohlen die Kleinen Schwarzen unter den schwarz gefiederten Rabenvö-geln. Oder heißt es Krähenvögel?

Dem Familiennamen zufolge wäre »Rabenvögel«, *Corvidae*, richtig, weil *Corvus* lateinisch Rabe bedeutet. Doch die »Schwarzen« sind in ihrer Familie, die 115 verschiedene Arten umfasst, klar die Minderheit. Zur Gattung *Corvus* gehören 40 Arten weitgehend oder ganz schwarz gefiederter Raben und Krähen. Die mehr oder weniger bunten, wie die altrosafarbenen heimischen Eichelhäher, die blauen amerikanischen Blauhäher, die Elstern, die prächtigen ostasiatischen Kittas und einige weitere Vertreter dieser Vogelgruppe stellen mit 75 Arten fast zwei Drittel der Familie. Also doch lieber Krähenvögel?! Wie's beliebt, lautet die Antwort. Denn nicht einmal innerhalb der »Schwarzen« lassen sich die (kleineren) Krähen von den (größeren) Raben klar genug trennen. Mit unserer west- und mitteleuropäischen Rabenkrähe haben wir den Kompromiss vor uns: Rabe und Krähe in gleichsam Einem; nicht zu klein und nicht zu groß. Viele meinen diese Art, wenn sie von »den Raben« sprechen, und nicht ihren viel größeren Verwandten, den Kolkraben. Verglichen mit diesem geradezu »edlen« Raben sind sie aber wieder gemeine Krähen; Rabenkrähen eben. Was sie eint bei aller Vielfalt in der Familie, das ist nicht von außen sichtbar. Man muss es erlebt haben, um es glauben zu können. Intelligenz ist ihre gemeinsame Stärke! Eine »rabenschwarze Intelligenz«! Ich habe sie erlebt und kann das Erlebte immer noch kaum fassen!

Intelligente Rabenvögel?

Wir Menschen halten uns für intelligent. Das ist wohl im Großen und Ganzen richtig, auch wenn die menschliche Intelligenz häufig genug sehr zu wünschen übrig lässt. Entrüsten wir uns über mangelnde Intelligenz von Mitmenschen, muss oft die Tierwelt für geeignete Schimpfwörter herhalten. »Blöder Hund« passt für Hunde und Menschen. Statistisch gesehen wird es häufiger auf Menschen angewandt als auf Hunde. Das spricht für die Intelligenz der Hunde. Zumeist erfüllen sie unsere Erwartungen. Bei der menschlichen Intelligenz setzen wir höhere Erwartungen an. Zu hohe offenbar. Dem Hund sind wir viel wohlwollender zugetan, sodass wir ihn für überdurchschnittlich intelligent halten, zumal wenn es der eigene ist. Da es die meisten Hunde irgendwie geschafft haben, sich einen Besitzer anzueignen, erfreuen sie sich fast allesamt überdurchschnittlicher Intelligenz in der Einschätzung seitens der Menschen. Diese Betrachtungsweise macht die Spezies Hund gescheiter, als sie ist. Ein »dummer Hund« fällt auf, obgleich Hunde nun mal dumm sein dürfen, weil sie nicht alles wissen können, was von ihnen erwartet wird. Vom Menschen hingegen wird von vornherein mehr erwartet, viel mehr. Auf diese Weise senkt sich der Durchschnitt der anderen Menschen scheinbar ganz erheblich unter das eigene Niveau der Intelligenz, von dem selbstverständlich ausgegangen wird. Das lässt unsere Spezies im Gegensatz zum Hund dümmer erscheinen, als sie ist.

Mit diesem automatischen Vorurteil müssen wir uns herumschlagen, wenn wir »objektiv« sein (oder werden) möchten. Das kleinste Zeichen von Intelligenz beim Hund wird freudig vermerkt, während kleine Unachtsamkeiten von Menschen dagegen gleich als Ausdruck von Dummheit gewertet werden. Intelligenz hat daher fast immer mit Voreingenommenheit zu tun. Greifen können wir die Intelligenz ohnehin nicht und begreifen nur schwer, weil wir dabei auf die eigene, mehr oder weniger ausgeprägte angewiesen sind. Wie groß oder wie schwach die »Ausprägung« ist, wissen wir deshalb nicht, weil uns die eigene Intelligenz nur so weit hilft, wie sie reicht.

Mit der Intelligenz geraten wir in Schwierigkeiten, wo immer wir sie definieren wollen. Ist es ein Zeichen von Intelligenz, wenn sich die Katze schlafend stellt und auf unseren Zuruf nicht reagiert, oder einfach Ausdruck ihrer momentanen, meist viele Stunden anhaltenden Faulheit? Ist der Esel, weil er sich weit umfänglicher den Menschen und ihrem Ansinnen widersetzt, intelligenter als das folgsame Pferd?

Eine genaue, für andere kritischen Intelligenzen hieb- und stichfeste Begriffsbestimmung der Intelligenz will ich deshalb vermeiden. Abgrenzungen lassen sich kaum jemals in der Klarheit vornehmen, die sie vortäuschen, weil in der Natur die Übergänge fließend sind. Besser ist es, die Befunde, das Erlebte direkt darzustellen. Darüber kann dann jeder nachdenken und sich seinen Reim darauf machen. Am irgendwie intelligenten Verhalten von Tieren ändert die nachträgliche menschliche Deutung ohnehin nichts. Es war so, wie es war; die Experimente hatten diese oder jene Ergebnisse. Deute sie, wer das kann!

Sicher ist, dass wir Menschen die Intelligenz nicht für uns alleine reservieren können. Tiere sind keine Automaten, die ein vorprogrammiertes Verhalten abspulen, weil es gerade durch diesen oder jenen Anreiz ausgelöst worden ist. Wäre dem so, und könnten Tiere nicht auch in irgendwie ähnlicher Weise wie wir Menschen denken, müssten wir auch uns selbst die Intelligenz absprechen. Denn sie bedeutet mehr als Einsicht oder Voraussicht. Der lateinische Wortursprung drückt das aus: Dazwischen, nämlich zwischen den Zeilen des Geschriebenen oder den Sätzen des Gesprochenen, lesen zu können, darin äußert sich Intelligenz. Das können mit Sicherheit unsere nächsten biologischen Verwandten, die Menschenaffen. Bei den großen Übereinstimmungen in Bau und Funktionsweise ihres und unseres Gehirns und beim hohen Grad der Verwandtschaft nimmt das nicht wunder. Unterscheiden wir uns von den Schimpansen doch nur in wenig mehr als einem Prozent im Erbgut (Genom).

Aber nicht nur die Menschenaffen allein äußern intelligentes Verhalten. Wir staunen über Leistungen ganz anderer Säugetiere wie zum Beispiel der Delfine. Sie verständigen sich unter Wasser mit Ultraschall. Wie weit sie sich dabei in grundsätzlich ähnlicher Weise austauschen wie wir Menschen mit der

Sprache, wissen wir nicht, weil der Code der (möglichen) Delfinsprache bisher nicht geknackt worden ist. Ihre schwache, kaum erkennbare Gesichtsmimik verrät uns zu wenig über Stimmungen und Wirkungen von Verhaltensweisen. Aber wenn etwa ein Delfin beim Training den Ball 20- oder 30-mal mit der Schwanzflosse an den Rand des fünf Meter über dem Becken angebrachten Basketballkorbes geschleudert, jedoch nicht in den Korb getroffen hatte, mutet es schon wie eine Neckerei an, die er sich mit dem Trainer erlaubt, wenn er sofort absolut sicher trifft, weil dieser sagt »du bist heute zu blöd, ich mag nicht mehr und hör auf!«.

Was mag in jenem Weißwal im Duisburger Zoo vorgegangen sein, als sich der Direktor vor dem Becken (zu) lange mit einem Kollegen und mir unterhalten hatte und ihm der Wal urplötzlich ein Maul voll Wasser über den Kopf schüttete? Oder als sich in der völligen Freiheit einer Lagune im mexikanischen Niederkalifornien Grauwale in der Abenddämmerung auf ihre Schwanzflossen im Flachwasser abstützten, den Kopf übers Wasser emporreckten und den Sonnenuntergang ansahen?

Verwirrende bis rührende Geschichten können auch die meisten Hundehalter von ihren Lieblingen erzählen. Manches, allzu viel mitunter, mag vom Menschen hineininterpretiert worden sein. Aber im Grundsatz ist und bleibt klar, dass Empfindungen und Verhaltensweisen bei Tieren vorkommen, die doch sehr »menschlich« wirken.

Drei Gruppen von Tieren trauen wir dabei am meisten zu: unseren nächsten Verwandten, den Primaten, vor allem den Menschenaffen. Unserem treuesten Haustier, dem Hund. Und schließlich den Säugetieren ganz allgemein, so weit es sich um sehr lernfähige Arten handelt, die sozial leben. Daher wird man auch Ratten und Mäusen Intelligenz zubilligen müssen, nicht nur Hunden und Affen. Bei anderen Säugetieren wissen wir zumeist zu wenig von ihrem Leben, weil uns ihre Welt, wie bei Walen und Delfinen, zu verschlossen ist. Als Faustregel gilt, wer ein großes Gehirn hat, kann intelligent sein. Ein Elefantengehirn macht ein Elefantengedächtnis möglich. Wer seine Beute aktiv suchen und jagen muss, wird intelligenter sein als andere Arten ähnlicher Größe, die von Gras leben. Intelligenz könnte also so etwas wie der Spiegel der Anforderungen sein, die Leben und Umwelt für die betreffende Art mit sich bringen. Dem Biber, der Dämme baut und den Wasserabfluss in einem von ihm gestauten See reguliert, wird man mehr Intelligenz zubilligen als den Wühlmäusen, mit denen die Biber entfernt verwandt sind. Sie graben Löcher in die Dämme, ohne Rücksicht auf die Folgen, während die Biber Löcher so rasch wie möglich verschließen, um den Wasserstand zu halten. Die im Rudel gemeinsam jagenden Löwinnen oder Wölfe sind gewiss intelligenter als ihre Beute, die Büffel und Antilopen oder die Elche und Rehe.

Wir Menschen sind Säugetiere und Angehörige der Ordnung der Primaten. Insofern passt bei uns alles gut zusammen: Primaten sind besonders intelligent, die uns nächstverwandten Menschenaffen am intelligentesten. Der Hund gehört als Abkömmling des Wolfes zu den sozial in Gruppen lebenden und jagenden Raubtieren, die im Hinblick auf ihre Herausforderungen sehr intelligent sein müssen. Unter den Nagetieren haben Ratten, Mäuse und Biber ein hoch entwickeltes Sozialverhalten mit individuellem Kennen und Erkennen der Mitglieder ihrer Gruppen. Auch das setzt ein entsprechend hohes Maß an Intelligenz voraus. Die weitaus meisten Beispiele für intelligentes Verhalten und Forschungsergebnisse, die sich mit Experimenten darauf beziehen, stammen aus diesen Gründen von diesen Säugetieren. Sie passen mit ihrem unterschiedlichen Grad an Intelligenz und Verwandtschaft recht gut zu uns.

Doch wo soll sich eine Intelligenz von Rabenvögeln einordnen? Vögel haben keine großen Köpfe mit schwergewichtigen Gehirnen. Sie leisten viel und höchst Erstaunliches mit ihren Flügen, die sich über den ganzen Globus erstrecken können. Aber wenn es um »Klugheit« in der Vogelwelt geht, taucht in unserer Vorstellung eher das Bild der »weisen Eule« auf als das des klugen Raben. Ein Trugbild ist es, denn die Befiederung der Eule täuscht einen großen, mit den Rundungen Klugheit versprechenden Kopf vor. Zu den Intelligentesten unter den Vögeln gehören die Eulen gewiss nicht. Die »Eule der Athene« hatte der Göttin nichts zu sagen; ganz im Gegensatz zu »Hugin« und »Munin«, den beiden Raben des Germanengottes Wotan. Sie sorgten dafür, dass er über das, was die Menschen so anstellten, auf dem Laufenden blieb, ohne dass sich der Gott mit der Menschenwelt unter ihm allzu viel Mühe machen musste. Die alten Germanen hatten die Intelligenz der Raben sehr wohl gekannt und das Rabenpaar zu Göttervögeln gemacht. Die Christianisierung der Heiden stürzte mit Wotan auch die beiden klugen Raben und degradierte sie zu Totenvögeln. Intelligent blieben sie dennoch. Die Intelligentesten der Vogelwelt überhaupt und eine echte Konkurrenz für Primaten; mitunter auch für jenen Primaten, der sich selbst »der Weise (oder Kluge)« nennt – den Homo sapiens. Sogar mit ihrer kleineren Ausgabe, den Rabenkrähen, kommt so mancher Zeitgenosse im grünen Rock nicht klar. Die Antwort der Gekränkten ist der tödliche Schuss.

Was sind Rabenvögel?

Die volkstümliche und die zoologische Sicht

Es war schon spät, so gegen 22 Uhr, als das Telefon in meinem Arbeitszimmer in der Zoologischen Staatssammlung klingelte. Warum wohl mochte der Anrufer annehmen, dass ich noch arbeiten würde? Aus dem Hörer drang Wirtshauslärm. Die Frage aber kam klar und eindeutig: »Gehören nun die Krähen, Herr Doktor, zum Raubzeug oder zu den Singvögeln?« Eine Diskussion unter Jägern war also im Gang. Meine Antwort fiel ebenso klar und eindeutig aus: »Zu den Singvögeln, Raubzeug werden sie nur in der Jägersprache genannt.« Zurück kam ohne Groll ein »Dank schön, aber jetzt habe ich gerade einen Kasten Bier verloren!«. Da der Hörer eingehängt wurde, konnte ich meinen Vermittlungsvorschlag nicht mehr anbringen, nämlich dass beide auf ihre Weise Recht gehabt hatten.

Aus der Sicht der Jäger fasst der Ausdruck »Raubzeug« die drei markantesten Vertreter der Krähenvögel, Krähen, Elstern und Eichelhäher, zusammen. Zoologisch, und damit rechtlich im Hinblick auf die Europäische Vogelschutzrichtlinie, um die es bei obiger Frage in der Wirtshausdiskussion gegangen war, weil 1979 alle Singvögel unter Schutz gestellt worden waren, stimmte allerdings die Einstufung als Singvögel. Mich hatte damals der Verdacht beschlichen, dass bei der parlamentarischen Abstimmung über die Vogelschutzrichtlinie möglicherweise niemand unter den jagenden Abgeordneten im Europaparlament zugegen war, der wusste, dass auch die Raben Singvögel sind. Daher gerieten die Rabenvögel unter die Decke des Vollschutzes, ohne dass dies so für sie vorgesehen gewesen war. Umgekehrt dürften sich einige Informierte unter den Abgeordneten ins Fäustchen gelacht haben über diesen Handstreich. Als solcher wurde er von zahlreichen Jägern angesehen, als das Geschehen ruchbar geworden war. Da hatte man doch glatt das »Raubzeug«, die schlimmsten Feinde der Singvögel, diesen armen, schützenswerten Vögelchen gleichgestellt und in Schutz genommen. Folglich durften sie auch nicht mehr, wie bisher, abgeschossen und reguliert werden. »Wer schützt uns nun vor diesen Räubern«, ließ eine Jagdzeitung entsetzte Singvögel in einer Karikatur fragen. Das Ende der Singvögel schien mit dieser Unterschutzstellung angebrochen. Viele Freunde der Singvögel und Vogelschützer konnten es auch nicht fassen: Krähen, Elstern und Eichelhäher sind doch wie die Katzen die Feinde der Singvögel!

Die alte Ordnung, die auch die Vogelwelt in Gut und Böse einteilte, war infolge der zoologischen Klassifizierung zusammengebrochen. Für die Jäger schien das sogar besonders schlimm, weil Krähen und Elstern aus ihrer Sicht auch als Feinde der Bodenbrüter, wie Fasan und Rebhuhn oder Wildente, und der Junghasen unbedingt kurz gehalten werden mussten. Mit Erfolg, dank ihres hohen politischen Einflusses und des passionierten Jägers Franz Josef Strauß, erwirkten sie zunächst in Bayern eine Ausnahmeregelung, die ihnen (die allerdings höchst unbeliebten) »Einzelabschüsse« ermöglichte. Eine zumindest teilweise Rettung von Niederwild und Singvögel war damit gewährleistet. An der zoologischen Einstufung des »Raubzeugs« änderte dies allerdings nichts. Der Ausdruck entschwand nach und nach. Er war so auch nicht mehr zeitgemäß.

Die Krähen

Es gibt andere Probleme. Während »die Elster« oder »der Eichelhäher« eindeutige Bezeichnungen sind, ist das bei »den Krähen« nicht so. Die Bezeichnung umfasst nämlich drei verschiedene »Formen«, von denen zwei einander zwar sehr ähnlich sehen, aber artverschieden sind, während die dritte deutlich anders aussieht, aber nur eine Unterart (Subspezies) darstellt. Die Rede ist von Rabenkrähe, Nebelkrähe und Saatkrähe. Raben- und Saatkrähe sind ganz schwarz, schon auf mäßige Entfernungen täuschend ähnlich, aber zwei eindeutige Arten, die sich nicht miteinander vermischen. Die Nebelkrähe hingegen, »zweigeteilt« grau und schwarz gefiedert, ist der Rabenkrähe so nahe verwandt, dass sich beide, allerdings auf höchst merkwürdige Weise, in einem schmalen Streifen, der sich quer über Europa von der Ostsee zum Mittelmeer hin zieht, untereinander vermischen. Sie gelten daher als zwei Unterarten einer größeren Gemeinschaft, die Aaskrähe genannt wird und den wissenschaftlichen Namen *Corvus corone* trägt. Die westliche, ganz schwarz gefiederte Unterart davon ist »unsere« Rabenkrähe *Corvus corone corone*, die zu ihrer Kennzeichnung als Subspezies den dritten Namensteil *corone* hinzugefügt bekommen hat, während die östliche und südöstliche Unterart auch allgemein als Nebelkrähe bekannt und wissenschaftlich *Corvus corone cornix* bezeichnet ist. Dieses merkwürdige Paar wird in anderem Zusammenhang noch genauer behandelt. Zunächst geht es darum, im nötigen Umfang klarzustellen, wer unter den Raben- oder Krähenvögeln wer ist und wohin er/sie gehört.

So verursacht die große Ähnlichkeit der beiden »Schwarzen«, der Raben- und der Saatkrähe, immer wieder Missverständnisse und Fehleinschätzungen, vor allem, wenn es um die Häufigkeit »der Krähen« geht. Denn in der Lebensweise un-

Rabenkrähe *Corvus corone corone*, schlanke Beine ohne abstehendes Gefieder (»Hosen«) und schwarzes Gefieder mit wenig Glanz

terscheiden sich beide Arten weitaus stärker als in ihrem Äußeren. Wenn im Winter Zehn- oder Hunderttausende Saatkrähen als Gäste aus dem Osten zu uns kommen, bedeutet dies eben nicht, dass sich die heimischen Rabenkrähen im letzten Sommer explosiv vermehrt hätten und die nächste Brutzeit der Singvögel und Feldhühner von Schwadronen schwarzer Nesträuber heimgesucht würden. Und weil es sich um Wintergäste handelt, die im Frühjahr wieder abziehen, besagen ihre Schwärme auch nichts über die Brutbestände der Saatkrähen in Deutschland. Als Brutvögel sind sie tatsächlich so selten, dass sie zu den gefährdeten Arten gehören und vielerorts völlig fehlen. Wer aber eine Brutkolonie von Saatkrähen vor dem Fenster oder im nahen Park hat, wird eher geneigt sein, das Gegenteil einer Überhandnahme anzunehmen. Weil Saatkrähen in Kolonien brüten, die als »Nesträuber« ver-

Saatkrähe *Corvus frugilegus*, Altvogel mit weißgrindiger Schnabelwurzel, stark glänzendem Gefieder und »Federhosen«

schrieen Rabenkrähen jedoch nicht. Die Rabenkrähen brüten streng einzeln und verteidigen ihr Brutrevier gegen Artgenossen. Die Saatkrähen suchen als Koloniebrüter wie die gleichfalls in Kolonien und noch enger beisammen nistenden Dohlen gemeinsam auf den Fluren nach Nahrung. Daran sollte man sie gleich erkennen können. Bei den kleinen Dohlen mit dem grauen Kopf ist das auch in der Tat einfach. Nicht aber bei den Saatkrähen, weil es zur Brutzeit auch Schwärme von Rabenkrähen gibt, die umherstreifen und gemeinsam nach Nahrung suchen.

Dieser komplizierte Sachverhalt ist leider so wichtig, dass er später genau dargelegt werden muss. Denn es macht in der Tat einen großen Unterschied, ob es sich während der Fortpflanzungszeit der Vögel und des Niederwildes bei einem Krähenschwarm um Saatkrähen oder um Rabenkrähen handelt.

Dummerweise haben die ausgeflogenen jungen Saatkrähen auch noch einen befiederten Schnabelansatz und nicht das »grindige« Gesicht der Altvögel, sodass sie den Rabenkrähen noch ähnlicher sehen. Kein Wunder also, dass die Jäger vereinfachend von »den Krähen« und zusammengefasst mit den unverkennbaren Elstern vom »Raubzeug« gesprochen hatten. Leicht machen sie es uns wirklich nicht, die Krähen. Aber das liegt eindeutig an uns. Denn untereinander täuschen sie sich überhaupt nicht. Sie sehen einfach viel besser als wir Menschen; so gut sogar, dass sich die Partner und Nachbarn der Raben- wie auch der Saatkrähen untereinander persönlich erkennen, obgleich sie für uns völlig gleich aussehen.

Vieles hängt eben von der Sichtweise ab, wie gut sie entwickelt ist oder wie begrenzt und von Vorurteilen belastet sie ausfällt. Bei den Krähen treffen für uns Begrenzung und Vorurteile ganz besonders zu, weil wir Buntes und Niedliches emotional bevorzugen, mit Schwarzem aber Schwierigkeiten haben zurechtzukommen. Auch davon später mehr.

Bleiben wir bei der Zuordnung und ihren Problemen. Wer zu den Singvögeln gehört, wird nicht von den Gesangsqualitäten bestimmt und was ein Krähenvogel ist, hängt nicht von seinem Äußeren ab. Die Zuordnung »Krähe« stimmt jedoch besser, als man vermuten würde, wenn wir die globale Verbreitung der Krähenvögel berücksichtigen. Schwarze Vögel von Größe und Aussehen »einer Krähe« gibt es mit Ausnahme von Südamerika auf allen Kontinenten und vielen Inseln. Mit sechs verschiedenen Arten aus der Gattung Krähe/Rabe *Corvus* sogar besonders viele in Australien! Fünf Arten leben in Afrika und sieben in Eurasien, der größten Kontinentalmasse. Insgesamt umfasst die Gattung *Corvus* 40 verschiedene Arten. Unsere vier Arten, der Kolkrabe *Corvus corax*, die Aaskrähe *Corvus corone*, die Saatkrähe *Corvus frugilegus* und die

Dohle *Corvus monedula*, stellen also gerade zehn Prozent des globalen Artenspektrums der »Krähen«, die Raben eingeschlossen.

Diesen wurde seit alters die Bezeichnung »Rabe« zuteil, weil bei uns die Kolkraben mit ihren 64 Zentimetern Länge von der Schnabel- bis zur Schwanzspitze auch deutlich größer als die Raben-, Nebel- und Saatkrähen mit nur 47 bis 48 Zentimetern sind. Der Größenunterschied äußert sich nicht nur in Flugbild und Körpermasse (Gewicht), sondern insbesondere auch in der Wuchtigkeit des Schnabels. Der Kolkraben-Schnabel übertrifft sogar den des ungleich »mächtiger« erscheinenden Steinadlers. Der Längenunterschied zwischen Kolkraben und den »Krähen« von einem Viertel bedeutet im Gewicht aber eine Verdopplung bis Verdreifachung. Große Kolkraben wiegen mehr als 1,5 Kilogramm, Krähen aber nur um die 0,5 Kilogramm. Das Gewicht schwankt in Abhängigkeit von Alter, Jahreszeit und Kondition, aber das Verhältnis

Der direkte Größenvergleich mit dem Steinadler (links) zeigt, wie mächtig der Schnabel des Kolkraben ist (Balgpräparate).

25

bleibt bestehen. Erheblich größer als bei den Krähen fällt daher auch die Flügelspannweite der Raben aus. Beim (europäischen) Kolkraben erreicht sie bis 1,5 Meter; bei den nordamerikanischen Artgenossen fällt sie etwas geringer aus. Dennoch ist das eine eindrucksvolle Flügelspannweite, die durchaus der von Greifvögeln in Bussardgröße entspricht.

Hier in Europa und Nordasien wie dort in Nordamerika sind die nordischen Raben stets deutlich größer als die weiter südlich vorkommenden. Als Regel gilt, je weiter im Norden sie auftreten, desto größer werden sie – und umgekehrt. Kolkraben sind sehr weit verbreitet. Ihr Areal reicht von Westeuropa und fast ganz Nordafrika über Nord- und große Teile von Zentralasien bis in den Fernen Osten und hinüber nach Nordamerika, wo sie südwärts bis Mexiko und Mittelamerika vorkommen. Sogar die Küsten Grönlands und Islands sowie zahlreiche kleine nordatlantische Inseln sind vom Kolkraben besiedelt. Sein Areal zählt damit zu den größten einer Singvogelart überhaupt – und er ist der größte Singvogel! Darin drückt sich der Erfolg des Raben aus.

Würde die Aaskrähe in Nordamerika nicht durch vier eigene, nahe verwandte Krähenarten, die Amerikanerkrähe *Corvus brachyrhynchos*, die Fischkrähe *Corvus ossifragus*, die Sundkrähe *Corvus caurinus* und die Mexikanerkrähe *Corvus imparatus* sowie auf den Antilleninseln von fünf weiteren Arten von Inselkrähen ersetzt, nähme sie ein fast genauso großes Areal ein wie der Kolkrabe. In Europa und Nordasien ist es offenbar nicht zu so starker Isolierung der Vorkommen der Aaskrähen gekommen, als das Eis während der Eiszeiten vorrückte wie in Nordamerika, sodass sich keine eigenständigen Arten, sondern nur Unterarten ausbildeten. Weiter im Süden Asiens, in Indien und Südost- sowie in Ostasien breitete sich jedoch eine eigene Art, die Haus- oder Dschungelkrähe *Corvus macrorhynchus* überall dort aus, wo der Kolkrabe ganz

oder weitestgehend fehlt. Von dieser Krähe wird noch Erstaunliches zu berichten sein.

Die Saatkrähe hingegen hat kein direktes Gegenstück in
Nordamerika. Von Westeuropa aus reicht ihr Areal über Vor-
der- und Zentralasien bis ins Amur-Gebiet und in große Teile von Nord- und Zentralchina. Unter den Krähen bildet sie
eine Besonderheit, weil sie regelmäßig mehr oder weniger
weite Wanderungen von den nördlichen Brutgebieten in süd-
licher und südwestlicher (in Europa) gelegene Winterquartiere durchführt und dabei in großen Schwärmen unterwegs ist,
die auf ihren Zugrouten traditionelle Übernachtungsplätze
aufsuchen und auch im Winterquartier allabendlich Schlafplatzflüge durchführen. Gebietsweise schließen sich Dohlen
an, die auch aus den nördlicheren, im Winter zu kalten und zu
schneereichen Gebieten in mildere Regionen wandern.

Die meisten Krähen sind allerdings mehr oder weniger sogenannte Standvögel. Sie bleiben das ganze Jahr über in ihren
Brutgebieten und verlassen oftmals ihr Revier gar nicht, es sei
denn, ein ungewöhnlich harter Winter zwingt sie dazu. »Unsere« Krähen müssen wir daher im größeren Rahmen ihrer kontinentweiten Vorkommen und ihrer näheren Verwandtschaft betrachten, wenn wir ihre Lebensweise verstehen
möchten.

Krähennahrung

Die nahe liegende Frage, warum nur die Krähen und nicht alle
Rabenvögel ein schwarzes, höchstens ein teilweise graues
Gefieder tragen, stellen wir noch etwas zurück, bevor wir uns
einen Überblick über die weitere Verwandtschaft verschafft
haben. Etwas anderes ist wichtig. Die »Krähen« ernähren sich
sehr vielseitig. Aber das, was sie verzehren, ist ergiebig und

qualitativ hochwertig. Nicht um einfache Pflanzenkost handelt es sich, wonach sie suchen, sondern um proteinhaltige und kohlenhydratreiche Nahrung. In ihrer Zusammensetzung entspricht sie weitgehend unserer eigenen Ernährung! Es gereicht ihnen zum Vorteil, dass sie auch noch Tierkadaver und verwesendes Fleisch, etwa von Müllhalden, unbeschadet verwerten können, von denen wir uns Vergiftungen mit Leichengiften zuziehen würden. Die früher nicht unübliche »Entsorgung« von menschlichen Leichen auf Schädelstätten und Tierkadavern, die in Burggräben geworfen wurden, zog diese schwarzen Vögel an wie bis in die Gegenwart die Abfälle unserer Überflussgesellschaft. So wurden sie zu »Totenvögeln«, und zwar noch mehr als manche Greifvögel, denen wir es nachsehen, dass sie sich von Kadavern ernähren, weil sie wie die Adler ja dem »Adel« der Vogelwelt angehören und deshalb »edler« als die Krähen und Raben sind.

Mit diesem Hinweis schränke ich jedoch schon wieder zu sehr auf die europäischen (und nordamerikanischen) Verhältnisse ein, wo Geier heutzutage oder auch in früheren Zeiten keine größere Rolle in der Beseitigung von Kadavern von Tieren und Menschen gespielt haben. In den Subtropen und Tropen ist das anders. Dort werden die Raben allenfalls lästig für die großen Abfallverwerter, die mit mehr als doppelt so großen Flügeln und kräftigen Geierschnäbeln die Raben und Krähen an den Rand drängen, bis sie selbst sich von den Kadavern einverleibt haben, was sie zu sich nehmen können. Die Reste bleiben dann für die Kolkraben und ihre tropischen Verwandten sowie für die kleinen Dschungelkrähen in Südasien und die Kapkrähen *Corvus capensis* oder die schwarzweißen Schildraben *Corvus albus* in Afrika südlich der Sahara. Vielseitigkeit bedeutet für die Krähen und Raben auch Auswahl. Sie sind wählerisch und nehmen nur, was ihren Qualitätsansprüchen genügt.

Im Idealfall ist das ein frisch totes Tier einer Körpergröße, die ihre eigene nicht sehr wesentlich übertrifft. Dann müssen sie nicht teilen oder darauf gefasst sein, dass größere, konkurrenzkräftigere Arten sie davon verdrängen. Ein hinreichend großer Kadaver lohnt dagegen wieder, weil sich so eine Masse von Proteinen, wie sie etwa ein dem nordischen Winter oder den Wölfen zum Opfer gefallener Elch beinhaltet, allein gar nicht verwerten lässt. Da haben Artgenossen auch viel davon, ohne zu konkurrieren. Mehrere Raben können sich durchaus erfolgreich Füchse vom Leib und vom Kadaver fernhalten. Auch mancher Steinadler zögert, ob er sich auf die Auseinandersetzung mit einer Gruppe von Raben einlassen soll oder doch lieber selbst einen Schneehasen jagt. Diese Zusammenhänge sowie ihre Menge und Verfügbarkeit im Jahreslauf gewinnen gleichfalls an Bedeutung, wenn sie später vertieft behandelt werden. Hier soll festgehalten werden, dass die Bezeichnung »Allesfresser«, wie sie für Krähen und Raben oft verwendet wird, missverstanden werden kann. Denn auch die pflanzliche Nahrung, wie sie vor allem die Saatkrähe in erheblichem Anteil im Spektrum ihrer Ernährung nutzt, muss entsprechend reich an Proteinen sein. Das ist bei Saatgut oder frisch keimendem Getreide der Fall, nicht aber bei Gras von Wiesen und Fluren. Davon können weder Saatkrähen noch Dohlen geschweige denn die großen Raben leben. Sie entsprechen vielmehr auch hinsichtlich ihrer Pflanzenkost recht genau dem, was wir Menschen als vegetarische Kost oder Zukost verwerten.

Konkurrenz und Konkurrenzvermeidung

Wie es Raben und Krähen bei so ähnlicher Ernährung dennoch schaffen, neben- und miteinander auszukommen, gehört gleichsam zu den Lehrstücken der Ökologie. Sie sortieren sich vor allem der Größe nach, der Körpergröße nämlich, und dann gegebenenfalls in der Wahl des Lebensraumes (und der Art der Fortpflanzung), wenn es in der Körpergröße eine zu starke Überschneidung gibt. So kommen Kolkrabe, Rabenkrähe und Dohle deshalb ohne größere Konkurrenz miteinander zurecht, weil sie sich in der Körpergröße so stark voneinander unterscheiden. Der Kolkrabe wiegt, wie schon ausgeführt, gut das Doppelte verglichen mit der Raben- oder Nebelkrähe und diese sind mit ihren um die 500 Gramm schwankenden Gewichten gleichfalls gut doppelt so schwer wie die Dohlen mit ihren 200 bis 250 Gramm.

Die »ökologische Größenregel« besagt, dass sich Vogel- und Säugetierarten, die im selben Lebensraum vorkommen und sich im Wesentlichen von der gleichen Nahrung ernähren, sich jeweils um gut das doppelte Gewicht unterscheiden sollten. Das ist die erfolgreich trennende ökologische Mindestdistanz. Fällt diese geringer aus oder kommt es zu starken Überschneidungen im Körpergewicht, sind die einander ähnlichen Arten in aller Regel auf andere Weise einander buchstäblich aus dem Weg gegangen, nämlich durch die Wahl anderer Hauptlebensräume.

Bei Aas- und Saatkrähe trifft dies zu. Während die weitgehend territorial in Einzelrevieren lebenden Aaskrähen Waldränder und kleinflächig offenes Gelände bewohnen, ist die offene Feldflur, ursprünglich die Steppe, der Hauptlebensraum der Saatkrähen. Da Bäume und Baumgruppen in der Natur- wie in der Kultursteppe rar (gewesen) sind und auch von den die Flüsse in der Steppe begleitenden Auenwäldern aus weite Flüge ins offene Land hinaus vonnöten waren, gaben die Saatkrähen das territoriale Einzelbrüten auf. Sie schlossen sich zu Kolonien zusammen, die sie auch gemeinsam gegen Feinde, vor allem gegen Greifvögel, verteidigen. Die Nahrung suchen sie zusammen im lockeren Schwarm draußen in der offenen Landschaft, wo gleichfalls die Gruppe mehr Schutz für den einzelnen Vogel bietet, wenn ein Greifvogel einen Angriff fliegt.

Bei den Dohlen können wir den Übergang vom Einzelbrüten zum Koloniebrüten ganz unmittelbar noch mitverfolgen. In lichten Wäldern mit Naturhöhlen in den alten Bäumen brüten sie einzeln, in der weithin offenen Agrarlandschaft in Kolonien. Ein offenes Brüten wie die Saatkrähen können sich die kleinen, viel schwächeren Dohlen auch in der Kulturlandschaft nicht leisten, obwohl sie sogleich mit viel Geschrei selbst zum Angriff übergehen, wenn ein Mitglied ihres Schwarms etwa von einem Habicht gegriffen wird. Sie sind dem Schutz von Höhlen verbunden geblieben und in Türme von Kirchen oder Burgen ausgewichen. Wo sie konnten, haben sie sich auch selbst Löcher in weiches Material von hohen Steilwänden an Flussufern und ähnlichen Stellen gegraben.

Diese Hinweise auf Formen der Lebensweise und das Verhältnis zu Konkurrenten und Feinden sollen gleichfalls später bei entsprechenden Themen erweitert und vertieft werden. An dieser Stelle helfen sie, unsere Krähenvögel in den größeren Zusammenhang einzuordnen, der für die weitere Entwicklung des Themas benötigt wird.

Kurzcharakterisierung unserer Krähenvögel

Kurz zusammengefasst besagen diese Befunde: Unsere Krähen und Raben setzen sich aus mehreren verschiedenen Arten mit klar voneinander unterschiedlichem Lebensstil zusammen. »Die Krähe(n)« gibt es nicht. Wir müssen unterscheiden, worum es geht, wenn über die Krähen diskutiert werden soll. Die bei uns vorkommenden Vertreter der Gattung der

Krähen/Raben (*Corvus*) repräsentieren einen Teil des globalen Artenspektrums dieser Vogelgruppe. Der Kolkrabe ist der größte Singvogel mit einem so riesigen Verbreitungsgebiet auf der ganzen Nordhemisphäre der Erde, dass daraus zwangsläufig höchst unterschiedliche Lebensanforderungen und Lebensweisen zu folgern sind. Raben- und Nebelkrähe bilden ein Zwillingspaar, das sich geographisch aus dem Weg geht, aber miteinander noch weiterhin fruchtbare Nachkommen zeugen kann. Saatkrähe und Dohle sind eigenständig in ihrer Lebensweise und im Gegensatz zu Kolkrabe, Raben- und Nebelkrähe ausschließlich oder in weitaus überwiegendem Maße Koloniebrüter. Beide Arten wandern aus den nördlicheren Verbreitungsgebieten im Herbst und Frühwinter südwärts in wärmere Gebiete. Sie sind demzufolge in Teilen ihres Gesamtvorkommens Zugvögel. Auch die Nebelkrähe kann in weniger deutlicher Weise südwestwärts ziehen, verlässt dabei aber merkwürdigerweise das Artareal kaum oder gar nicht und dringt damit auch nicht nennenswert in das mittel- und westeuropäische Areal der Rabenkrähe ein.

All diese Arten stellen, was den Gehalt an Proteinen und energiereichen Kohlenhydraten betrifft, (sehr) hohe, unserer menschlichen Ernährung vergleichbare Ansprüche an die Nahrung. Sie »Allesfresser« zu nennen, würde sie abqualifizieren und ihren Ernährungsansprüchen nicht gerecht werden. Dass sie sich damit aber gleichsam ihrer Natur nach für das Eindringen in die Menschenwelt qualifizierten, liegt nun auf der Hand. Denn diese neue Welt der Menschen enthält oder produziert großflächig genau das, was die Raben/Krähen benötigen. Dieses Neue zu nutzen, setzt allerdings auch eine entsprechende Intelligenz voraus, selbst wenn es nur um Abfälle aus dieser Menschenwelt geht.

Mit diesen Feststellungen sollte die Bühne bereitet sein für die nähere Behandlung von Aspekten aus dem Leben der Rabenvögel. Zuvor verdient auch ihre nähere Verwandtschaft, in die Betrachtungen mit einbezogen zu werden, auch wenn sie gemeinhin nicht als Angehörige der Krähenvögel angesehen werden. Sie gehören dennoch dazu – und was sie als Kontrastprogramm zeigen, verbessert den Zugang zu den Geheimnissen der »schwarzen Gesellen« aus der Vogelwelt.

Elstern, Häher und weitere Krähenvögel

Elstern gehören auch zu den Krähenvögeln, obwohl sie so markant schwarzweiß gefiedert sind und einen auffällig langen, bezeichnenden Schwanz tragen. Die Häher hingegen entsprechen nun nicht mehr dem Schema »Krähe«. Ohne Kenntnis ihrer tatsächlichen verwandtschaftlichen Zusammenhänge würde man sie wohl eher noch den Singvögeln zugesellen als die Krähen im engeren Sinne. Irgendwie verbinden wir mit Singvogel Buntheit und Gesang, zumindest wohltönende Rufe.

Damit qualifizieren sich unsere beiden mitteleuropäischen Häherarten, der Eichel- *Garrulus glandarius* und der Tannenhäher *Nucifraga caryocatactes* allerdings ganz und gar nicht. Ihr Krächzen und Rätschen, von dem lautmalerisch vielleicht auch ihr deutscher Name stammt, zumindest aber dazu passt, lässt, wie bei den Krähen (»krächzen«) auch, so ziemlich alles Melodische vermissen. Gleiches gilt für die »tjschak«- oder »schräck,ek,ek...«-Rufe der Elster. Nur wenn sie leise vor sich hin »quatschen«, mischen sich auch »bessere«, nicht mehr bloße Geräusche darstellende Töne ins Repertoire.

Was sie können könnten, deuten insbesondere die Eichelhäher an, wenn sie im Wald den miauenden Ruf des Mäusebussards so täuschend ähnlich nachmachen, dass die Vogelbeobachter unwillkürlich den Kopf hochreißen und den Blick

33

nach oben richten, um den Rufer zu suchen. Die Stimme verrät uns also, wie bei den Raben und Krähen, zunächst nichts über ihre Zugehörigkeit zu den Singvögeln. Als Vogelkundler drängt sich sogar das Gefühl auf, diese Singvögel seien einfach zu groß geworden für gute Gesänge, denn all die wirklich tollen Sänger wie Nachtigallen und Grasmücken oder entsprechend großartige Sänger in der Vogelwelt anderer Kontinente sind viel kleiner.

Lassen wir also die Stimme beiseite und betrachten wir das Gefieder. Und da wird es schon bei der Elster metallisch schillernd auf den verlängerten Schwanzfedern und in markanter Weise »bunt« beim Eichelhäher. Die kleinen, höchst bezeichnend schwarz, blau und weiß quergezeichneten Deckfedern auf den »Schultern« des Eichelhähers sind sicherlich bekannter als der Vogel selbst. Wer sie im Wald findet, nimmt sie mit und nicht nur Jäger stecken sich so eine »Häherfeder« gern an den Hut. Wer weiß schon, was sie (am Vogel) bedeuten? Auffällig präsentiert werden sie beim Imponiergehabe. Mit Balz und Geschlechtsreife scheinen sie wenig oder nichts zu tun zu haben, weil schon die jungen Eichelhäher diese auffälligen Federn in nahezu der gleichen Ausprägung wie die Altvögel tragen. Dass sie rein zufällig so sind, wie sie sind, darf ausgeschlossen werden. Aber wozu sie wirklich dienen, entzieht sich noch weitgehend unserer Kenntnis. Ein häufiger und weit verbreiteter Vogel gibt uns in dieser Hinsicht ein geradezu ins Auge stechendes Rätsel auf. Vielleicht sehen wir bloß nicht, was die Häher selbst sehen, weil unser Sehvermögen nicht in den kurzwelligen Bereich des Ultraviolettlichtes reicht. Beim Schillern der Schwanzfedern der Elstern erfassen wir womöglich gerade einen Teil dessen, was für die Vögel selbst von Bedeutung ist. Denn Licht, das von feinsten Strukturen der Feder reflektiert wird, erfasst die Federqualitäten auch präzi-

Meisterflieger im stürmischen Bergwind, die Alpendohle *Pyrrhocorax graculus*. Kennzeichnend ist ihr gelber Schnabel.

ser. Wie bei der Frage, warum die Raben/Krähen schwarz sind, kommen wir vorerst nicht weiter. Wir stellen also auch das Schillern der Elsterfedern und das bayrische Weiß-Blau des Eichelhähers zurück für spätere Betrachtungen in passenderem Zusammenhang.

Der andere, bei uns vornehmlich im Gebirge verbreitete Häher, der Tannenhäher, passt ohnehin weder zu den »Schwarzen« noch zu den »Bunten« mit seinem schokoladenbraunen, über und über von hellen Tupfen übersäten Gefieder. Und die »Kleinen Schwarzen« der Alpen, die seltene rotschnäbelige und rotfüßige Alpenkrähe *Pyrrhocorax pyrrhocorax* und die viel häufigere, fast an jeder Berghütte vorhandene Alpendohle *Pyrrhocorax graculus* mit dem zitronengelben Schnabel, die vielleicht beste Fliegerin im Sturmwind der Berge, sind ohnehin noch gar nicht behandelt worden. Ihrer Gattung nach gehören sie nicht zu den »Schwarzen«, ihrer Gefiederfarbe nach mit reinem Schwarz aber schon. Was sie auszeichnet, das ist die leuchtende Farbe an Schnabel und Beinen, wie sie bei den echten Krähen/Raben niemals vorkommt. Wie so oft in der lebendigen Natur entziehen sich die Lebewesen einer einfachen, für die Menschen angenehmen Einteilung. Krähe oder Rabe sind nicht einfach düster und schwarz, auch wenn das für jenen Teil der Krähenvögel zutrifft, die wir so nennen. Beim anderen, der Artenzahl und Lebensvielfalt noch erheblich umfangreicheren Teil des Spektrums ist das nicht so. Wir können nur festhalten: Die nähere Verwandtschaft der Krähen kann durchaus recht bunt sein. Düsteres Schwarz stellt keinen Familienzwang dar. Doch dass es so verbreitet ist und gerade auch bei den besonders erfolgreichen Krähenvögeln, sollte gute Gründe haben. Aber welche?

Schwarz und bunt

Sehen wir uns nun die Nahrung der »Bunten« etwas genauer an. Beim Eichelhäher sagt es der Name schon durchaus ganz zutreffend: Eicheln, aber nicht nur, sondern auch Bucheckern, Haselnüsse und andere, besonders stärkereiche Pflanzensamen oder Früchte. Dass er durchaus auch, die Jäger liegen in dieser Hinsicht so richtig wie auch manche Vogelschützer, Eier und Junge von Singvögeln aus den Nestern holt, wenn er sie entdeckt, reiht ihn hinsichtlich seiner Ernährung zutreffend unter den Rabenvögeln ein. Das für diese Familie typische Spektrum gilt auch für den Eichelhäher, wenngleich mit starker Verschiebung zu den Anteilen von energie- und proteinreichen Eicheln oder Nüssen. Bei grober Zuteilung überwiegt bei ihm der pflanzliche Anteil an der Nahrung sehr stark.
Noch höher fällt dieser beim anderen Häher Mitteleuropas, beim Tannenhäher aus. Sein Name ist nicht gut gewählt wor-

den, denn Tannen(zapfen) spielen in seinem Leben keine nennenswerte Rolle. Bei ihm geht es hauptsächlich um die Zapfen der Zirbelkiefern oder Arven *Pinus cembra*. Von ihren sehr ölhaltigen, qualitativ vergleichbar den Pinienkernen hochwertigen Samen ernähren sich die Tannenhäher große Teile des Jahres. Ihr Areal reicht ähnlich weit wie das vom Eichelhäher von Europa nach Zentral- und Nordasien bis in den Fernen Osten. Was der Eichelhäher in Europa dank der ungleich weiteren Verbreitung von Eichen und anderen Laubbäumen mehr an Fläche des Lebensraumes hat, gewinnt der Tannenhäher in Nord- und Ostasien in den dortigen Nadelwäldern. Beide sind somit deutlich spezialisierter als die Krähen/Raben und als Folge davon viel stärker schwankend in ihrer Häufigkeit. Denn in längeren Zeitabständen entwickeln die Waldbäume besonders reichlich Samen, in anderen dazwischen wenig oder kaum welche.

Die Jahre des massenhaften Fruchtens werden ganz treffend »Mastjahre« genannt. Sie begünstigen die Vermehrung beider Häherarten und einer dritten, hochnordischen Art. Diese, der Unglückshäher *Perisoreus infaustus*, ist ganz besonders auf den nordischen Nadelwald, die Taiga, spezialisiert. Seine Zwillingsart, der kanadische Meisenhäher *Perisoreus canadensis*, ersetzt ihn als Taigabewohner in Nordamerika. Unglückshäher ist ein recht ungewöhnlicher Name. Im Englischen heißt dieser Vogel nur Sibirischer Häher (*Siberian Jay*). Dass er im Deutschen mit Unglück in Verbindung gebracht worden ist, hat durchaus gute Gründe. Denn nur wenn ein extrem kalter Winter kam, wichen diese Häher aus den nordisch-sibirischen Wäldern süd- und südwestwärts aus. Wenn sie in Deutschland auftauchten, war das kein gutes Zeichen. Große Kälte rückte an.

Doch mit diesen Arten ist die Häherverwandtschaft bei Weitem noch nicht vollständig gekennzeichnet. Weiter südwärts, vor allem in Amerika und Südostasien, wird es richtig farbig bei ihnen. In Mittel- und Südamerika nimmt eine Anzahl nahe miteinander verwandter Gattungen und Arten, die unter der Bezeichnung Blauhäher-Gruppe zusammengefasst werden können, die Hauptvertretung der Krähenvögel ein. Sie umfassen 42 verschiedene Häher-Arten mit zum Teil leuchtend blauer Gefiederfärbung. Der Zahl der Arten nach stellen die Häher (im weiteren Sinne) sogar den Hauptteil der Krähenvögel. Besonders Prächtiges haben auch elsternähnliche Krähenvögel (insgesamt 19 Arten weltweit) in Südostasien zu bieten, vor allem die fünf Arten der Kittas (Gattung *Urocissa*). Man könnte sie für kleine Fasane halten, wenn sie in den subtropischen Wäldern Südostasiens von Baum zu Baum fliegen. Reichhaltig ist also das Spektrum der insgesamt mindestens 115 verschiedenen Arten von Krähenvögeln, wobei in nicht wenigen Fällen die Artabgrenzungen strittig sind, ob es sich um »gute Arten« oder nur um Unterarten handelt. Je nachdem reichen die Angaben zur Gesamtartenzahl der Familie von 94 bis 115 oder noch ein paar Arten mehr.

Die Vielfalt der Häher vermittelt uns nun eine Vergleichsmöglichkeit mit ihren Verwandten, den Krähen und Raben. Denn bei den Hähern gilt, je wärmer der Lebensraum, desto mehr Farbe gibt es im Gefieder – und umgekehrt. Die nordischen Häher, Unglücks- und Meisenhäher, sind fahl graubraun mit rostbraunen Gefiederteilen. Die Tannenhäher der Taiga und des Hochgebirges sind braun mit heller Fleckung, die wie frisch gefallene Schneeflocken auf dem Gefieder liegt, während die tropischen Häher und Elstern ein prächtiges Federkleid tragen. Das Braun der Tannen- und Unglückshäher entspricht dem Schwarz der Krähen, denn wie dieses wird es von Farbstoffen gebildet, die in der Gruppe der Melanine zusammengefasst werden. Sie können, wie in unserer Haut, alle Tönungen von hellem Braun bis zu dunkelstem Schwarz erzeugen.

Hängt also die Gefiederfärbung mit der Pflanzenkost zusammen? Die fahlen, grauen oder braunen nordischen Häher ernähren sich ziemlich einseitig von Samen der Nadelbäume (Koniferen). Diese sind zwar reich an Ölen und (Keimlings)Proteinen, aber farbgebende Stoffe enthalten sie, bis auf solche, die denen in Karotten (*Carotinoide*) enthaltenen ähnlich sind, nicht. Die Öle liefern den »Brennstoff« für den Vogelkörper. Mit diesem überstehen sie die langen eisig kalten Winternächte in den nordischen Wäldern oder die scharfen Fröste im Hochgebirge. Ölreiche Koniferensamen sind eines der besten Nahrungsmittel, um mit der Kälte zurechtzukommen. Hochgradige Spezialisten, wie die Kreuzschnäbel, bringen es mit dieser Nahrung sogar fertig, bereits im Spätwinter zu brüten, wenn noch Schnee fällt und die Nächte Frost bringen, weil sie an ihre Jungen einen feinen Brei aus Fichtensamen verfüttern. Halbnackte Jungvögel überleben damit ohne weiteres im Kreuzschnabelnest, so viel Wärme liefert diese Nahrung.

Grundsätzlich ähnlich verhält es sich mit den Unglücks- und Tannenhähern und ihrer Nutzung der Koniferensamen. Haben sie genug davon, können ihnen die nordischen wie auch die hochalpinen Winter nichts anhaben. Die Häher verstecken rechtzeitig bei der Reife der Zapfen große Mengen Samen. Mithilfe dieser Vorräte kommen sie durch den Winter und in die neue, im Norden und in der Höhe erst spät einsetzende Brutzeit hinein. Was sie an Stoffen aufnehmen, die zu Farbstoffen in ihrem Stoffwechsel umgebaut werden, stecken sie mit jedem neuen Federwachstum größtenteils ins Gefieder.

Der Eichelhäher dagegen nimmt mit Eicheln und anderer Pflanzenkost mehr Stoffe auf, aus denen Farbstoffe entstehen.

Aber seine bezeichnenden weißblauen Federchen haben damit nichts zu tun. Das Blau entsteht durch Lichtbrechung an Feinstrukturen der Federn, nicht durch einen blauen Farbstoff. Daher verblassen die Federchen des Eichelhähers auch nicht. Ganz allgemein trifft es aber zu, dass die Buntheit tropischer und subtropischer Krähenvögel mit der dort vielfältigeren und an Vorstufen zu den Gefiederfarbstoffen reicheren pflanzlichen Nahrung zusammenhängt.

Warum also sind die Krähen schwarz?

Die Häher vermitteln uns darauf keine Antwort. Denn die Krähen sind schwarz, gleichgültig, ob sie im tropischen Südasien, in Afrika, in Australien oder an den Küsten von Grönland vorkommen. Tropenwärme wirkt sich bei ihnen nicht aufs Gefieder aus. Sind sie deshalb schwarz gefiedert, weil ihre Nahrung zu wenig Pflanzliches und zu viel Tierisches enthält? Selbst diese Frage lässt sich nicht einfach beantworten. Der schwarze Farbstoff, das Melanin, ist zwar ein Produkt des Stoffwechsels, steht aber nicht allzu direkt mit der Nahrung in Verbindung. Denn es gibt viele ganz schwarz gefiederte Vögel: kleine Singvögel, die sich von Pflanzensamen ernähren, Amseln (Männchen), Stare, Schwarze Schwäne in Australien (und auf Parkgewässern in Europa), schwarze Kormorane, die von Fisch leben, und so weiter. Wie viel Melanine gebildet und in den Federn abgelagert werden, hängt davon ab, wie der Stoffwechsel die Eiweißstoffe verarbeitet. Es geht dabei vor allem um die Verbindungen, die Stickstoff enthalten. Die Details dazu sind kompliziert; sie würden hier zu weit wegführen vom Thema.

Wir können uns dem Farbproblem auf einem anderen Weg nähern: Krähen sind selbst in Zeiten der Not von Menschen nur höchst selten gegessen worden. Und wenn doch, dann am ehesten die fetten Jungkrähen oder die grau-schwarzen Nebelkrähen. Schwarz gefiederte Vögel schmecken meistens nicht. So sind die schwarzen Blässhühner überall auf den Seen und Teichen häufig und sie wären leicht zu schießen. Im Gegensatz zu den Enten sind sie aber als Jagdbeute nicht begehrt. Sie schmecken tranig-schlecht. Wo sie, wie früher am Bodensee, traditionell gejagt wurden, bedurfte ihre Zubereitung besonderer Kenntnisse und spezieller Behandlung, obwohl sich die Blässhühner weitgehend pflanzlich ernähren. Das Fleisch von Enten und Schwänen, die wie die Blässhühner von Wasser- und Uferpflanzen leben, schmeckt dagegen gut. Irgendwas hat es also mit dem schwarzen Gefieder auf sich. Die Krähenjagd zu Essenszwecken lohnte nicht.

Die viel kleineren Drosseln hingegen, die fing man in Massen. Bis in die jüngste Vergangenheit erbeutete man sie in sogenannten Vogelherden mit Netzen und Leimruten. Eine Krähe würde so viel Fleisch liefern wie zehn Drosseln. Doch von Krähenbraten findet sich kaum eine Spur. Anscheinend ziehen es sogar Greifvögel wie Habichte vor, Tauben oder Hühnervögel zu jagen und auf Krähen zu verzichten, wenn das irgendwie geht.

Schwarzes Gefieder als Schutz?! So sieht es zum gegenwärtigen Stand der Kenntnisse aus. Diese Möglichkeit bietet uns einen Ansatz, zu verstehen, warum Krähen schwarz sind und weshalb Schwarz keineswegs die »Familienfarbe« der Krähenvögel ist. Denn sehr wahrscheinlich gehören die schwarzen Krähenvögel zu den entwicklungsgeschichtlich jüngeren oder jüngsten Mitgliedern der Familie und nicht zu den ältesten. Ihr Ursprung liegt auch nicht bei uns in Europa oder in den Weiten Asiens und Nordamerikas, sondern im fernen Australien und der diesem Kontinent vorgelagerten Inselwelt. Die

Krähenvögel sind nämlich recht nahe verwandt mit den Paradiesvögeln!

Krähen und Paradiesvögel

Auf der großen Insel Neuguinea und auf zahlreichen kleineren Inseln in der Umgebung leben die prächtigsten Vögel. Als die erste Kunde von diesen Vogelschönheiten nach Europa gelangte, war man hier überzeugt, es müsse sich um Vögel des Paradieses handeln. So wunderschön waren sie selbst noch im Zustand vertrockneter Vogelbälge. Und als man ihre Balztänze sah, verstärkte sich dieser überirdische Eindruck. Die vornehmsten Damen der Gesellschaft des späten 19. Jahrhunderts steckten sich präparierte Paradiesvögel auf die Hüte. Als unübertreffliche Schönheit sozusagen. Das prachtvolle Gefieder vieler Arten der Paradiesvögel übertraf die Vorstellungskraft der Menschen.

Weil ihnen die Papuas, bei denen sich nicht die Damen, sondern die Männer mit Paradiesvögeln schmückten, die Beine abgeschnitten hatten, kursierte die Annahme, diese Vögel würden nur in der Luft leben und sich nie auf den Boden begeben oder in den Baumkronen landen. Das war natürlich Unsinn. Um sich bei ihren Balztänzen zur Schau zu stellen, suchen die Paradiesvögel sogar ganz bestimmte, dafür besonders geeignete Äste auf. Bei manchen Arten balzen ganze Gruppen von Männchen an so einem Balzplatz gemeinsam über Wochen und Monate. Von Zeit zu Zeit kommt ein Weibchen, um sich zur Paarung eines der Männchen auszusuchen. Die Weibchen sind viel schlichter und für tropische Verhältnisse geradezu unauffällig gefiedert.

Mit den Paradiesvögeln nahe verwandt sind die sogenannten Laubenvögel. Bei diesen schmücken sich nicht die Männchen selbst mit einem Prachtgefieder, sondern sie bauen Liebeslauben, die sie ausschmücken. Mit bunten Früchten zieren sie in den Boden gerammte Stöckchen oder sie fertigen regelrechte Maibäume, die sie ebenfalls auffällig schmücken und in möglichst schönem Zustand halten. Diese Kunstwerke locken die Weibchen an. Sie »begutachten« und entscheiden, ob sie sich mit diesem Männchen paaren oder doch lieber erst noch bei anderen vorbeischauen, ob diese Schöneres gebaut haben. Es gehört eine besondere Fertigkeit dazu, so komplizierte Gebilde wie Liebeslauben und Maibäume bauen zu können. Die Laubenvögel sind in dieser Hinsicht meisterhaft. Monate verwenden sie auf die Herstellung ihrer Kunstwerke. Täglich werden diese gepflegt und in bester Ordnung gehalten.

Doch was soll das alles mit unseren Krähenvögeln zu tun haben? Nun, grundsätzlich verhält es sich bei ihnen nicht wesentlich anders als in der Menschenwelt. Ein einzelner Mensch drückt nie alle Eigenschaften und Fähigkeiten aus, die in seiner näheren oder weiteren Verwandtschaft vorhanden sind. Wenn wir wissen möchten, was alles so im Menschen »steckt« (und nicht anerzogen oder erlernt worden ist), müssen wir die Verwandtschaft genauer unter die Lupe nehmen. Denn jedes Lebewesen, jede Art und jede Familie hat Geschichte. Unsere verliert sich meist schon nach wenigen Generationen Rückschau in der Unübersichtlichkeit der Vergangenheit. Wer seine Familiengeschichte besonders weit zurückverfolgen kann, rühmt sich dessen, es sei denn, die Abstammung würde Unrühmliches aufdecken.
Sehen wir uns die Abstammung der Krähen an, so zählen die Paradies- und Laubenvögel in besonderer Weise. Paradiesvögel, Laubenvögel und Krähenvögel haben einen gemeinsamen Ursprung. Sie entstanden im Bereich der heutigen Inselwelt von Neuguinea und Nordostaustralien. Neuguinea und

die umliegenden Inseln gehören zum Kontinentalsockel von Australien. Nur wenn der Meeresspiegel so hoch wie in unserer Gegenwart ist, sind sie als Inseln davon abgetrennt. In der erdgeschichtlichen Vergangenheit bildeten sie die meiste Zeit eine Einheit mit Australien, weil der Meeresspiegel um über 100 Meter niedriger als gegenwärtig lag. In diesem Bereich fand die Entwicklung, die Evolution dieser Vögel statt.

Aus ihrem gemeinsamen Ursprung gingen zwei Hauptlinien und mehrere Seitenlinien (auf die hier nicht näher eingegangen wird) hervor. Die eine davon repräsentiert die Paradies- und Laubenvögel, die andere die Krähenvögel. Ihre ursprüngliche Nahrung war aller Wahrscheinlichkeit nach aus Früchten und Insekten zusammengesetzt. Farbige Früchte boten die chemischen Stoffe für buntes Gefieder. Farbige Früchte benutzen manche Laubenvögel, um ihre Bauwerke damit anzumalen. Insekten gibt es zwar in tropischen und subtropischen Wäldern in großer Artenfülle, aber viele von ihnen enthalten Gift- oder Abwehrstoffe, die sie ihrer Pflanzennahrung entnommen haben. Gut schmeckende Insekten, wie es sie bei uns und andernorts in außertropischen Regionen oftmals sehr reichlich gibt, sind im Tropenwald rar. Die Vogelweibchen haben folglich Schwierigkeiten, genügend Eiweiß aus der Nahrung in ihrem Körper zu speichern, um daraus Eier bilden zu können. Die Männchen müssen nur sich selbst versorgen. So haben sie Zeit; viel Zeit zum Balzen oder um Lauben zu bauen. Denn sie beteiligen sich nicht bei der Fütterung und Aufzucht der Jungen. Bei vielen Vögeln ist das so. Aber es sind auch (aus unserer Sicht) fortschrittlichere Arten entstanden. Bei diesen sorgen beide Eltern für den Nachwuchs. Das erhöht die Überlebenschancen der Jungen, setzt aber voraus, dass die Altvögel eine entsprechend ergiebige Nahrung finden können; Nahrung, die Energie liefert für das aufwändige Füttern.

Die fernen Vorfahren der Krähenvögel haben diesen Weg der Entwicklung genommen. Sie verlegten sich auf Nahrung, die mehr Stärke oder Fett bzw. Öl enthält und die den Altvögeln damit Zeit gibt und die Energie liefert, die für die Jungen im Nest unverzichtbaren Insekten zu sammeln. Aus Zusammenarbeit bei der Jungenaufzucht kam eine verstärkte Paarbindung zustande. Die Partner mussten zumindest so lange verlässlich beisammen bleiben, bis die Brut erfolgreich ausgeflogen war. Sonst wäre für beide der Verlust total gewesen. Ein genaues Kennen der Partner wurde unabdingbar. Je ähnlicher Männchen und Weibchen einander in Färbung und Zeichnung des Gefieders wurden, desto sicherer sollten sie einander persönlich kennen und erkennen. Am schwierigsten ist das bei einfarbig schwarzem Gefieder, wo nichts mehr an äußeren Kennzeichen zur Verfügung steht. Wenn die Paare aber länger als eine Brutzeit zusammenbleiben, für die nächste und übernächste auch, oder gar, solange der jeweilige Partner lebt, dann hilft das veränderliche Gefieder ohnehin nicht mehr bei Erkennen. Denn bei der Mauser wird es zumindest einmal im Jahr gewechselt.

Bei den Krähenvögeln finden wir genau diese Entwicklung. Die Paare halten zusammen, und zwar umso dauerhafter, je mehr Männchen und Weibchen einander äußerlich gleichen, und umgekehrt kurzzeitiger, wenn sie sich stark unterscheiden. Je geringer Prachtgefieder entwickelt wird, desto stabiler ist der Zusammenhalt. Und umso ausgeprägter ist das persönliche Kennen entwickelt. Bei Hähern wie bei Elstern und Krähen oder den großen Raben kennen sich nicht nur die miteinander verpaarten Partner, sondern auch die Artgenossen in der Umgebung. Ein Schwarm, bestehend aus einem Dutzend oder mehr schwarzer Krähen, ist kein ungeordneter Haufen, sondern eine Gesellschaft, in der jeder Vogel jeden anderen kennt und einschätzen kann. Feinste Nuancen, vor allem am und ums Auge, die zu subtil sind, als dass wir sie erkennen könnten, liegen dem persönlichen Kennen zugrunde. Die Stimme kommt hinzu. Was uns als unschönes Quorren, Krächzen oder Rätschen ins Ohr geht, hat für die Krähen, Elstern und Häher einen ähnlich präzisen Klang wie die Stimme der Menschen, mit denen wir vertraut sind. Es reicht, wenn wir sie hören, dass wir die Sprecher sicher erkennen. Sehen müssen wir sie dazu nicht. Entsprechend reicht uns zumeist ein Blick, ein Augenblick buchstäblich, um einen Bekannten sofort als solchen zu identifizieren, auch wenn sich dieser unter vielen anderen Menschen befindet.

Wenn wir die Krähenvögel etwas genauer betrachten, kommt eine Gemeinsamkeit nach der anderen zutage. Sie sind sozial, leben meistens in fest zusammenhaltenden Paaren, kümmern sich gemeinsam um den Nachwuchs, erkennen einander persönlich an Gesicht und Stimme und verteidigen einander und ihre Brut, wie es Menschen mitunter nicht so verlässlich tun. Sprichwörtlich ist, dass eine Krähe der anderen kein Auge aushackt. Der Volksmund bezieht sich dabei auf ganz richtige Beobachtungen: Die Partner eines Raben- oder Krähenpaares putzen einander gegenseitig bei Bedarf das Gefieder am Kopf und rund um die Augen, wo sie mit dem eigenen Schnabel nicht hinkommen und das Kratzen mit den Krallen an den Zehen vielleicht doch nicht die Präzision erreicht, die am Auge nötig ist. Niemals würden sie einander am Auge verletzen. Ein Beispiel in dieser Hinsicht im Umgang von Rabenvögeln mit Menschen als Partnern wird dies später bekräftigen.

Rabenaas und Menschennahrung

Es gibt noch eine weitere Gemeinsamkeit in der Entwicklungsgeschichte zwischen Rabenvögeln und Menschen. Genau genommen handelt es sich um eine Parallele. Sie lohnt, kurz dargestellt zu werden, und sie wird uns nachdenklich stimmen.

Unsere ferne Vorgeschichte fing damit an, dass sich vor fünf bis sechs Millionen Jahren menschenaffenähnliche Wesen aus den afrikanischen Wäldern hinaus in die Savanne begaben. Wie Schimpansen, unsere nächsten Verwandten, und Gorillas, die uns etwas ferner stehen, lebten sie vornehmlich in den Tropenwäldern Ostafrikas und ernährten sich weitestgehend von Pflanzenkost, von Früchten und jungen Trieben oder dem weichen Mark mancher Gewächse. Gelegentlich fanden sie Vogeleier oder Kleingetier oder sie angelten sich in der Weise, wie das mancherorts heutzutage Schimpansen tun, mit Grashalmen oder Stöckchen Termiten aus deren Bauten.

Diese Nahrungszusammensetzung mit sehr hohem Anteil an Pflanzen ist zwar sehr gesund, aber wenig ergiebig im Hinblick auf den Nachwuchs. Frauen, die ein Baby austragen wollen, brauchen für dessen Entwicklung und für die nachfolgende Versorgung mit Muttermilch eine Nahrung, die genügend Proteine und bestimmte andere Stoffe enthält, die für das Wachsen und Gedeihen des Kindes benötigt werden. Hat die Mutter zu wenig davon, wird ihr eigener Körper vom Fötus im Mutterleib und nach der Geburt vom trinkenden Baby ausgezehrt. Es dauert entsprechend lange, bis sich die Mutter wieder erholt hat, erneut schwanger werden kann und ein weiteres Kind bekommt.

Dieser Zustand von Knappheit oder Mangel änderte sich, als die fernen Vorfahren in der Entwicklungslinie, die zum Menschen führte, anfingen, die Wälder zu verlassen, um in der

Savanne nach Kleintieren und frisch toten Tierkadavern zu suchen. Diese enthalten genau das, was die Mütter für die Kinder brauchen: Proteine, bestimmte Fettstoffe und Phosphorverbindungen aus dem Mark der Knochen. Nach und nach entstanden mit diesem Wechsel in der Ernährung der aufrechte Gang und das große Gehirn. Schimpansen zeigen mit ihrer zeitweiligen Gier nach Fleisch, die sie, die sonst so friedlich leben, kurzzeitig für unsere Augen zu Bestien werden lässt, wenn sie einen kleinen Pavian oder eine junge Waldantilope fangen und mit beispielloser Gefräßigkeit zerreißen und auffressen, wie knapp Eiweiß wird, wenn man nur »von den Früchten des Waldes« lebt.

Lange dauerte es, sehr lange, bis aus noch menschenaffenartigen Vorfahren Menschen geworden waren. Das Gehirn verdreifachte sich dabei in der Größe. Erst etwa fünf Millionen Jahre nach Anfang dieser Entwicklung finden wir in Fossilien den eindeutigen Zustand unserer Gattung Mensch. Zweifellos zeichnet uns am meisten unsere Intelligenz aus. Die Grundlage für den Erfolg in der Evolution bildete aber die Kooperation zwischen Partnern mit hinreichend zuverlässiger Paarbindung. Diese gewährleistet das erfolgreiche Aufwachsen und Überleben der Kinder, meistens durch Einbindung in einen Sozialverband (Großfamilie). Der Wechsel auf die proteinreichere Nahrung von Großtier-Kadavern ermöglichte die Steigerung der Kinderzahl der Frühmenschen. Das wurde ihr entscheidender Vorteil. Im Vergleich zu den Schimpansen erbringen die Menschen die mindestens vierfache Leistung in Kinderzahl und Nachwuchsbetreuung. Der Mensch verbreitete sich über die ganze Erde, während seine nächsten Verwandten in den afrikanischen Wäldern zurückblieben und heute vom Aussterben bedroht sind. In der Menschengruppe kennt jeder jeden. Jeder ist ein Individuum. Man erkennt sich an der Sprache und an der Ausdrucksweise.

Zwischen den Gruppen gab und gibt es häufig Konflikte. Marodierende Gruppen können über andere herfallen, den Nachwuchs töten, die Vorräte an sich reißen und den Wohnplatz vernichten.

Ebenso bei den Krähen! Ihr Wechsel zu ergiebigerer Nahrung und die Kooperation untereinander gereichten ihnen ähnlich wie den Menschen zum Vorteil. Sie vermehrten sich, breiteten sich aus, besiedelten alle Kontinente und wurden die intelligentesten Vögel mit dem im Verhältnis zu ihrem Körper größten Gehirn. Zurück blieben in den Tropenwäldern ihrer Urheimat die zwar wunderschönen, aber höchst seltenen Paradiesvögel und die so geschickten Laubenvögel. Beide Gruppen von Krähenverwandten sind vom Aussterben bedroht, die Krähen selbst aber nicht. Es gibt sie in allen Lebensräumen von den Tropen bis an den Rand des Eises und von den Wüsten bis hinauf in die Hochgebirge. Sie sind die »Primaten« der Vogelwelt.

Mit ihrer Entwicklungsgeschichte, die mit unserer eigenen nichts zu tun hat, spiegeln sie die Vorzüge und Nachteile unserer eigenen Lebensweise. Wie wir haben sie im Rahmen ihrer Verwandtschaft nicht nur eine herausragende Intelligenz entwickelt, sondern sie sind auch so ausgeprägt Individuen, dass ihnen in dieser Hinsicht wohl kaum andere Vögel nahe kommen. Papageien kommen nicht an sie heran. Krähen können »lügen«, Absichten verbergen, Zusammenhänge erfassen und manch anderes mehr, was wir der Intelligenz zuschreiben. In bestimmten Eigenschaften übertreffen sie sogar die Menschenaffen.

Nachfolgend sollen dies konkrete, überwiegend persönliche Erlebnisse mit Krähen und Raben vor Augen führen. Daraus wird hervorgehen, wie ausgeprägt situationsabhängig diese Vögel handelten. Ihre Individualität ist so entwickelt, dass man ihrer Intelligenz mit gezielten, wiederholbaren Experimenten nur höchst unzureichend nahe kommt. Solche müssen grob vereinfachen und allgemein genug angelegt sein, um wiederholbar zu werden. Dass dabei dennoch höchst Erstaunliches zutage kam, obgleich es nur wenige Experimente sind, die als aussagekräftig genug eingestuft werden können, bekräftigt, wie wenig wir noch von der Intelligenz dieser Vögel wissen. Im Grunde genommen befindet sich die Forschung in einer ähnlichen Lage wie bei der Beurteilung von Leistungen und Fähigkeiten des Haushundes.

Jeder Hundehalter weiß, dass jeder Hund ein Individuum ist, mit dem man nicht beliebig Experimente machen kann. Viele Menschen erlebten mit ihren Hunden höchst Erstaunliches, oftmals kaum Glaubliches. Sie sind sich sicher, dass Hunde mehr verstehen, als wir Menschen davon erahnen. Streng wissenschaftliche Nachweise scheitern an der Forderung der Wiederholbarkeit. Doch so wie kein Mensch wiederholbar ist, so sind auch kein Hund und kein Rabe im Sinne harter Experimentalwissenschaft wiederholbar. Die Zeit und die Lebensumstände beeinflussen so vielfältig und so undurchschaubar die Lebensleistungen, dass sich keine individuelle Lebensgeschichte wiederholen lässt. Uninteressant ist sie deswegen keinesfalls; im Gegenteil! Chemische und physikalische Experimente sind unter genau festgelegten Bedingungen beliebig wiederholbar. Lebewesen sind das nicht. Ergebnisse vergleichbar strenger Experimente mit Tieren mögen unter bestimmten, sehr eingeschränkten Bedingungen Bedeutung haben. Für das richtige Leben besagen sie oft beschämend wenig. Die Intelligenz von Mäusen oder Ratten lässt sich in Laufrädern und Belohnungsexperimenten mit Futterautomaten ähnlich unzulänglich testen wie die Tauglichkeit langjähriger Gefängnisinsassen in Einzelhaft für das freie Leben in der Gesellschaft.

Tierhalter haben zu allen Zeiten sehr viel mehr über Leben und Leistung von Tieren gelernt, so diese gut und frei genug gehalten worden sind, als die Fachliteratur enthält. Die meisten erzählten ihre Erlebnisse, wagten jedoch nicht, sie zu »veröffentlichen«, weil das als unwissenschaftlich abgetan worden wäre. Es ist falsch, auf den großen Schatz von Erfahrungen zu verzichten, weil allzu strenge, vielfach sogar unangemessene Einschränkungen gemacht wurden. Umgekehrt enthält jede Schilderung von Verhaltensweisen stets auch – die wissenschaftliche Forschung ist da grundsätzlich nicht auszunehmen – persönliche Deutungen. Niemand kann »ganz objektiv« sein. Selbst in Filmen und Fotos wird das festgehalten, was aus der Sicht des Betrachtenden »interessant« oder »wichtig« erscheint. Bereits unser Gehirn filtert. Müssten wir alles deuten und verarbeiten, was uns Augen, Ohren und die anderen Sinne an Informationen über die Umwelt liefern, würde im Gehirn in kürzester Zeit ein völliges Chaos herrschen.

Betrachten Sie in diesem Sinne die nachfolgenden Schilderungen von meinen eigenen Erlebnissen mit Rabenkrähen und Kolkraben. Sie sind so objektiv wiedergegeben, wie mir dies als Mitbeteiligter möglich ist. Als unbeteiligter Außenstehender konnte ich die eigene Rabenkrähe nicht so beobachten wie den Kolkraben eines Freundes, der meine Anwesenheit tolerierte, davon aber nicht erkennbar beeinflusst wurde. Dass ich als Zoologe besonderen Wert darauf lege, weder zu übertreiben noch übermäßig zu interpretieren, ist selbstverständlich meine erklärte Absicht. Die Schlussfolgerungen, die man aus den geschilderten Erlebnissen mit Rabenvögeln ziehen mag, werde ich zwar andeuten, ansonsten aber weitgehend den Lesern überlassen. Die Faszination, die für mich mit diesen Erlebnissen verbunden war, hoffe ich dennoch einigermaßen übermitteln zu können.

Leider verbieten es die in dieser Hinsicht völlig ungerechtfertigten und überzogenen Bestimmungen des Artenschutzes fast ausnahmslos allen an der Haltung von Rabenvögeln Interessierten, ähnliche Erfahrungen mit der Intelligenz dieser Vögel selbst zu machen. Unter den heutigen Bedingungen des Artenschutzes hätte mit an Sicherheit grenzender Wahrscheinlichkeit der junge Konrad Lorenz keine behördliche Genehmigung zur Haltung von Dohlen und Raben (und anderen, inzwischen »geschützten« Tieren) erhalten. Er hätte den Nobelpreis für Vergleichende Verhaltensforschung ziemlich sicher ohne diese seine frühen, ihn prägenden Forschungen nicht bekommen. Wahrscheinlich wäre gerade die für die Öffentlichkeit so interessante Forschung am Leben bekannter, aber nun solcherart geschützter Tiere in Deutschland gar nicht möglich gewesen. Dass der Schutz vor den interessierten Menschen den Dohlen, Krähen und Raben und den allermeisten anderen unter Artenschutz gestellten Tieren überhaupt nichts genützt hat, bewegt die dafür Zuständigen im staatlichen Naturschutz ebenso wenig wie die Naturschutzverbände, auf deren Betreiben die völlig überzogenen Einschränkungen zustande gekommen sind.

Die Nachweise von Notwendigkeit und Erfolg dieser Artenschutzbestimmungen stehen nach wie vor aus. Nur wenige Engagierte verweisen noch in hilflosem Zorn auf die alljährlich zu Hunderttausenden getöteten Krähenvögel, während niemand Jungvögel dieser Arten mehr großziehen, halten und erleben darf, weil eine entsprechende »Sondergenehmigung« kaum jemals zu bekommen ist. Die nachfolgenden Schilderungen sind daher nicht nur teilweise nette »Geschichten«, sondern Vergangenheit und Geschichte.

Von Krähen und Menschen

Und schnell betritt er, angstbeflügelt,
Die Wäsche, welche frischgebügelt.

Die Rabenkrähe Tommy

Mit Dohlen fing alles an

Mit meiner ersten Dohle ging alles gut und schief zugleich. Gut, weil sie, kaum richtig erwachsen und voll flugfähig, aus meiner Obhut davonflog und sich ihren Artgenossen am Kirchturm wieder anschloss. Hätte ich ihr wenigstens ein Stoffbändchen am Bein befestigt, das sie sich mit der Zeit selbst abgenommen hätte, wüsste ich, wie und ob überhaupt die Rückkehr in den Dohlenschwarm gelang. Denn damals, Mitte der 1950er-Jahre, gab es rund ums Dorf noch ausgedehnte Obstwiesen und Viehweiden. Darauf suchten die Dohlen, die im Kirchturm lebten, ihre Nahrung. Man verfolgte sie nicht. Deshalb waren sie auch nicht sonderlich scheu, sondern vorsichtig und wachsam, wie Dohlen so sind. Auch ohne Fernglas, ein solches bekam ich erst Jahre später, hätte ich die markierte Dohle erkennen können. Sie selbst schien manchmal zu zögern, ob sie zu mir fliegen sollte, wenn ich »Hansi« rief. Aber ihr »da, da« blieb aus. Nur der Kopf bewegte sich, so als ob sie den Zuruf genau hören wollte.
Mein Fehler, den ich zum Glück machte, war es, ein Dohlenjunges ausgewählt zu haben, das die Augen schon offen hatte. Richtig munter und unerschrocken, so meinte ich, schaute mich die Kleine an, als ich sie in der engen Turmspitze aus dem Nest holte. Mit dem merkwürdigen Ding, das da aus der Dunkelheit von unten her auf sie zukam, konnte sie vermutlich nichts anfangen. Dass sie danach unter dem Hemd erbärmlich schrie, ist mir noch in Erinnerung, weil ich deswe-

gen, und nicht, weil es verboten war, auf den Turm zu steigen, ein schlechtes Gewissen hatte. Nachdem sie weg war, holte ich mir keine junge Dohle mehr.

Es dauerte bis in die Zeit kurz vor dem Abitur, bis ich wieder mit einer Dohle konfrontiert wurde. Ein Freund hatte sie bekommen und großgezogen. Bei einem heftigen Sommergewittersturm waren sie und weitere Jungdohlen irgendwie mitsamt den Nestern aus einem Kirchturm in einer nahen Stadt gefegt worden. Dass einige den Sturz aus über 70 Metern Höhe überhaupt überlebt hatten, war verwunderlich genug. Eine dieser Überlebenden erhielt der Freund. Sie hatte die Augen noch geschlossen. Jungdohlen sind leicht großzuziehen. Sie haben einfach fast immer Hunger. Nach kurzer Zeit lernen sie, den Schnabel weit aufzureißen und zu »sperren«, wie man sagt. Der rote Schlund signalisiert unmissverständlich, wo das Futter hin soll. Sie wachsen auch schnell heran. Der um fast zwei Jahrzehnte ältere Freund Carlo wusste aus reicher Erfahrung mit der Haltung von Vögeln auch genau, wie man es machte. Seine Dohle gedieh prächtig. Sie wurde, was sich rasch zeigte, als sie flügge war, menschengeprägt. Andere Dohlen interessierten sie nicht, außer um eine Runde mit ihnen zu fliegen, denn dieses natürliche Dohlenbedürfnis können Menschen als Partner natürlich nicht befriedigen. »Flori«, so hieß die Dohle, betrachtete sich selbst als der Menschenwelt zugehörig. Zumindest verband sie ihr normales Leben mit dem Betreuer gerade so, als ob dieser ein Artgenosse gewesen wäre. Stets hielt sie möglichst engen Kontakt mit ihm, akzeptierte aber auch die Umgebung, lernte die Menschen darin persönlich kennen und von Fremden zu unterscheiden. Am liebsten saß sie auf der Schulter, weil das, was von der Menschengestalt offenbar für die Dohle zählte, der Kopf war. Bei normaler Fortbewegung passte dies bestens. Mit der Dohle auf der Schulter ließ sich gut spazieren gehen. Wenn sie wollte, konnte sie wegfliegen und jederzeit auch wieder dort landen. Am Ohr knabberte sie gern und ausgiebig herum, steckte auch schon mal neugierig den Schnabel ins Ohr, aber so vorsichtig, dass es nicht schmerzte. Sie kam ganz selbstverständlich mit in die Wohnung, flog darin mit mehr Freiheit als ihre Artgenossen im Kirchturm herum und nahm es hin, weil sie das von klein an so gewöhnt war, dass man nicht nach Dohlenart mit dem Partner, Körper an Körper, schlafend die Nacht verbringt. Eine Gardinenstange und die vertraute Sicherheit der Wohnung taten es auch.

Mit derselben Selbstverständlichkeit folgte sie ihrem Partner Carlo ins Auto und machte es sich auf einer Sitzlehne bequem. Auch so ein (beweglicher) Innenraum kontrastierte offenbar nicht allzu sehr mit den Höhlen, in denen Dohlen gern nisten. Die Bereitschaft, mit dem Auto ohne Angst mitzufahren, erleichterte es sehr, die Dohle aus der für sie gefährlichen Stadt hinaus aufs für das Freifliegen günstigere Land zu bringen. Dort konnten wir mit ihr auf Heuschreckenfang gehen. Geschickt nutzte sie unsere Körpergröße und Übersicht, um die vor unseren Füßen wegspringenden Heuschrecken zu fangen oder von uns gefangene unter Flügelschlagen bettelnd von den Fingern zu nehmen. Nur eines war klar: Anfassen oder gar packen wollte sie sich bei aller Vertrautheit mit den Menschen nicht lassen. Da schrie sie furchtbar, als würde sie umgebracht. Unter natürlichen Bedingungen wären ihr sogleich die Mitglieder des Schwarms zu Hilfe geeilt – an einer Dohlenkolonie kann es reichen, einen schwarzen Lappen in die Faust zu nehmen und zu schütteln, dass der Schwarm blitzartig angreift. Kommt das klagende Geschrei dazu, wird der gemeinsame Angriff praktisch mit Sicherheit ausgelöst.

Flog sie frei, hatte die Dohle keinerlei Hemmungen, auf Carlos Kopf zu landen. Manchmal zupfte sie ihm dabei in den Haaren herum, als ob sie nach Läusen suchte. Ein kurzer

Ruf brachte sie sogleich zurück auf die Schulter. Von dort aus konnte sie gleichsam von Gesicht zu Gesicht mit dem Partner kommunizieren.

An einem heißen Hochsommertag schwammen wir gemeinsam über den Inn. Der Fluss ist in diesem Bereich zwar gestaut und beinahe einen Kilometer breit, aber er strömt noch so stark in den eigentlichen Stausee hinein, dass man weit abgetrieben wird. Der Dohle war das Schwimmen sichtlich nicht geheuer. Erregt umflatterte sie Carlos Kopf, gab ununterbrochen Warnrufe von sich und landete schließlich darauf. Für uns, die wir daneben schwammen, sah das höchst komisch aus. Der schwarze Vogel mit dem grauen Kopf schrie ununterbrochen mit entsprechenden Verbeugungen auf Carlo hinab. Bei jeder stärkeren Schwimmbewegung knickste er, um die Balance zu halten, und gab dabei einen Klecks von sich. Als wir am Ufer ankamen, war Carlos Kopf voller solcher weißlicher Kleckse – und die Dohle konnte kaum aufhören, vor Erleichterung ihr Gefieder zu schütteln. Während des Schwimmens ließ sie sich nicht dazu bewegen, auf einem ausgestreckten, zum Sitzen sicherlich bequemeren Arm zu landen. Nur Carlos Kopf zählte. Tauchte ein Arm ihres Pflegers auf, erschrak sie. Den Zusammenhang der Körperteile erfasste sie nicht.

Ganz anders beim Autofahren: Hier meisterte Flori sehr schnell die Situation. Das Auto als geräumige »Höhle« mit Aussicht, die zwar durch Fenster verschlossen, aber durchsichtig war, begriff der Vogel nach einigen wenigen Versuchen, durch ein Fenster direkt nach draußen zu fliegen. Bei seiner geringen Startgeschwindigkeit schlug er nicht einmal nennenswert mit dem Schnabel an das Glas. Umso erstaunlicher war es, dass er beinahe auf Anhieb das geöffnete vom geschlossenen Fenster unterscheiden konnte. Drehte man ihm ein Fenster herunter, flog er, wenn er Lust zum Fliegen hatte, nach draußen. Nach einer Weile kam er zurück. Dazu landete er zunächst vor der Frontscheibe und schaute hindurch, bis er sah, dass ein Seitenfenster herunter gedreht wurde. Dann flog er in kurzem, elegantem Bogen hinein. Wie das bei fahrendem Auto geht, lernte er sich selbst an. Carlo war irgendwo draußen auf einem Feldweg ein Stück weitergefahren. Die Dohle flog über dem Auto dahin, drehte Kreise, schaute im Flug am Auto vorbei und versuchte schließlich vor der Frontscheibe zu landen. Da dies beim fahrenden Auto nicht ging, drehte Carlo das Seitenfenster hinunter, streckte seinen Arm aus und sogleich landete Flori darauf. Von nun an funktionierte dies perfekt.

Wir bestaunten dieses zirkusreife Können begeistert, bis eines Tages ein anderes Auto bei einer als solche gar nicht beabsichtigten »Vorstellung« hinter uns in den Straßengraben fuhr. Zum Glück ohne Schaden. Die Verblüffung des Fahrers war ja irgendwie auch begreiflich. Da fährt vor ihm ein Auto, ein alter klappriger VW Käfer. Plötzlich kommt ein schwarzer Vogel geflogen. Aus dem Auto wird ein Arm herausgereckt. Der Vogel landet und verschwindet im Auto. Da hält man schon lieber an und reibt sich die Augen.

Von da an achtete Carlo natürlich sehr genau darauf, ob hinter ihm jemand fuhr, wenn er mit seiner Dohle unterwegs war. Sie nahm bald darauf ein höchst trauriges Ende. Beim Tanken wollte Carlo nicht, dass sie – in der Stadt – nach draußen flog. Er gab ihr ein Stück Futter, mit dem sich die Dohle auch gleich auf der Rückenlehne beschäftigte. Als er beim Aussteigen hinter sich schnell die Türe zuschlug, wurde Flori regelrecht geköpft. Die Bindung an den Partner hatte über das Futter die Oberhand gewonnen und ihr ein jähes Ende gebracht.

Diese Facetten aus dem an Erlebnissen so reichhaltigen Leben der Dohle hatte ich noch im Kopf, als ich wieder einige Jahre danach selbst die Möglichkeit bekam, eine Rabenkrähe großzuziehen. Die Umstände passten. Das Studium war abgeschlossen. Ich hatte Zeit. Die kleine Krähe war von einem Sturm aus dem Nest geworfen worden. Ihre Augen waren noch geschlossen und sie war unverletzt. Immer wieder wunderte ich mich, wie es möglich ist, dass Jungvögel tiefe Stürze aus den Nestern unbeschadet überleben. Nichts war an dieser kleinen Krähe gebrochen. Nirgendwo blutete sie. Und so wollte ich den zweiten Versuch mit einem Rabenvogel wagen. Die Fehler mit meiner ersten Dohle würde ich sicherlich nicht mehr machen. Im Hintergrund stand zudem auch die vage Hoffnung, später einmal, wie Carlo gerade auch in dieser Zeit, den größten und intelligentesten Rabenvogel, einen Kolkraben, zu bekommen. Und so nahm ich das kleine »Häuflein Elend« an. Es wurde rasch sehr lebendig und fordernd. Regenwürmer und dergleichen reichten bei Weitem nicht aus, den Appetit der kleinen Rabenkrähe zu stillen. Eintagsküken mussten als perfekte Ersatznahrung beschafft werden. Damit wurde »Tommy« im Wesentlichen großgezogen.

Prägung auf den Menschen

Der Zeitpunkt, zu dem ich Tommy erhielt, hätte nicht günstiger sein können. Vier Tage nachdem er (welches Geschlecht »er« hatte, ist allerdings nie festgestellt worden!) angekommen und an die Fütterung durch Menschen gewöhnt war, öffneten sich seine Augen. Die Nickhaut wich zurück, wurde beweglich und aus seinem anfänglich wie von Grauem Star getrübten stumpfsinnigen Vor-sich-Hinstarren wurde ein wacher Blick, der bald jeder Bewegung folgte. Nun sah auch sein riesiger roter Schlund nicht mehr ganz so urig aus. Zwar sperrte er vorsorglich immer, außer wenn er nach intensiver Fütterung so satt war, dass er nicht mehr konnte, aber das Betteln bekam nun Richtung. Das machte ihn annehmbarer. Denn »nett«, wie viele Jungtiere das sind, ist eine noch fast nackte junge Rabenkrähe gewiss nicht. Eher gewöhnungsbedürftig (wenn man nicht die eigene Mutter ist). Waren Hackfleisch und Regenwürmer noch vergleichsweise ästhetisch bei der Fütterung, so ließ sich das von in Stücke gerissenen Eintagsküken wahrlich nicht behaupten. Unangenehm waren vor allem die klebrigen Dotterreste aus dem beim Schlüpfen aus dem Ei noch nicht ganz aufgebrauchten Dottersack.

Wenigstens verläuft bei einer jungen Krähe die Entwicklung recht schnell. Nach vier Wochen, so die tröstliche Kalkulation, sollte diese aufwändige Phase der Nestlingszeit vorüber sein. Heizkissen und wärmende Tücher bewahrten uns davor, die nestjunge Krähe »artgemäß« nachts hudern zu müssen, was üblicherweise vom Weibchen vorgenommen wird. Es dauerte nicht einmal die vier Wochen, bis sich der Nestling dank der Federn, die sehr schön und ohne Wachstumsstörungen hervorkamen, in einen Vogel verwandelte. Stemmte er sich auf seine kräftigen Beine, kam sein Betteln nun richtig zur Wirkung, weil er nicht nur den Schnabel aufriss, den knallroten Rachen präsentierte, sondern auch heftig die Flügel schüttelte, sodass kleine Wolken von Federschuppen hochflogen. Sicher bekam er mehr und Besseres als seine Artgenossen draußen. Tommy lohnte die Mühen mit tadelloser Entwicklung – und einer urkomischen Begrüßung. Denn die erste Stimme, die er zu hören bekam und die irgendwie an die eigene Art erinnerte, war das Krähen des Hahnes im kleinbäuerlichen Nachbargarten. Kaum konnte er richtig stehen, reckte er sich empor, so weit es ging, stützte sich an beiden Körperseiten mit abgesenkten Flügeln und machte eine tiefe Verbeugung. Aus dieser heraus zog er langsam den Kopf nach oben. Dabei presste er unter sichtlich großer Anstrengung ein krähendes »krriäh« heraus – sein Begrüßungsruf. Später kam

Tommy verbeugt sich vor dem Begrüßungsruf. Unter ihm ist die offene Türe seiner Voliere zu sehen.

ihm dieser leichter aus dem Schnabel, aber immer mit erkennbarer Anstrengung. Verschiedene glucksende Lautäußerungen kamen mit der Zeit dazu. Irgendeinen Ruf oder gar ein Wort aus der Menschensprache machte er jedoch nie nach.

Dass er in den ersten Wochen nach Öffnung der Augen nur Menschen um sich sehen konnte, hatte anders als bei der Stimme die sogenannte Menschenprägung zur Folge. In wenigen Tagen, spätestens nach einer Woche, unterschied er die Personen, die sich um ihn kümmerten. Kamen Fremde, duckte er sich auch ohne Warnruf unsererseits in seine Schachtel, drückte Kopf und Schnabel auf die Lappen, die er als Unterlage darin hatte, und sah wie tot aus. Munter wurde er erst wieder, wenn sich die fremde Person hörbar entfernt hatte. Niemals täuschte er sich. Offenbar prägten sich die Gesichter der Menschen so sehr ein, dass er sie vom ersten Augenblick an erkannte, egal wie sie gekleidet waren. Darin äußerte sich sehr deutlich die Krähenart, nicht nur den unmittelbaren Partner, sondern auch das soziale Umfeld individuell zu erkennen.

Mit Urvertrauen ließ sich Tommy säubern, wenn es nötig war. Mit krähentypischer Neugier untersuchte er alles, was in seiner unmittelbaren Umgebung vorhanden war. Anders als später draußen im Freien hielt er nichts für gefährlich, wenn es sich im Zimmer befand. Dass der Herdplatte nicht blind vertraut werden darf, weil sie einfach da ist, musste er lernen; dass man nicht alles, was interessant sein könnte, in den Schnabel nehmen oder darauf herumhacken darf, auch. All das funktionierte eigentlich reibungslos, weil sich Tommy am Verhalten seiner »Genossen« orientierte. Der Mensch wird durch die (falsche) Prägung, die bei so einem Vogel beim Öffnen der Augen zustande kommt, zum Kumpan in der Umwelt, wie Konrad Lorenz es so treffend ausgedrückt hatte.

Tommy lernte und gedieh. Es wurde Zeit, ihn nach draußen in eine geräumige Voliere umzusiedeln, in der Gebüsch gepflanzt war und in der er sogar herumfliegen konnte. Die Zeit der »Umsiedlung« entsprach recht gut der Phase des Selbstständigwerdens. Dabei suchen die Altvögel mit ihren flügge gewordenen Jungen für diese bis dahin unbekannte Teile ihres Reviers auf. Das Übernachten im Nest geht zu Ende. Als er sich gut genug eingewöhnt hatte, wurde der Versuch gewagt, die Tür zu öffnen und nach dem Verlassen der Voliere offenzulassen. Tommy folgte ohne zu zögern, sicherte sich aber dadurch, dass er, wie die Dohlen, auf die Schulter flog. Von diesem Sitz ganz nahe am Kopf des Partners betrachtete er die Außenwelt, die ihm recht bald vertraut werden sollte. Denn schon nach wenigen kurzen Flügen, die sichtlich Erkundungsflüge darstellten, kehrte er problemlos zurück.

Weit schwieriger war es, ihn in der Voliere, die er anscheinend gar nicht wirklich als Käfig, als Eingesperrtsein, empfunden hatte, allein zu lassen. Da half nur attraktives Futter. Dieses waren und blieben die Eintagsküken. Bekam er mehr, als er sogleich verzehren konnte, versteckte er zunächst alles und holte sich erst danach hervor, was er wollte. Genau dabei wollte er sich aber nach Möglichkeit nicht zuschauen lassen. Mit diesem Trick gelang es, ihn zum Alleinbleiben in der Voliere zu bewegen und ihn daran zu gewöhnen. Mit einem anderen, über all die Jahre seines Lebens absolut sicher funktionierenden Trick wurde er, wenn er draußen frei war, dorthin zurückgebracht.

Der Reiz des Versteckens

Sollte Tommy in den Käfig und wollte er von sich aus nicht mitkommen, auch wenn ich hineinging, brauchte ich nur irgendwo auf der Wiese mit dem Finger so zu tun, als ob ich ein Loch bohren wollte. Sofort schwang er sich herbei und schaute nach, was ich im Loch versteckt haben könnte. In diesem Moment war Tommy fast mühelos zu fassen. Unter Geschrei und mit den Versuchen, sich mit dem Schnabel vom Griff meiner Finger zu befreien, ging es dann in die Voliere. Dort losgelassen, flog er auf meine Schulter, schüttelte sich, war zufrieden und quatschte mir etwas ins Ohr. Nie nahm er diese Behandlung übel, nie lernte er, sich dem Reiz zu entziehen, der vom scheinbaren Verstecken von irgendetwas ausging, und es spielte auch keine Rolle, ob das täglich geschah oder wochenlang nicht, weil er selbst rechtzeitig in die Voliere geflogen war.

In manchen Situationen wurde seine Neugier zum Problem. So durfte eine alte Frau aus der Nachbarschaft, die nach dem Krieg aus der Slowakei nach Deutschland gekommen war, in unserem Garten Salat und anderes pflanzen, was sie mochte. Sie hieß einfach »die Oma«. In der ganzen Nachbarschaft war sie gern gesehen. Tommy mochte sie besonders gern, und zwar offenbar aus zwei Gründen. Erstens war sie immer schwarz gekleidet und schwarz faszinierte ihn. Zweitens war sie oft im Garten. Immer dann, wenn Oma da war, durfte er selbstverständlich aus der Voliere. Die beiden sahen dann aus wie im Kindermärchen: Auf der schwarz gekleideten alten Frau der schwarze Vogel, der ihr andauernd etwas am schwarzen Kopftuch vorbei ins Ohr flüsterte! Böse war Oma jedoch ganz und gar nicht, sondern das genaue Gegenteil. Sie mochte Tommy sehr gern. Er durfte auch fast alles. Nur in einer Situation ermahnte sie ihn ernsthaft, und das war dann, wenn sie Salat pflanzte und er unter ihrem fast bis zum Boden reichenden Rock hervorkam, die Pflänzchen wieder herauszog und nachschaute, was im Loch versteckt war. Beim Pflanzen von Salat musste Tommy also in den Käfig, was ihm gar nicht gefiel, weil er offenbar den Zusammenhang begriffen hatte. Noch am nächsten oder übernächsten Tag mussten die Salatpflänzchen gegen seine Neugier verteidigt werden. Kaum war er aus dem Käfig, flog er sofort ums Haus, um bei den frischen Beeten nachzusehen.

Er selbst versteckte ausgiebig alles Mögliche, vor allem, wenn er sich dabei nicht beobachtet wähnte. So sah ich einmal vom Fenster meines Arbeitszimmers, durch das er wegen der Spiegelung kaum schauen konnte, wie er an recht unpassender Stelle ein halbes, gewiss schon recht anrüchiges Eintagsküken versteckte. Eine junge Nachbarin war mit dem Kinderwagen angekommen. Vor dem Eingang zum Haus stellte sie den Wagen ab, öffnete den Schutz für das Baby, hob es aus der Decke und trug es in die Wohnung ins obere Stockwerk hinauf. Kaum war sie hinter der Türe verschwunden, flog Tommy, der genau über ihr am Rand des Daches gesessen hatte, zum Ende der Dachrinne, hebelte unter einem vorspringenden Ziegel jenes halbe Küken hervor, schwebte damit zum Kinderwagen hinab, rollte die Decke zurück, versteckte das Küken und deckte alles wieder zu. Das ging so schnell, dass er noch aufs Dach des nächsten Hauses fliegen konnte, wo er sich mit ausgiebigem Gefiederschütteln entspannte. Wenige Minuten später kam die Nachbarin. Sie hob den Wagen vom Fahrgestell, um auch ihn hochzutragen. Was nun folgte, war eindeutig. Sie bemerkte den Gestank, wunderte sich, stellte den Korbteil ab, begann das Innere zu untersuchen und fand natürlich Tommys so unpassend versticktes halbes Küken. Zum Glück für Tommy war er auch bei dieser jungen Frau beliebt, sodass ihr Schimpfen von unterdrücktem Gelächter begleitet war.

Ich bot ihr an, die Decken waschen zu lassen. Großzügig meinte sie, das Rabenaas, das schwarze, sei zwar ein kleiner Teufel, aber waschen hätte sie die Decke ohnehin müssen. Da sie »müssen« betonte, hatte mein Rabenaas also wirklich Glück gehabt. Damals war man nämlich noch ziemlich fest davon überzeugt, dass Vögel, wenn überhaupt, kaum etwas riechen. Inzwischen liegen so viele Befunde zum Riechvermögen der Vögel vor, dass ich zweifle, ob Tommy wirklich das Versteck »nur so« gewählt hatte. Vielleicht roch er doch, dass die Decke gewaschen werden »müsse«.

Krähenspiele

Neugier und Bereitschaft zum Spiel gingen bei Tommy oft nahtlos ineinander über. Die Neugier zwang ihn dazu, das zum Knoten geflochtene Ende einer Schnur zu untersuchen. Mit wenig Mühe gelang es ihm, einen recht festen Knoten aufzumachen. Schnabel und Füße arbeiten dabei sehr gekonnt zusammen. Zog ich ihm die Schnur ein Stück weg, fing er sie wie eine Katze, nur eben im Rahmen seiner Möglichkeiten. Diese bestanden aus einem Hopser, wie beim Fangen einer Heuschrecke, und blitzschnellem Zustoßen mit dem Schnabel. War ich schneller, ärgerte ihn dies sichtlich. Dann schimpfte er laut. Mir kam dabei die Idee, ihn gleichsam mit eine Angel zu mir zu holen, wenn er sich an einer Stelle, zum Beispiel im Garten auf den Beeten, aufhielt, die ich nicht betreten wollte. Das klappte bestens. Ein etwa eineinhalb Meter langer Stock bekam eine ähnlich lange Schnur mit dem Knoten am äußeren Ende befestigt. Damit ließ sich Tommy »angeln«. Er fasste den Knoten, hielt fest und ließ sich hochziehen. Ein richtiges Spiel wurde draus, bei dem ich mich um die eigene Achse drehen konnte, so schnell es ging. Da flog er einfach im etwa Drei-Meter-Abstand mit, ohne den Knoten aus dem Schnabel zu lassen. Hatte er keine Lust mehr, gab er ein krähisches kurzes »krrah« von sich, was automatisch bedeutete, dass er die Schnur freigab. Dass mich eines Tages ein Passant, der von der Straße aus unser Tun erblickte, sogleich auf das heftigste als Tierquäler beschimpfte und dann den Mund nicht mehr zubrachte, als er den vermeintlich zu Tode gequälten Vogel ganz lustig auf meiner Schulter landen sah, war für mich verständlich. Doch Tommy mied fortan diesen Mann, weil er mit einem Stock gedroht hatte.

Als gemeine Quälerei empfanden wir Menschen umgekehrt die Art, wie Tommy seine Abneigung gegen die Katze zum Ausdruck brachte. Ich bin mir ziemlich sicher, dass er eifersüchtig auf sie war, weil er immer besonders schräg von irgendwoher anschaute, wenn die Katze zu einem von uns auf den Schoß kam und gestreichelt wurde. Sie tat der Krähe nichts und hatte auch nichts getan. Doch wenn sie auf der Wiese voller Konzentration vor einem Mauseloch saß, landete Tommy entfernt genug so hinter ihr, dass sie ihn nicht sehen konnte. Halb geduckt und mit größter Vorsicht schlich er sich dann an sie heran und zwickte sie in die beständig etwas unruhige Schwanzspitze. Die arme Katze kreischte auf, sträubte alle Haare wie unter elektrischem Strom und machte mit allen vieren einen großen Satz. Doch da war Tommy schon in der für ihn sicheren Luft. Irgendwann bringt sie ihn um, dachte ich. Aber das geschah nie. Warum die Krähe so gegen die Katze vorging, ist mir nie so recht klar geworden. Ich komme darauf später im Zusammenhang mit Carlos Kolkraben zurück.

Strafe

Die Neugier durchzog Tommys ganzes Leben. Am stärksten trat sie zutage, wenn es sich um Vorgänge mit etwas Schwarzem handelte. Damals war der Dorfbriefträger noch mit der allbekannten großen schwarzen Tasche unterwegs, die vor dem Lenkrad auf dem Fahrrad befestigt war. Was der Briefträger daraus hervorholte und in für den geschicktesten Krähenschnabel unzugänglichen Schlitzen an den Häusern verschwinden ließ, erregte Tommys Neugier ganz besonders. Zitternd vor Aufregung verfolgte er den Briefträger auf seinem Weg von Haus zu Haus, bettelte ihn flügelschlagend an, wurde aber nicht erhört. Der Briefträger, der mich gut kannte, brummte immer nur »das ist nichts für dich!« zu Tommy hin, der vor lauter Aufregung nicht wusste, wo er noch hinfliegen und aus welchem Blickwinkel er das geheimnisvolle Tun des Briefträgers beobachten sollte. Dass ich ihm manchmal nachher ein Stück wertloser Werbung aus dem Briefkasten zeigte, interessierte ihn, wohl weil zu offensichtlich, nicht mehr. Es ging um das Versteckte und das Verstecken. Da ich fürchtete, die aufdringliche Krähe könnte auch einem wohl gesonnenen Briefträger lästig werden, der in unserer ganzen Straße Ruhe vor wütenden Haus- und Hofhunden hatte, versuchte ich, darauf zu achten, dass Tommy möglichst zu der Zeit nicht frei flog, in welcher der Briefträger zu erwarten war. Das klappte nicht immer. Eines Tages wurde ich dann glücklicherweise Zeuge eines Geschehens, über das im Dorf noch lange gesprochen wurde.

Der Briefträger kam wie üblich mit dem Rad auf unser Haus zugefahren. Vom Dach des Nachbarhauses, auf dem mein Tommy gesessen und mit gesträubtem Gefieder die Vormittagssonne genossen hatte, startete er, ohne dass der Briefträger ihn sehen konnte, und flog ihn von hinten her an. Mit den Krallen beider Füße packte er ihn am Kragen und gab dem völlig überraschten Mann ein paar heftige Schnabelhiebe auf den Hinterkopf. Der solcherart überfallene und malträtierte Briefträger stürzte. Die große Klappe der schwarzen Tasche ging auf. Ein paar Poststücke rutschten auf die Straße. Während ich, noch fast starr vor Schreck, dachte, er wird doch hoffentlich nicht mit der Post davonfliegen, war Tommy schon wieder auf dem Dach zurück, schüttelte sich, als ob nichts gewesen wäre, und fing an, sich zu putzen. Die Post interessierte ihn nicht mehr.

Der wunderbaren Großzügigkeit einer Dorfgemeinschaft, in der sich alle kannten, ist es zu verdanken, dass dieser Angriff ohne Nachspiel blieb. Die Hiebe mit dem spitzen Krähenschnabel steckte der Betroffene tapfer weg. Post war keine verloren gegangen. Das Dorf hatte einen ganz ungewöhnlichen Gesprächsstoff, zumal die Postdienststelle passenderweise in einem der Dorfgasthöfe untergebracht war. Und ich versicherte dem Briefträger, dass der schwarze Teufel nicht mehr frei fliegen dürfe, solange er mit der Post unterwegs sei. Diese »Strafe« für den Vogel war, wie sich später herausstellte, unnötig. Tommy interessierte sich nicht mehr für schwarze Taschen und Brief(träger)geheimnisse. Er lieferte bald darauf neuen Gesprächsstoff in der Nachbarschaft, als er – nach Meinung mancher, aber nicht aller – einen Nachbarn ganz zu Recht bestrafte.

Dieser saß vor dem Haus auf einer Bank und machte spätnachmittägliche Brotzeit. Mit einem Klappmesser schnitt er sich von einer sogenannten Handwurst Stück für Stück ab und verzehrte diese genussvoll mit wenig Brot. Tommy, der das sah, kam näher. Zunächst landete er auf dem Boden und schaute zu dem Essenden hinauf. Da dieser nur ein paar, wahrscheinlich nicht unfreundliche Worte aus vollem Munde murmelte, und Tommy den Nachbarn wie die meisten Menschen der Nachbarschaft auch kannte, fasste er Mut und flog neben ihn auf die Bank. Von dort aus bettelte er um Wurst. Der Nachbar schnitt ein Stück ab, hielt es ihm hin, zog es aber jedes Mal zurück, wenn Tommy näher rückte, und aß es selbst auf. Das wiederholte er ein paar Mal. Dann verlor Tommy scheinbar das Interesse. Er blieb einfach neben dem jungen Mann sitzen und putzte sein Gefieder.

So machen es die Raben und die Krähen, wenn sie sich in einer momentan nicht lösbaren Situation befinden. Die Verhaltensforschung prägte dafür den Ausdruck »Übersprung-putzen«, weil eine Handlung, die nicht richtig ausgeführt werden kann, in eine bedeutungslose Ersatzhandlung »überspringt«. Der Nachbar beachtete den sich putzenden Vogel neben ihm nicht mehr. Die Wurst hatte er ohnehin gegessen. Er legte das Messer neben sich und packte den Brotrest zusammen. In diesem Augenblick erfasste Tommy das Messer und flog damit davon. Auf dem Dach des gegenüberliegenden Hauses legte er das Messer ab. Nun bedurfte es keiner Übersprungshandlung mehr. Der »Fall« war für ihn erledigt. Er flog zu seiner Voliere und holte sich ein dort irgendwo verstecktes Eintagsküken hervor. Der Nachbar aber bestieg unter dem Gelächter der Anwohner per Leiter das Dach und rutschte auf dem Bauch auf diesem empor, bis er zum nahe dem First abgelegten Messer kam. Auch dieser ungewöhnliche Vorgang interessierte den ansonsten so neugierigen Vogel nicht weiter. Ohne das, was vorausgegangen war, wäre er sicher angeflogen gekommen, um genau zu schauen, was da Menschen auf dem eigentlich nur ihm (und den Spatzen, die er nicht beachtete) zugänglichen Dach vorhatten. Diesen Nachbarn mochte er fortan auch nicht mehr. Er ließ sich nicht mehr anlocken.

Glänzendes

Häufig besuchte Tommy eine ältere Nachbarin, wenn sie im ersten Stock ein Fenster öffnete und ihm zurief. Manchmal saß er, nur auf Armreichweite von ihr entfernt, daneben und schien der Nachbarin interessiert zuzuhören. Sie erklärte ihm, dass er keinen Schmuck klauen dürfe. Das tat er zwar nie, aber Glänzendes machte ihn neugierig. Glassplitter fand er an Stellen, wo man sie nicht vermutete. Die Vorstellung von »diebischen« Elstern, Krähen und Dohlen war im Dorf offenbar weit verbreitet, obgleich niemand eigene Erfahrungen mit diesen Vögeln hatte. Auf meine Nachfragen erhielt ich nur die Antwort, dass dies doch alle so sagten.

Erst vor Kurzem, Ende der 1990er-Jahre, wurde nachgewiesen, dass manche Vögel sehr gut im langwelligen UV-Bereich sehen. Das ist jener unserem Auge nicht zugängliche Bereich der Lichtwellen, der an das blauviolette Licht angrenzt und daher »jenseits des Violetten« (ultraviolett) genannt wird. In diesem Bereich glänzen die Federn von Elstern und Krähen, wahrscheinlich auch der Raben. Deshalb ist durchaus zu vermuten, dass sie dem Glanz ihres Gefieders mehr über den Zustand der Artgenossen entnehmen, als wir sehen können. Das »Interesse« vieler Rabenvögel an Glänzendem dürfte damit zusammenhängen. Teilweise verborgener Glanz reizte stärker als offensichtlicher.

Um seine Empfänglichkeit für Schmuck zu testen und um auf eventuellen Ärger vorbereitet zu sein, zeigte ich Tommy metallische Uhrbänder, wertlosen Modeschmuck mit glänzenden Glassteinen und bunte Stoffbänder. Letztere untersuchte er und machte damit Andeutungen von Nestbaubewegungen. Den übrigen Sachen schenkte er kaum einen Blick. Anders verhielt er sich mit einem Kristallstück aus Siliziumkarbid, auch Karborund genannt. Nach dem Diamanten ist diese künstliche Verbindung das härteste Material. Die schwarzen Kristalle irisieren in den Farben des Regenbogens. Daran konnte sich Tommy kaum sattsehen. Zum Glück war das faustgroße Kristallstück viel zu schwer für ihn. Ich bekam den Eindruck, dass er dieses allzu gern mitgenommen und irgendwo versteckt hätte. Ziemlich sicher strahlte dieses Material auch das UV-Licht zurück. Für meine Augen zumindest ergab sich eine ziemliche Ähnlichkeit im Glanz mit dem Gefieder, vor allem auf Tommys Schulter.

Artgenossen und andere Krähenvögel

Zahm, vor allem futterzahm zu sein, ist etwas ganz anderes, als vertraut zu sein. Ein Vogel wie Tommy war nicht gezähmt und gefügig gemacht worden. Dass er Futter erhielt, war nicht entscheidend. Das hätte er sich zumindest den Sommer über auch draußen selbst zusammensuchen können. Er flog frei, so oft jemand am Haus war. Am Abend war er stets rechtzeitig zurück. Meistens entfernte er sich gar nicht nennenswert vom Haus und der unmittelbaren Umgebung. Allein zu sein, vermied er. Am liebsten war es ihm offenbar, wenn die schwarz gekleidete Oma im Garten arbeitete. Denn da gab es Regenwürmer, mitunter auch einen Engerling oder eine andere Insektenlarve.

Flog ein Schwarm Dohlen auf ein frisch gemähtes Wiesenstück am Dorfrand, konnte es sein, dass sich Tommy hinzugesellte und suchend mit umherschritt. Die kleineren Dohlen hielten etwas Abstand, ängstigten sich aber vor der Krähe nicht. Attraktiver wurden im Herbst die Krähenschwärme; vor allem, wenn sie sich mit viel Geschrei auf hohen Bäumen am Bach sammelten, bevor sie zu ihrem Schlafplatz flogen. Da »hing« Tommy schon mal am Gitter seiner Voliere und schaute zu ihnen hinaus. Manchmal rief er, bekam aber keine Antwort. Verständlicherweise für mich, denn das waren Saat- und keine Rabenkrähen. Dass Tommy diesen Unterschied nicht machte, beschäftigte mich. Müssen die Rabenkrähen lernen zu erkennen, wer sie sind und dass die anderen, ihnen so ähnlichen »Schwarzen«, die Saatkrähen, nicht zu ihrer Art gehören? Lag es vielleicht daran, dass Tommy die arttypischen Lautäußerungen von Rabenkrähen nicht zu hören bekommen hatte oder in den ersten Tagen nach dem Schlüpfen aus dem Ei dafür noch zu klein gewesen war? Oder bezog er, der so große Mühe hatte, den Hahnenschrei auf seine krähische

Weise wiederzugeben, das Gequorre der Saatkrähen einfach mit ein, weil er keine Vorbilder unter Artgenossen bekommen hatte?

Vorsorglich vermied ich jedenfalls, Tommy fliegen zu lassen, wenn die Winterkrähen eingetroffen und auf dem Durchzug waren. Sie hätten ihn vermutlich mitgerissen, ihm aber keine passenden Artgenossen gegeben.

Von seinen Artgenossen ging noch eine ganz andere Komplikation aus. Am Dorf direkt gab es zwar keine Brutpaare von Rabenkrähen, weil diese von den Jägern mit der Begründung, sie würden Hühnerküken klauen, abgeschossen wurden. Aber am nahen Auwald hatten Rabenkrähen ihre Reviere. Kam ihnen Tommy zu nahe, griffen ihn diese an und verjagten ihn. Das ist bei Rabenkrähen so. Das ist sogar so wichtig, dass ich in einem späteren Kapitel ausführlich darauf zurückkommen werde.

Am unangenehmsten war, wenn im Frühjahr Rabenkrähen an die Voliere kamen und auf Tommy »hassten«. Meistens waren dies zwei oder drei Vögel. Sie landeten auf dem Gitterdach der Voliere. Von dort aus schimpften sie anhaltend, während Tommy von unten hochfliegend nach ihnen zu picken versuchte. Wie ich leicht sehen konnte, handelte es sich bei den Besuchern um ein Paar oder um ein solches mit einem dritten Vogel als Begleiter, das in der Nähe ein Brutrevier aufzubauen versuchte – was der Abschuss einer dieser Krähen jedoch jäh verhinderte.

Vertrauen

Mir und einigen wenigen Menschen seiner unmittelbaren Umgebung vertraute Tommy »blind«. Stieß man ihn unbeabsichtigt, so beschwerte er sich kurz (und lautstark), nahm das aber genauso wenig übel wie ein Hund, dem man versehentlich auf die Pfote tritt. Er konnte das Verhalten der Menschen, die er kannte, so gut wie fehlerlos einordnen. Sollte er etwas nicht tun, reichten ein erhobener Finger und ein Wort in entsprechendem Tonfall, obwohl ihm weder Finger noch Hand jemals etwas getan hatten. Er verstand diese menschliche Droh- und Abwehrgeste wie eine arteigene. Umgekehrt ließ sich leicht vorhersehen, wenn er vorhatte, nicht fügsam zu sein. Da half es nur, schneller zu sein als er, wenn er etwas erwischen wollte, das er nicht bekommen sollte. Verstellen, wie beim Verstecken von Beute, konnte er sich dabei anscheinend nicht.

Sollten wir hingegen nicht sehen, was er verstecken wollte, tat er uninteressiert und versuchte, die Beute in den Kehlsack zu bekommen. Schaute ich weg, benutzte aber einen Spiegel, um zu sehen, was er tat, versteckte er die Beute blitzschnell provisorisch und tat dann so, als ob gar nichts gewesen wäre. Ging ich fort und suchte später danach, war auch die Beute nicht mehr da. In mehreren Fällen sah ich später, dass er sie anderswo besser versteckt hatte. In diesem Bereich hatte sein Vertrauen also Grenzen. Wir Menschen sollten nicht alles mitbekommen.

Umso eindrucksvoller äußerte er sein Vertrauen, als ihm ein Bein abgeschossen worden war. Tommy war eine Weile weggeflogen. Wie lange, hatte ich nicht registriert, weil er sich eigentlich vorsichtig genug verhielt, wenn er nicht unmittelbar am Haus, seinem Revier, zugange war. Als er zurückgeflogen kam, baumelte sein rechtes Bein nur noch an einer Sehne. Direkt unter dem Gelenk in der Mitte des Beines, dem Intertarsalgelenk, war der Lauf komplett durchschossen. Blut tropfte. Da war nichts mehr zu retten. In aller Eile und ohne Betäubung amputierte ich den zersplitterten Rest bis zum Gelenk, so gut es ging. Tommy ließ es geschehen. Er zappelte auch nicht, als ihm eine Antibiotika-Salbe aufgeschmiert und ein Verband angelegt wurde, der am unteren Ende eine weich abstützende, mit Hansaplast wasserdicht abgesicherte Knolle bildete. Darauf würde er sich abstützen können, wenn der unverletzte Fuß ermüdete. Dass er bei der ganzen Prozedur mit nach oben gerichteten Beinen festgehalten werden musste, nahm er hin. Als ich ihn umdrehte und auf das gesunde Bein stellte, schüttelte er sich und ließ sich an Hinterkopf und Hals im Gefieder kraulen. Dann trug ich ihn in die Voliere, in der er einen vor Wind und Wetter geschützten Winkel mit bequemen Sitzstangen hatte. Und hoffte, er würde es überleben. Er überlebte, denn sonst fehlte ihm nichts. Den Verband nahm er hin und auch, dass dieser nach mehreren Tagen erneuert werden musste, um das ausgetretene Blut zu entfernen und erneut Salbe aufzutragen.

Den zweiten, besser gelungenen Verband trug er fast vier Wochen. Dann arbeitete er so lange daran herum, bis sich alles ablöste. Hervor kam ein bestens verheilter Stumpf, der nur noch eine Zeitlang mit Salbe eingeschmiert werden musste, damit die Haut nicht aufriss. Sie verhornte so sehr, dass man ohne genauere Betrachtung hätte meinen können, der Vogel trage ein Holzbein. Tommy lernte, erstaunlich geschickt auf diese Weise herumzuhüpfen. Dass er immer nur auf einem Bein schlafen konnte, beeinträchtigte ihn offenbar nicht sonderlich, denn er zog die normale sitzende Haltung in der Regel dem Auf-dem-Bauch-Liegen vor. An seiner Wendigkeit im Flug hatte sich nichts geändert. Aber fortan flog er nicht mehr aus dem unmittelbaren Hausbereich fort. Nur wenn ich mit ihm über die Wiesen ging, kam er mit. Da fühlte er sich wohl sicher genug.

Die Behinderung schränkte ihn dennoch ein. Das war nicht zu ändern. Sein Leben wurde deutlich zurückgezogener. Dann kam eine Zeit, in der er lustlos wurde, die Flügel hängen ließ und einen kränklichen Eindruck machte. Wieder wurde es nötig, ihn für eine genauere Untersuchung zu ergreifen. Was er dabei auswürgte, war eindeutig. Tommy hatte Luftröhrenwürmer (*Syngamus trachaeae*) bekommen. Die Quelle der Infektion konnten Eintagsküken gewesen sein, weil er keinen Kontakt zu anderen Vögeln hatte. Küken, die schon Wurmeier aufgenommen hatten, vielleicht auch Regenwürmer, vermutete ich als Überträger. Wochenlang dauerte die Behandlung, bis er nicht mehr würgen musste und keine Anzeichen mehr auf Befall mit diesen Würmern erkennbar waren. Auch diese sicherlich sehr unangenehmen Behandlungen ließ er über sich ergehen. Dann arbeitete sich eines Nachts ein Marder in die Voliere und tötete ihn. Er war fast genau fünf Jahre alt geworden.

Nachgedanken zu Tommy

Fast immer geht es mit solchen Tieren in Menschenhand tragisch zu Ende. Tragisch aus unserer Sicht, weil wir mit menschlichen Vorstellungen werten. Ob das Leben von Tommys Artgenossen zur selben Zeit im selben Gebiet besser war, kann niemand sagen; am wenigsten die Betroffenen, die Rabenkrähen selbst. Beobachtungen an frei lebenden, nicht an Menschen gebundenen Rabenkrähen, wie sie im nächsten Kapitel geschildert werden, wecken zumindest Zweifel. Die Vermenschlichung, vor der ganz zu Recht gewarnt wird, beginnt nicht erst bei der Betrachtung und Deutung von Lebensäußerungen der Tiere, sondern viel früher schon. Das Leben beim Menschen wird von vornherein entweder abgelehnt, weil nicht »artgerecht«, oder für besser gehalten, »weil die Natur grausam ist«. Eine »neutrale« Position wäre nur in jeder Hinsicht emotional Unbeteiligten möglich. Doch könnten solche Menschen die »Richtigen« für Beurteilungen sein?

Fasst man das Geschehen ganz kurz zusammen, so ergibt sich, dass die kleine Krähe mit den noch geschlossenen Augen keine Chance zum Überleben hatte. Die Chance zum Leben erhielt sie durch das Aufgepäppeltwerden in Menschenhand. Ihr Leben währte so lange, wie es etwa der durchschnittlichen Lebenserwartung frei lebender (nicht abgeschossener) Rabenkrähen entspricht. Sie hatte eine vielfältige, interessante Welt, ohne den Zwang, den größten Teil des Tages nach Nahrung suchen zu müssen. Sie brauchte sich nicht mit Artgenossen zu streiten, litt niemals Hunger und Not. Die lebendige Umwelt war freundlich zu ihr bis auf jenen Unmenschen, der ihr das Bein abgeschossen hatte. Vermutlich und glücklicherweise sah sie ihn gar nicht, denn ihr Verhältnis zu den Menschen war danach nicht traumatisch gestört. Die Infektion mit Luftröhrenwürmern gehört ebenso zur natürlichen Bedrohung, wie der Marder eine solche Todesursache ist.

Was Tommy fehlte, war ein Artgenosse, mit dem er/sie hätte brüten und Junge großziehen können. Wenn »er« mich und einige wenige andere Menschen anbalzte, wurde mir dieser Mangel schmerzlich bewusst. Doch welchem Hund ist es gegönnt, zur Fortpflanzung zu kommen? Den wenigen frei laufenden Katzen, denen das gelingt, werden nachher zumeist die Jungen weggenommen. Schaffen sie es, diese unentdeckt großzuziehen, verwildern sie und führen ein erbärmliches Leben, wenn sie im Siedlungsbereich der Menschen bleiben. Außerhalb werden sie mit buchstäblich tödlicher Sicherheit abgeschossen.

Bei Rabenkrähen dauert es unter Freilandbedingungen nicht selten mehrere Jahre, wenn es ihnen überhaupt gelingt, bis Jungkrähen ein Revier erobern und selber brüten können. Härteste Auseinandersetzungen mit ihren Artgenossen und

Kämpfe, die tödlich enden können, gehen dem Reviergewinn voraus. Und haben sie es geschafft, droht ihnen der Abschuss. Auch dazu später mehr.

Tommy hingegen konnte in der Menschenwelt seiner arttypischen Neugier nahezu uneingeschränkt nachgehen. Kein Freilandleben ist bei Krähen vorstellbar, das so viel Interessantes bieten würde. Als Rabenkrähe zeigte er mir weit mehr als nur das »typische Krähenverhalten«. Tommy war ein Individuum wie jeder Hund. Ebenso gut und ebenso wenig, wie Hunde einfach das Hundeverhalten äußern, drückte diese Krähe Rabenkrähenverhalten aus. Vieles von ihrem Verhalten war zweifellos arttypisch, manches aber so individuell, dass es sich mit Sicherheit nicht wiederholen wird oder im Experiment nachgemacht werden könnte. Sein Verhalten gab viele Rätsel auf. Was geht in so einem Vogel vor, wenn er den Briefträger so direkt, den Nachbarn mit dem aufs Dach getragenen Messer indirekt »bestraft«? Dass es eine Bestrafung gewesen war, kann kaum bezweifelt werden. Denn die Objekte, um die es der Krähe ging, interessierten bei und nach der Bestrafung nicht mehr. Vom Vertrauen aber, das Tommy bei der Amputation der Splitter seines zerschossenen Beins äußerte, kann man nur ergriffen sein. Bindung an den Partner und Vertrauen waren in dieser Lage stärker als alles andere.

Der Kolkrabe Mao

Herkunft

Mao war kein Findelkind wie Tommy. Der kleine Kolkrabe entstammte einer Brut im Innsbrucker Alpenzoo. Die dortigen Kolkraben hatten erfolgreich gebrütet. Sie würden ebenso erfolgreich ihre Jungen großziehen, das war abzusehen. Weitere Bruten würden in den nächsten Jahren folgen. Auch das war klar bei einem gut aufeinander eingespielten, erfolgreichen Rabenpaar. Wohin mit dem Nachwuchs? Eine Frage, die sich immer öfter und immer drängender stellte, je besser die Zootierhaltung wurde. »Artgerecht« gehaltene Tiere bekommen Nachwuchs. Sind sie, wie das im Zoo in aller Regel der Fall ist, auch entsprechend gut mit Nahrung versorgt, werden sie rasch »produktiv«. Nun kann der Nachwuchs von Zootieren nicht einfach freigelassen werden, wenn der Zustand der Selbstständigkeit erreicht ist. Der Austausch zwischen den Zoos eröffnet nur eine Übergangslösung. Denn über kurz oder lang hat jeder Zoo von den reichlich Nachwuchs produzierenden Tieren das, was gewollt ist und untergebracht werden kann. Je mehr Junge pro Wurf oder Eier pro Gelege, desto schneller wird dieser Zustand erreicht. Längst müssen die Zoos die Erzeugung von Nachwuchs bei vielen Tieren per »Pille« bremsen und streng kontrollieren. Nur so viel Nachwuchs, wie an alt gewordenen Tieren wegstirbt, bedeutet für gute Zoos fast keinen Nachwuchs. Denn gut gehaltene Tiere leben lang.
Kolkraben können, so weit man das bisher weiß, 40 oder 50 Jahre alt werden. Schlechte Aussichten sind das für Kolk-

raben-Nestlinge, die gesund und vital aus den Eiern geschlüpft sind. Unangenehme Situationen ergeben sich daraus für die Direktion des betreffenden Zoos. Sollen die Jungen umgebracht werden, weil sie niemand andernorts in Zoos und Vogelparks haben möchte? Soll man dem Kolkrabenpaar das Brüten verwehren? Sollte man Kolkraben überhaupt nicht in Zoos halten, auch wenn sie so geräumige Volieren zur Verfügung haben, dass sie darin herumfliegen können? Schadet es den frei lebenden Kolkraben nicht eher, wenn die Zoobesucher diesen großartigsten der Rabenvögel und die intelligenteste Art der Vogelwelt nicht mehr aus der Nähe erleben können? Dann zählt auch der (verbotene) Abschuss nicht, weil es sich ja nur um eine große Krähe gehandelt hat, der manche Schandtat angehängt wird, weil der Rabe seit Jahrhunderten in Verruf ist. Seit Jahren müssen sich die Leitungen der Zoos mit den fast immer ungerechtfertigten Vorwürfen »nicht artgerechter Tierhaltung« auseinandersetzen. Diejenigen, die das vorbringen und damit erreichen möchten, dass Zoos generell geschlossen werden, haben allerdings meistens selbst keine oder gänzlich unzureichende Kenntnisse von der Tierhaltung. Erschwerend kommt hinzu, wenn es sich beim Kolkraben um eine heimische, dem Naturschutz unterliegende Art handelt. Was bei einer »jagdbaren« Art dann »nur« ein Tierschutzproblem ist, wird bei einer »geschützten« doppelt schwierig.

Kolkraben waren um die Mitte des 20. Jahrhunderts im Alpenraum, ihrer letzten Zuflucht in Mitteleuropa, weitgehend ausgerottet. Die Unterschutzstellung war nötig, um vor allem die Abschüsse zu vermindern. Ganz verhindern konnte das die formale Inschutznahme zwar auch nicht, aber gut genug, um eine Wiedererholung der Restbestände in Gang zu bringen. In wenigen Jahrzehnten besiedelten die Kolkraben wieder einen Großteil der Alpen und der Vorgebirgsregionen.

Auch von Nordosten, vom Baltikum her und von den Vorkommen, die im Gebiet der ehemaligen DDR überlebt hatten,
setzte eine Wiederausbreitung ein. Zusätzlich wurden in mehreren mitteleuropäischen Waldgebieten Kolkraben mit Erfolg
ausgewildert. Dennoch klaffen nach wie vor große Lücken im
ursprünglichen Areal des Kolkraben zwischen Frankreich im
Westen und Polen und Tschechien im Osten. Über die Qualität des Lebensraumes kann man dies nicht erklären. Kolkraben könnten überall zwischen Wüste und Tundra, Küste und
Hochgebirge leben – so man sie lässt. Vom Aussterben bedroht sind sie nicht mehr. Seit Jahrzehnten schützt sie die
Vogelschutzrichtlinie der Europäischen Union und jedes Lan-
desnaturschutzgesetz. Verbreitungslücken bestehen, weil ihre
Wiederausbreitung regional unterbunden wird.

So war in etwa die Lage, als mein bereits erwähnter Freund
Carlo einen Anruf aus dem Innsbrucker Alpenzoo erhielt, ob
er denn einen Kolkraben großziehen wolle. Die Abgabe an
eine dafür qualifizierte Person erschien dem damaligen Zoo-
direktor die bessere Lösung, als den Nachwuchs durch Tötung
zu entsorgen. Da es sich um keinen Wildvogel, sondern um
Nachwuchs aus einer Zoobrut handelte, und der Kolkrabe
später auch nicht ausgewildert werden sollte, gab es keine behördlichen Einwände. Jahre später sollte sogar mit dieser
Methode ein besonderes Programm zur Wiedereinbürgerung
des Bartgeiers im Alpenraum zustande kommen. In Österreich, der Schweiz und in Frankreich wurde es sehr erfolgreich
umgesetzt, allen Zweifeln der notorischen Zweifler zum Trotz.
Der kleine Kolkrabe kam ohne Schwierigkeiten und im richtigen Alter mit noch geschlossener Nickhaut über den Augen
zu Carlo, wuchs heran, wurde groß und ein prächtiger Kolkrabe. Nach dem ersten deutlichen Laut, den er von sich gab,
erhielt er den Namen Mao. Mit dem damals erheblich be-

rühmteren Mao hatte der Name absolut nichts zu tun. Der Kolrabe erfand ihn selbst, weil er, ganz ähnlich wie meine Rabenkrähe Tommy, kein entsprechendes Vorbild von Stimmen der Artgenossen hatte. Im Falle von Mao war das gut so, denn dieses »Wort« (unserer Hör- und Betrachtungsweise) kam ihm ganz leicht und locker aus dem Schnabel, während Tommy seine krähische Begrüßung stets nur mit erheblicher Anstrengung zustande brachte.

In dieser Hinsicht unterschied sich Mao von Anfang an von Tommy: Es fiel ihm leicht, Stimmen nachzumachen und er tat dies so ausgezeichnet, dass seine Version vom menschlichen Vorbild nicht zu unterscheiden war.

Besonderheiten des »großen Bruders«

Kolkraben wirken wie eine Großausgabe von Rabenkrähen – oder umgekehrt diese fast wie Raben. In ihrer deutschen Bezeichnung »Raben-Krähe« kommt diese Zwischen- oder Übergangsstellung ganz direkt zum Ausdruck. Vieles stimmt tatsächlich überein; mehr als mit der Zwillingsform der Rabenkrähe, der östlichen Nebelkrähe. Sie beide zusammengefasst nach dem englischen Namen *Carrion Crow*, Aaskrähe, zu nennen, bedeutet eher eine Abqualifizierung. Von Aas leben Kolkraben sogar noch ausgeprägter als die Aaskrähen, zumindest in den nördlichen und alpinen Vorkommen.

Die wichtigsten Übereinstimmungen sind in Kürze (bei der Behandlung der Lebensweise der Rabenvögel im Freiland werden sie genauer ausgeführt): Kolkraben leben wie die Rabenkrähen als dauerhafte Paare in festen Revieren, die sie gegen Artgenossen verteidigen. Es gibt bei ihnen wie bei diesen aber Gruppen oder Schwärme von Nichtbrütern, die über den revierfreien Räumen herumstreifen. In diesen Schwärmen kommt es zu »Verlobungen« und Paarbildungen, bevor ein Brutrevier erobert werden kann. In den Schwärmen kennen sich die Raben wie die Rabenkrähen zumindest weitgehend persönlich. Ganz sicher funktioniert das persönliche Kennen bei den Reviernachbarn und später, wahrscheinlich sogar über die Jahre hinweg, bei den eigenen Jungen.

In ihrer Nahrung findet sich stets, jedenfalls nach Möglichkeit, ein hoher Anteil proteinreicher Kost, sodass Kolkraben wie Rabenkrähen auch Müllkippen nach Abfällen aus der Nahrung der Menschen untersuchen, Tierkadaver sowie Nachgeburten von Weidetieren verzehren und Reste an dafür geeigneten Orten verstecken.

Kolkraben sind vielleicht noch neugieriger als Rabenkrähen. Weil sie mehr als doppelt so groß werden wie diese, dauert ihre Jugendentwicklung länger und sie werden auch erheblich älter. Damit können sie noch mehr lernen. Denn ein Kolkrabenleben, das 40, 50 oder mehr Jahre währt, kann weitgehend der Zahl der Jahre des aktiven Erwachsenenlebens von Menschen entsprechen. In dieser Hinsicht und auch im Ausmaß der Gehirnentwicklung übertreffen die Kolkraben die Rabenkrähen und andere Krähen dieser Gruppe der mittelgroßen »Schwarzen« ganz klar. Sie gelten völlig zu Recht als die intelligentesten Vögel. Ähnlich wie beim Menschen verbinden sich diesbezügliche Fähigkeiten im Gehirn mit langer Lebensdauer. Wer (zu) kurz lebt, kann nicht viel lernen. Wer lange lebt, aber keine entsprechenden Kapazitäten hat, kann die vielfältigen Lebenserfahrungen nicht speichern und verwerten. Auf diese vergleichsweise einfache Faustregel können wir die Verhältnisse zusammenfassen.

Vieles in Maos Verhalten entsprach den Erfahrungen mit der Rabenkrähe Tommy. Es lohnt nicht, dies zu wiederholen. Aufschlussreicher ist das, was hinzukam.

Freiflug

Kolkraben fliegen hoch. Weit höher meistens als die Rabenkrähen. In der Höhe sind sie wendig. Sie fürchten keine Adler,
sondern machen diesen das Leben schwer, wo sie können oder
sich noch nicht mit Adlern in ihrem Revier arrangiert haben.
Als Mitbewohner einer von der Luft aus reviermäßig abge-
grenzten Bergwelt kennt und respektiert man sich. Bis es so
weit ist, müssen sich Adler Angriffsflüge der Raben gefallen
lassen. Rollen in der Luft mit Präsentieren der mächtigen
Krallen nützt nichts. Die Raben sind wendiger. Es geht den
Adlern mit den Raben so wie den Bussarden mit den Rabenkrähen. Größe und Stärke nützen wenig, wenn sie nicht aus-
gespielt werden können, weil sich die Kleineren geradezu
spielerisch den Abwehrversuchen entziehen.
Dieses Rabenerbe steckte auch in Mao. Als er richtig fliegen
konnte, schraubte er sich an schönen Tagen so hoch in die
Luft, dass er über dem niederbayerischen Hügelland zum
gerade noch mit bloßem Auge erkennbaren, dunklen Pünkt-
chen wurde. Mit tollsten Kapriolen ließ er sich aus der Höhe
herabtrudeln, um schließlich mit elegantem Schwung auf der
Faust zu landen. Bei der Größe des Kolkraben und der Kraft
seiner Krallen musste Carlo einen Falknerhandschuh aus hartem Leder tragen. Die Faust blieb der bevorzugte Platz, wenn
Mao getragen wurde oder werden wollte. Auf der Schulter war
es dem großen Raben oft zu eng. Auch schätzte er offenbar die
Übersicht. Daher flog er lieber über Carlo mit, wenn dieser
über die Hügel und Felder ging, als auf seiner Faust zu sitzen.
Feinde hatte der Kolkrabe nicht zu befürchten. Kein Greifvogel würde es wagen, ihn anzugreifen. Dass dabei der Mensch
eine ganz wesentlich hemmende Rolle spielte, machte beim
Kolkraben nichts aus. Wohl aber bei einem Bussard, den Carlo gleichfalls großgezogen und an den Freiflug gewöhnt hatte.

Carlo mit seinem menschengeprägten Kolkraben Mao auf dem Weg zu einem Spaziergang hinaus auf die Fluren

Als dieser einmal nicht zurückkam, wohl weil die Bindung an den Partner Mensch doch nicht annähernd so stark wie beim Raben war, erlebte er Schlimmes. Ohne den unsichtbaren Schutzschild, den der Mensch um sich trägt, wenn er draußen in der Natur unterwegs ist, war Carlos Bussard ein Bussard wie andere auch. Nur nicht annähernd so erfahren und fluggewandt wie frei lebende Mäusebussarde. Er war im Revier solcher Bussarde verblieben, die es vorgezogen hatten, in Anwesenheit eines Menschen den in ihr Revier eingedrungenen Artgenossen zu tolerieren, zumal dieser eigentlich auch nichts »tat«. Doch die Lage änderte sich dramatisch, als der von Hand aufgezogene Bussard allein war. Was sich genau abgespielt hatte, ließ sich nicht rekonstruieren. Auf jeden Fall war Carlos Bussard heftig verfolgt worden. Und zwar so sehr, dass mehrere Schwungfedern gebrochen und zahlreiche andere verloren gegangen waren. Er verzichtete von da an auf den Freiflug. Bei Spaziergängen hinaus in Wald und Flur hielt er sich an Carlo und flog höchstens eine kleine Runde um ihn herum. Ängstlich beobachtete er dabei unentwegt den Himmel.

Mit dem verglichen mit den ortsansässigen Rabenkrähen riesigen Kolkraben wollten sich die Bussarde dagegen nicht einlassen. Die Quälereien der Krähen reichten ihnen. Eine »Überkrähe« forderten sie nicht heraus. Andere Luftfeinde kamen nicht infrage. Also hatte Mao in den Lüften freies Spiel. Er genoss die Flüge sichtlich. Sein Können stand den Flugkünsten frei lebender Kolkraben sicherlich nicht nach. Während sich diese aber einen Großteil des Tages um die Suche nach Nahrung kümmern mussten, hatte Mao die Ausflugszeit ganz für sich und sein Flugspiel in den Lüften. Aus ganz anderer Höhe als Tommy lernte er das Land kennen, durch das sich unten auf Feld- und Waldwegen Carlo bewegte. Oftmals flog er zum irgendwo abgestellten Auto zurück und wartete dort, bis Carlo kam. Wie einstens die kleine Dohle Flori flog er ins Auto und machte es sich auf der Lehne der Rücksitze bequem. Da auf dieser auch der Bussard Platz zu nehmen hatte, wenn Carlo mit ihm hinaus fuhr, war dieser Teil des Autos für Menschen nicht mehr so recht benutzbar. Wer frei umherfliegt, achtet nicht darauf, wo seine Hinterlassenschaft aus der Verdauung bleibt.

Mao machte nicht nur hohe, sondern auch sehr weite Flüge. Die Leute der Gegend, die meisten zumindest, kannten »Carlos Vogel«, wie sie sich hintersinnig ausdrückten. Den Jägern der Reviere, durch die sich Carlo bewegte, war der Kolkrabe vertraut. Sie hatten keinen Grund, irgendwelche Schäden am Niederwild oder sonst etwas aus ihrer Sicht »Unerlaubtes« anzunehmen. Doch eines Tages im Herbst geschah das Befürchtete. Nach einem sonnig schönen Nachmittag mit bestem Flugwetter, das der Kolkrabe ausnutzte, zog plötzlich Nebel auf. In weniger als einer halben Stunde hüllte er die Täler ein und fing an, sich über die Hügel auszubreiten. Mao war fort. So weit Carlo es noch hatte sehen können, war sein Höhenflug zum großen Fluss hin gerichtet gewesen. Aus dieser Richtung hörte er noch den Schuss, dem rasch ein zweiter folgte. Mao kam nicht wieder. Niemand sah und hörte etwas von ihm.

Zwischen diesem Ende und den ersten Flügen lag jedoch eine äußerst eindrucksvolle Zeit mit dem Kolkraben. Daran in einigen besonderen Fällen mit teilgenommen zu haben, erfüllt mich nach den Jahrzehnten, die seither vergangen sind, immer noch mit tiefer Freude. Das eindrucksvollste Erlebnis mit Mao verbindet sich mit einer der vielleicht spektakulärsten Leistungen von Tieren überhaupt. Den Anfang dazu bekam ich von Carlo erzählt.

Mao und Hunde

Ging man damals, vor über 30 Jahren, die Feldwege im Niederbayerischen Hügelland entlang, so war es üblich, in der Nähe eines der ziemlich regelmäßig verteilten Bauernhöfe oder einer kleinen Gruppe solcher Höfe, einem Weiler, vom Hofhund heftig bellend in »Empfang« genommen zu werden. Der Hund begleitete den Fremden bis zur Grenze des Gehöfts, wo oft der nächste Hund weitermachte. So wurde man von Hund zu Hund weitergegeben, außer es waren größere Stücke freien Landes dazwischen. Das Gute war, und daran sollte man glauben, dass nicht angekettete, besonders laut und wild bellende Hunde nicht beißen. Kettenhunde knurrten meist nur tief, aber dafür so bezeichnend, dass man den Versuch eines ungebetenen Eindringens in den Hof bereitwillig unterließ, wenn nicht jemand von den Hofleuten hilfreich entgegenkam. Carlo erging das grundsätzlich genauso, auch wenn er auf manchen Höfen gern gesehener Gast war, der jederzeit kommen konnte. Daran seit Jahren gewöhnt, achtete er nicht sonderlich darauf, dass dieses Hundeverhalten dem Kolkraben gänzlich fremd war.

Anscheinend tauchten aber uralte Erfahrungen von Raben mit Wölfen auf, die als Muster des Abwehrverhaltens von solcher Konkurrenz, die wie die Raben größtes Interesse an Tierkadavern hatte, gespeichert waren. Oder Mao war einfach so klug, die Situation und ihre Lösung richtig zu beurteilen. Er schwang sich ohne besondere Anzeichen seiner Absichten in die Luft, während einer dieser Hunde Carlo bellend verfolgte. Als er genug Höhe gewonnen hatte, glitt er offenbar geräuschlos nieder und flog den Hund genau von hinten an. Im Moment, als er über dessen Kopf ankam, schlug er ihm mit einem schallend lauten »Mao«-Ruf mit dem mächtigen Schnabel auf den Kopf genau zwischen die Ohren. Ähnlich wie meine Katze, die Tommy in die Schwanzspitze gezwickt hatte, reagierte der Hund wie unter elektrischen Strom gesetzt. Er sträubte alle Haare, machte einen gewaltigen Satz mit allen vieren ziellos in die Luft und sauste heulend zum Hof zurück, wo er verschwand. Dem nächsten Hund erging es ebenso. Dem dritten und vierten auch. Keiner wagte mehr, Carlo anzubellen, gleichgültig ob er mit dem schwarz gefiederten Ungeheuer oder alleine unterwegs war. Die Hunde hatten gelernt; der Kolkrabe auch. Er wusste nun, wie man mit diesen Lästlingen umgeht. So weit der erste Teil, der sich über ein paar Tage hinzog und ein eindeutiges Ergebnis erbracht hatte.

Beim zweiten Akt war ich unmittelbar zugegen. Weitere Freunde saßen mit Carlo zusammen im Garten eines kleinen Gehöfts an den Randhügeln zum niederbayerischen Inntal. Mao war mit dabei. Er kannte uns, hielt aber stets weit mehr Abstand, als mein Tommy das bei anderen Personen getan hatte. Angst hatte er vor niemandem; dazu kannte er uns alle zu gut. So saß er ganz entspannt am Tisch, um zu schauen, ob er etwas bekommen würde, oder flog einfach im Nahbereich umher. Das »Problem« in dieser friedlich-fröhlichen Atmosphäre war ein Hund. Er gehörte einem aus unserer Runde und er war, anders als die wohl nicht gerade vorbildlich gehaltenen Hofhunde der Bauern, ein ganz lieber Hund. Carlo hatte dem Kolkraben beizubringen versucht, dass dieser Hund ein »guter Hund« und dem Hund, dass der große schwarze Vogel ein »guter Vogel« sei. Wie viel der Hund begriff, blieb offen. Mao hörte zu. Mao betrachtete ganz genau, dass Carlo den Hund streichelte, während er zum Kolkraben immer wieder das beruhigende »Mao, bist ja mein Braver« sagte. Damit meisterte Carlo fast jede Lage, in die er mit dem Vogel geriet. Und wie es schien auch diese. Denn dass Mao Hunde überhaupt nicht mochte, war ebenso offensichtlich, wie dass der Rabe dem Hund höchst suspekt war. Der Vogel passte nicht zu seinen bisherigen Erfahrungen. Der beruhigte Hund verzog sich irgendwo hin. Mao beschäftigte sich selbst. Da geschah es! Mit höchstem Tempo raste der Hund um Haus und Garten, aber nicht verfolgt vom Raben. Dieser flog *vor* ihm, und zwar gerade so dicht über dem Boden, dass der Hund direkt folgen konnte, aber genau so schnell, dass ihn der Hund nicht zu fassen bekam. Ein paar Mal sah es so aus, als würde der Rabe kurz über die Schulter zurückschauen, um zu prüfen, ob er doch noch ein wenig Geschwindigkeit zugeben sollte. Er hielt genau den kritischen Abstand, bei dem der Hund immer wieder aufs Neue vergeblich nach ihm schnappte. Während wir voller ungläubigem Staunen das Geschehen mitverfolgten, brach der Hund zusammen. Es sah aus, als ob er einen Herzinfarkt bekommen würde. Jedenfalls war er fix und fertig. Sein Besitzer kümmerte sich sogleich mit höchst besorgter Miene um ihn. Mao aber schwang sich elegant, als ob das alles überhaupt keine Anstrengung gewesen wäre, auf den Ast des nächsten Baumes, schüttelte sein Gefieder durch und sagte laut und wiederholt »Mao, bist ja mein Braver!«.

Wir fingen an zu »philosophieren«. Genau genommen hatte der Kolkrabe dem Hund nichts getan. Er ließ ihn »nur« hinter sich herlaufen. Hatte er begriffen, dass er diesen Hund nicht schlagen durfte? Was ging hier überhaupt vor? Die Tatsachen sprachen für sich, gaben aber keine offensichtliche Erklärung. Der Hund lief hinter dem ganz gewiss extra so tief fliegenden Vogel her, bis er nicht mehr konnte. Der Hund war also der »Jäger«. Aber löste der Rabe die Verfolgung gezielt aus? Was geschah am Anfang? Wer fing an? Warum machte der Rabe nicht das, was er sonst immer getan hatte und am Schluss des Geschehens auch tat? Dass man sich möglichen oder tatsächlichen Feinden, die auf dem Boden daherkommen, schon mit einem kurzen Schwung in die Luft leicht entziehen kann, brauchte gerade der so meisterhaft fliegende Kolkrabe nicht zu lernen. Das konnte er von selbst. Warum gab er danach wiederholt das »Mao, bist ja mein Braver!« von sich? Diesen Satz beherrschte er so perfekt, dass sich davon immer wieder Besucher, mich eingeschlossen, täuschen ließen. Denn gab der Kolkrabe dieses in seinem Käfigraum in der Wohnung von sich, hörte es sich wirklich genau so an wie bei Carlo. Wir riefen Carlo, begrüßten ihn »durch die Tür«, um wieder feststellen zu müssen, dass wir mit dem Vogel gesprochen hatten.

Die weitergehenden Fragen lassen sich nach so einem einzigartigen Ablauf nicht beantworten. Zurück bleibt die Empfindung, dass der Vogel nicht nur die Situation richtig eingeschätzt, sondern auch die Absichten seines Partners im Grundsatz begriffen hatte. Er muss eine Vorstellung von sich selbst und »den anderen« gehabt haben, also eine »Theorie des Geistes« (*theory of mind*), wie es gegenwärtig in der Hirnforschung ausgedrückt wird. Die Rollenumkehr vom Jäger zum scheinbar Gejagten setzt voraus, dass der Kolkrabe das Vorhaben des Hundes und dessen Reaktionen ganz zutreffend einschätzte. Offensichtlich fühlte er sich vom Hund gar nicht gejagt. Ließ er ihn einfach laufen? Vielleicht war es seitens des Raben »nur« ein Spiel, doch dann was für eines! Für den Hund gewiss nicht. Dafür war er zu alt und nach der Hetzjagd zu fertig. Kapiert hatte er jedenfalls nicht, was der Rabe mit ihm trieb. Wir haben es auch nicht begriffen, sondern stellen Vermutungen an.

Landkrähen

Der Vogel, der misstraut ihm sehr.

Regulierungsversuche von Landkrähen

»Geschichten« aus dem Krähenleben

Nicht nur in den geschilderten Fällen, sondern auch bei den vielen anderen Überraschungen, die ich mit Krähen, Dohlen und Raben erlebte, staunte ich immer wieder über sie. Natürlich drängte sich die Grundfrage auf, ob das alles so kam, weil sie fern ihrer natürlichen Umwelt bei Menschen lebten, die sie aufgezogen hatten. Der Vergleich mit dem Haushund kommt dabei sogleich in den Sinn: Was erfahren wir aus seinen Verhaltensweisen über das Leben der Wölfe, seinen Vorfahren? Doch ebenso schnell lässt sich dieser Gedanke auch wieder verwerfen, zumindest stark relativieren. Denn Hunde hat der Mensch seit Zehntausenden von Jahren, also über viele Generationen, aus den Wölfen gezüchtet und dabei unablässig einer strengen Auslese unterworfen. Er ließ leben, was ihm gefiel, und tötete, was sich nicht so verhielt, wie der Züchter das wollte. So wurde mit der Zeit aus dem Hund ein anderes Lebewesen als der Wolf. Keine Karikatur vom wilden Wolf; auch nicht eine einfach nur »zahme« Form. Hunde sind anders als Wölfe, auch wenn beide zusammen gemeinsame Ahnen hatten.

Wollten wir Mao oder Tommy und Flori vergleichsweise betrachten, müssten wir zurückblicken können in die uns so ferne Eiszeitwelt, als sich entweder erste Wölfe von sich aus den Menschengruppen genähert und angeschlossen hatten oder kleine Jungwölfe von diesen aufgezogen worden waren. Bei keinem uns heute vertrauten Haustier, nicht einmal bei den recht menschenunabhängig gebliebenen, nicht »hochge-züchteten« Hauskatzen, verfügen wir über einen direkten Ver-gleich mit ersten Tieren aus dem wildlebenden Bestand in Menschenhand. Wo es sich um solche handelt, sind es Wild-tiere. Damit sollten in der Tat die vom Menschen aufgezoge-nen Tiere ungleich mehr über ihre Art vermitteln können als Haustiere über ihre Wildform.

Gehen wir also von dieser Position aus: Die von Menschen großgezogenen und im Freiflug gehaltenen Rabenvögel ver-mitteln brauchbare Einblicke in die spezifische Welt ihrer Ar-ten. Dann sind die vorigen Schilderungen keine bloßen Ku-riositäten, sondern markante Äußerungen der Fähigkeiten von Raben, Krähen und Dohlen. Kenner dieser Vögel werden dies ohnehin nicht bezweifeln. Die vielen Feinde der Krähen-vögel aus der Menschenwelt jedoch ganz sicher, und sei es nur, um die Verfolgungen und Abschüsse zu rechtfertigen, die sie zu vertreten haben.

Verschaffen wir uns daher einen etwas tieferen Einblick in grundlegende Eigenheiten von Lebensform (Ökologie) und Lebensführung (Verhalten) von Krähenvögeln und beginnen wir mit der Rabenkrähe.

Die Rabenkrähe

Im Zentrum der nachfolgenden Ausführungen steht aus gu-ten Gründen die Rabenkrähe. Sie ist, zusammen mit ihrer grau-schwarzen Schwester, der Nebelkrähe, in Europa am weitesten verbreitet und als »Krähe« am bekanntesten. Sie hat sehr ähnliche Verwandte in Nordamerika, Afrika und Süd-asien bis in den Fernen Osten und Australien. Also stellt sie so etwas wie einen Prototyp für die Krähen dar. Kolkrabe und Dohle, aber auch zu besonderen Aspekten Elster, Eichelhäher und Tannenhäher, lassen sich an die Rabenkrähe anschließen. Außerdem wird von allen Krähenvögeln die Rabenkrähe am meisten verfolgt. Die jährlichen Abschüsse gehen allein in Deutschland offiziell in die Hunderttausende. Wie viele es wirklich sind, vermag niemand auch nur einigermaßen genau zu sagen. Wegen ihrer Ähnlichkeit mit der Saatkrähe wird sie auch hierzulande am weitaus häufigsten verwechselt; meistens zu ihren Ungunsten!

Dass sie dennoch überlebt und mit einer grob geschätzten Zahl von gut einer Million Brutpaaren in Mitteleuropa nicht nur nicht gefährdet, sondern nicht einmal, wie die meisten Vogelarten der Fluren, in mehr oder weniger starker Abnahme begriffen ist, drückt ihre Vitalität aus. Denn eine Million Brutpaare auf einer Fläche von einer Million Quadratkilometern bedeutet, dass praktisch auf jedem Quadratkilometer mitteleuropäischer Landschaft auch ein Brutpaar Rabenkrähen vorkommt. Da es in weithin offenen Feldfluren ohne Feldgehölze (und Brutmöglichkeiten auf Bäumen) und in größeren geschlossenen Wäldern keine Rabenkrähen gibt, kommen in anderen Gebietsteilen entsprechend mehr vor. Am häufigsten pro Flächeneinheit gerechnet, sind die Rabenkrähen meistens in Großstädten. Aber auch in reich gegliederten, sogenannten kleinteiligen Kulturlandschaften ist die Art ähnlich häufig. Mit der ergänzenden Feststellung, dass es ihr anscheinend etwas besser als den östlichen Nebelkrähen geht, weil sie diese in Schleswig-Holstein und anderen Teilen der gemeinsamen Grenze ostwärts zurückdrängt, ließe sich die Kennzeichnung der Rabenkrähe auch schon beenden.

Wenn da nicht anderes wäre. Denn die Rabenkrähen leben nicht einfach in ihren Revieren, brüten, ziehen Nachwuchs groß und sterben irgendwann oder werden abgeschossen. Ihr Leben ist viel komplizierter. Und ganz anders, als es sich die meisten Menschen vorstellen, die aus ihrer Motivation heraus die Krähen »kurz halten« möchten. Die genauen Forschungen in den Beständen der Rabenkrähe, den örtlichen »Populationen«, wie der Fachausdruck lautet, haben schon vor einem halben Jahrhundert ergeben und vertieft bestätigt, was die alten Naturbeobachter des 18. und 19. Jahrhunderts schon wussten, nämlich dass längst nicht alle Rabenkrähen in festen Revieren leben. Ein mehr oder weniger großer Teil einer örtlichen Population streift in Form von Junggesellengruppen umher. Damit sind keineswegs nur junge, unverpaarte Männchen gemeint, sondern auch Weibchen und Paare, die kein Revier erringen konnten. Der treffendere Ausdruck ist daher »Nichtbrüter«, um sie den »Brütern«, also den Krähen des örtlichen Brutbestandes, gegenüberzustellen.

Der Biologe Jochen Wittenberg hat dies bereits in den 1960er-Jahren genauestens festgestellt und 1968 in seiner Doktorarbeit veröffentlicht. Weitere, teilweise noch umfangreichere Forschungen in der Schweiz bestätigten die Wittenberg'schen Befunde und erweiterten sie. Denn in welchem Umfang Nichtbrüter auftreten, hängt von den Lebensbedingungen im Gebiet und von der Bejagung ab. In locker bewaldeten, reich strukturierten Lebensräumen überwiegen die Brüter mit ihren Revieren, die dann meistens direkt aneinander grenzen. In weiten, offenen Flächen wie Mooren und Niederungen entlang von Flüssen oder in ausgeräumten Agrarlandschaften streifen mehr Nichtbrüter in größeren Schwärmen umher. Wo die Krähen nicht oder kaum bekämpft werden, gibt es fast ausschließlich reviertreue Brüter. Werden zum Schutze von Niederwild und Singvögeln jedoch regelmäßig Krähen abgeschossen, steigen der Anteil von Nichtbrütern und oftmals der Krähenbestand insgesamt.

Die letzte Feststellung scheint dem gesunden Menschenverstand zu widersprechen. Wie kann es sein, dass mehr Krähen vorhanden sind, wenn Abschüsse erfolgen, als wenn dies nicht geschieht? Mit einer noch etwas genaueren Betrachtung der Vorgänge in einer Rabenkrähen-Population wird auch diese Merkwürdigkeit verständlich. Versuchen wir uns dazu eine geraffte Vorstellung vom Geschehen in einem Vorkommen von Rabenkrähen zu machen. Konkrete Befunde dazu liegen zahlreich und umfänglich in der vogelkundlichen Fachliteratur vor.

Revierverteilung

Rabenkrähen halten nach Möglichkeit ihr Brutrevier jahrein, jahraus. Als Standvögel ziehen sie nicht fort, außer extreme Winterkälte zwingt sie dazu. Auch dann weichen sie nur auf kurze Strecken aus. Die Größe ihrer Reviere schwankt je nach Qualität meistens zwischen 15 und 40 Hektar. Aber sie kann bei sehr günstigen Bedingungen, wie mancherorts in Großstädten, auf wenige Hektar schrumpfen. Das Revierzentrum bildet das Nest, in dem sie brüten und ihre Jungen großziehen. Dieses muss nicht in der Mitte des Reviers liegen. In Revieren an Waldrändern, die sich auf angrenzende Wiesen und Felder hinaus erstrecken, befindet sich das Nest entsprechend ganz am Rand auf einem Baum, denn in den Wald hinein fliegen die Rabenkrähen nicht, außer er ist sehr locker und der Boden, wie auf jungen Lichtungen, gut zugänglich. Entscheidend ist, dass das Revier mit aller Macht gegen Artgenossen verteidigt wird. Da dies alle Rabenkrähen eines örtlichen Brutbestandes tun, kommt bei entsprechend gleichförmigem Gelände ein sehr gleichmäßiges Verteilungsmuster der Reviere zustande. Revier grenzt an Revier und jedes Krähenpaar darin kennt und respektiert die Nachbarn. Solche Krähen, die kein Brutrevier haben und zu Beginn der neuen Brutsaison durch Vertreibung eines vorhandenen keines erringen konnten, streifen nun die Brutzeit über in den oben beschriebenen Nichtbrüter-Gruppen umher. Frei zugänglich sind ihnen jedoch nur solche Gebiete, in denen keine Reviere brütender Rabenkrähen etabliert sind. Weite, offene Landschaften oder Stadtränder mit Müllkippen oder Anlagen für die Biokomposterzeugung eignen sich für diese vagabundierenden Nichtbrüter. Gebiete mit weitgehend geschlossenem Brutbestand jedoch nicht.

Die Nichtbrüter warten auf ihre Chance, ein Revier zu gewinnen, weil es immer wieder auch naturbedingte Ausfälle bei den Brütenden gibt. So kann der Habicht das Rabenkrähen-Männchen schlagen, während es Beute für das brütende Weibchen oder kleine Junge sucht. Oder der Uhu holt sich das Weibchen nachts. Es gibt Erkrankungen und alters- und konditionsbedingte Verluste. Den Winter überstehen schwächere Rabenkrähen nicht. Und so fort. Auch ohne regulierende Eingriffe durch Jäger oder die Krähenfänger früherer Zeiten gibt es Ausfälle, die von den Nichtbrütern ersetzt werden. Die Chancen der brütenden Rabenkrähe, insbesondere den Winter zu überleben, der fast immer ein kritischer Engpass in der Ernährung ist, sinken mit steigender Zahl der Nichtbrüter-Krähen – und umgekehrt.

Nach hohen winterlichen Verlusten bekommen die nachrückenden Jungen aus der neuen Brutzeit bessere Chancen. Man kann die Nichtbrüter deshalb auch als Brut- oder Bestandsreserve betrachten. Sie selbst trachten mit ihren Mitteln danach, so bald wie möglich auf die Seite der Revierbesitzer zu wechseln. Dazu greifen sie diese auch direkt an und versuchen, sie aus dem Revier zu vertreiben. Gibt es viele Nichtbrüter, ist der Druck, der von ihnen auf die Brüter ausgeht, groß. Mit dem bloßen, verhältnismäßig selten gelingenden Vertreiben des Revierpaares aus dem Territorium ist es nicht getan. Die

Revierlosen verbessern ihre Chancen mit einer anderen Strategie. Dazu gehen sie direkt gegen die Brut vor.

Brütende Rabenkrähen müssen wegen dieser Angriffe von Artgenossen ihre Nester, Gelege und kleinen Jungen sehr häufig verteidigen. Die Nichtbrüter versuchen sich im Eierraub oder Töten und Verzehr der kleinen Jungen. Das senkt den durchschnittlichen Bruterfolg pro Brutpaar umso mehr, je größer die Zahl der Nichtbrüter geworden ist. In dichten Brutbeständen von Rabenkrähen kommen so im Durchschnitt nur wenige erfolgreich ausgeflogene und überlebende Junge pro Paar zustande. Wenige muss nicht zu wenige sein; im Gegenteil. Aus dem Blickwinkel des örtlichen Bestandes betrachtet, sollte eigentlich auch gar nicht mehr Nachwuchs überleben, als den so vielfältigen natürlichen Verlustquellen der Erwachsenen zum Opfer fällt. Erreichen ausgewachsene Rabenkrähen, die den ersten (und meist besonders kritischen) Winter überstanden haben, ein Alter von fünf oder sechs Jahren und haben sie in dieser Zeit jedes Jahr gebrütet, sollten auch nicht mehr als die beiden sie ersetzenden Jungen übrig bleiben wie bei nur einer erfolgreichen Brut während ihrer Lebenszeit mit diesem Ergebnis.

Sind die Verluste, die natürliche Feinde oder die Unberechenbarkeit des Winters verursachen, größer, müssen auch mehr Junge überleben. Nachwuchsproduktion und Verlust sollten sich langfristig ausgleichen. Sonst wächst entweder der Bestand sehr rasch auf ein zu hohes Niveau an, oder es geht schnell abwärts damit. Diese »Regulation« funktioniert in den weitaus meisten, genauer untersuchten Fällen schlicht und einfach gemäß den Grenzen und Zwängen, die die Umwelt setzt. Wenn nicht mehr Territorien verfügbar sind, die einigermaßen Aussicht auf erfolgreiches Großziehen von Nachwuchs sichern, nützen mehr Brutversuche nichts. Von einer erfolgreichen Fortpflanzung kann dies weiter entfernt sein als ein Zuwarten, bis die Bedingungen günstig genug sind. Diese Naturgegebenheit muss insbesondere dann auch berücksichtigt werden, wenn es um Schutzmaßnahmen zur Förderung der Bestände bestimmter, erwünschter Arten geht.

Für die Nichtbrüter bedeutet dies, dass ihr Warten nicht grundsätzlich schlecht für sie ist, aber dass sie dennoch die Brüter häufig genug herausfordern sollten, um ihre Kräfte zu testen. Genau das tun sie. Sind die Brüter in der Überzahl, weil besetztes Revier an Revier grenzt, haben auch größere Gruppen von Nichtbrütern keine Chance, mit Erfolg einzudringen. Dazu sind sie selbst zu wenig organisiert, weil es innerhalb der Nichtbrüter einzelnen Paaren oder kräftigen Einzelvögeln darum geht, ein Revier oder einen Partner zu erobern. Sie gehen daher nicht koordiniert gemeinschaftlich vor, sondern letztlich jeder für sich zu seinem Vorteil. Das macht sie von fest zusammenhaltenden, mit der Nachbarschaft gut arrangierten Paaren besiegbar. Diese gehen sogar so weit, sich einen Helfer gegen die Nichtbrüter zu engagieren. Meist (immer? Das wissen wir noch nicht so genau!) ist das ein Sohn des Paares aus der vorausgegangenen Brut. Hilft er dem Elternpaar, sind seine Aussichten gut, einmal ihr Brutrevier übernehmen zu können. Wahrscheinlich betätigen sich solche Helfer insbesondere bei älteren Paaren, die nur noch wenige Jahre vor sich haben, in denen sie ihr Revier verteidigen können. Aus demselben Grund ist es auch möglich und wahrscheinlich, dass nicht so nahe verwandte Helfer sich einfach mit Zähigkeit einem Paar andienen, um später davon zu profitieren. Solche Fälle konnte ich mehrfach in München beobachten, wo der Rabenkrähenbestand sehr dicht ist und so gut wie keine Chancen bestehen, direkt durch Kampf ein Revier zu erobern.

Zwischen Brütern und Nichtbrütern herrscht also Spannung. Am stärksten ist diese zu Beginn der Brutzeit im März und bis in den Mai hinein, wenn Nachgelege oder Spätbruten noch möglich sind. Danach nehmen die Spannungen ab, aber die Reviere werden auch weiterhin von ihren »Eigentümern« verteidigt. Da im Hoch- und Spätsommer auch die Jungen beim Paar sind, so es Bruterfolg hatte, und diese Kontakte mit den Jungen anderer Paare aus nahe liegenden Gründen nicht meiden, werden die Verhältnisse im Frühherbst und Herbst mitunter unübersichtlicher. Das Grundprinzip bleibt jedoch. Die Revierbesitzer verteidigen ihre Territorien und verjagen schließlich die eigenen Jungvögel daraus. Die revierlosen Nichtbrüter versuchen im Gegenzug, in die Reviere einzudringen. Manches laute Geschrei, das bei »Krähenversammlungen« sogar über den Straßenverkehrslärm der Städte hinweg zu hören ist, hat diese Hintergründe.

Für zahlreiche Gebiete und in mitunter langjährigen Untersuchungen registrieren Ornithologen das Ergebnis: Der Bruterfolg der Rabenkrähen ist gering. Aber er ist groß genug, Ausfälle im örtlichen oder regionalen Bestand rasch zu ersetzen. Die Sterblichkeit der Jungkrähen liegt – ohne Abschuss – bei 60 bis 70 Prozent, während an Altvögeln pro Jahr etwa 30 Prozent des Bestandes verloren gehen. Eine durchschnittliche jährliche Vermehrungsrate von ein bis zwei Jungen pro Brutpaar reicht somit leicht aus. In mehreren genauen Untersuchungen stellte sich heraus, dass 1,1 flügge Junge pro Paar und Jahr genügen. Bei drei bis vier Jungen im Nest heißt das, dass nahezu zwei Drittel aller Bruten scheitern dürfen, wenn ein Drittel dafür drei und mehr Junge, bis fünf oder sechs können es in erfolgreichen Nestern sein, zum Ausfliegen bringt. Solche Rechnungen mögen kompliziert wirken. Aber die Verhältnisse liegen so in der Natur. Stünde es (viel) besser um die

Bruten und die Ausfliegeerfolge, wäre in wenigen Jahren die Gegend und in Jahrzehnten die Welt voller Krähen. Ein gewaltiger Zusammenbruch der Bestände mit Massensterben wäre die unausweichliche Folge.

Regulierung?

Kommen wir auf die Tatsache zurück, dass der Bestand an Nichtbrütern steigt, wenn die Krähen bejagt werden. Nach den obigen Ausführungen sollte das bereits klar sein. Mit der Bejagung wird alles andere als das gewünschte Ergebnis erzielt. Nehmen wir folgende drei Möglichkeiten an und spielen wir sie durch. Die erste geht von der Unkenntnis der inneren Verhältnisse im Rabenkrähenbestand aus. Man hält diesen für zu hoch. Daher werden, sagen wir, 20 Prozent der Krähen, also ein Fünftel, abgeschossen. Unbeschadet der (jagdlichen) Erfahrung, dass das Erreichen eines so hohen Prozentsatzes reichlich unrealistisch ist, weil die Rabenkrähen die Menschen sehr schnell kennen (wie wir gesehen haben) und bestimmte davon meiden lernen, wäre nach dem Dargelegten die Folge, dass ein entsprechend erhöhter Anteil der Nichtbrüter Nachwuchs produzieren kann. Da die mittlere Sterberate der Altkrähen mit 30 Prozent pro Jahr höher als die Abschussquote liegt und die viel leichter zu schießenden, weil noch unerfahrenen Jungkrähen eine doppelt so hohe Sterblichkeitsrate trifft, ist allein nach Abwägung der Zahlen höchst fraglich, ob so ein Abschuss überhaupt etwas bringt – außer verstärkter Vermehrung!

Die zweite Möglichkeit setzt bessere Kenntnisse über die Aufteilung des Bestandes in Brüter und Nichtbrüter voraus. Die umherschweifenden Gruppen von Nichtbrütern fallen mehr auf als der mehr oder weniger gleichmäßig verteilte Brutbestand von wenigen Paaren pro Quadratkilometer im Landes-durchschnitt. Das »Abschöpfen« der Nichtbrüter senkt deren Vernichtungswirkung auf den Nachwuchs der Brüter genau in dem Maße, in dem die Nichtbrüter entfernt werden. Ob mit dem auf die gewitzten Nichtbrüter noch viel schwierigeren Schuss oder mit der wahrlich tierquälerischen Krähenmas-senfalle, spielt auch in diesem Zusammenhang im Hinblick auf das Ergebnis keine Rolle. Das Abschießen oder Wegfangen kommt dem Brutbestand zugute. Dieser wird mehr, weitaus mehr Nachwuchs produzieren. Die Kapazitäten dazu liegen nach den Befunden von durchschnittlich 1,1 flüggen Jungen pro Brutpaar und Jahr beim Drei- bis Vierfachen entspre-chend Eizahl pro Brut und maximaler Kapazität, Junge zum Ausfliegen zu bringen (bis fünf sicherlich).

Die dritte Möglichkeit schließlich wäre die früher mit dem Ausschießen der Nester praktizierte Direktvernichtung von Nachwuchs und Brutbestand. Sie ist nicht nur nach den Prin-zipien der Waidgerechtigkeit und des Singvogelschutzes (!) strikt verboten, sondern im Endeffekt genauso wenig zielfüh-rend. Denn begünstigt werden davon die Nichtbrüter. Die freien Kapazitäten durch Zerstörung der Brutpaare werden diese so rasch wie möglich zu ersetzen versuchen. Da mit dem Ausschießen der Nester aber nicht auch gleich beide Altkrä-hen getötet werden konnten, sondern mindestens eine davon überlebte, im Durchschnitt wohl weit mehr, weil auch der brütende Vogel rechtzeitig abgeflogen war, ist mit dieser veralteten, in unserer Zeit gänzlich unverantwortbaren Be-kämpfungsmethode der Bestand an Nichtbrütern vergrößert worden. Mit Folgen!

Auf Nahrungssuche

Rabenkrähen sind wie alle Krähenvögel Singvögel. An diese unabweisbare Feststellung ist jetzt zu erinnern, wenn es um die »Nebenwirkungen« der Bekämpfungen geht. Wie so gut wie alle Singvögel, die wenigen Ausnahmen bekräftigen die Regel, müssen die Krähenvögel ihre Jungen, zumindest so lange sie frisch geschlüpft und noch klein sind, mit Insekten füttern. Das bringen sie von ihrem angestammten Singvogelerbe mit. Erst mit dem Heranwachsen kommt es zur Umstellung auf andere Nahrung, die zum Beispiel auch von Aas stammen kann. Ohne das im Detail zu vertiefen, bedeutet diese Feststellung, dass die Rabenkrähen in der allerkritischsten Zeit nach dem Schlüpfen der Jungen intensiv nach Insekten suchen müssen. Für die großen Schnäbel sind Insekten passender Größe jedoch nicht leicht zu finden. Diese werden erst später im Jahr, wenn die Heuschrecken herangewachsen sind, häufiger. Insbesondere das Männchen kümmert sich darum, während das Weibchen die frisch geschlüpften Jungen hudert. Die ersten neun bis zehn Tage nach dem Schlüpfen müssen die Jungen beständig vom Weibchen gewärmt werden; bei schlechter Frühsommerwitterung auch länger. Davor schon, die knapp dreiwöchige Bebrütungszeit des Geleges über, musste das Männchen das allein brütende Weibchen mit Nahrung versorgen. Es wird für das Paar nicht leichter, wenn die Jungen größer geworden sind, denn mit den größeren Portionen, die sie verkraften, steigt auch ihr Hunger. Wie aufreibend das nahezu ständige Betteln immer hungriger Jungkrähen ist, versteht man erst nach einschlägig eigenen Erfahrungen. Dann kann man sich nur wundern, dass es das Rabenkrähenpaar überhaupt schafft, Junge zum Ausfliegen zu bringen. Die Angriffe der Artgenossen gilt es ja zusätzlich zur Versorgung der Jungen abzuwehren. Wie

105

brauchbar ein Helfer am Nest ist, wird spätestens jetzt vollständig klar.

Bei den Nichtbrütern sieht die Lage ganz anders aus. Sie haben keine Brut. Sie müssen keine schwer zu findenden Insekten suchen. Sie brauchen sich nicht mit Artgenossen herumzuschlagen, außer zu ihren eigenen Vorteilen, wenn die Lage dazu günstig erscheint. Kurz: Sie haben Zeit herumzusuchen. Dass sie dabei eher auf Nester von Bodenbrütern oder auf Junghasen stoßen, die beim Mähen verstümmelt wurden, liegt auf der Hand. Da sie nichts davon irgendwohin transportieren müssen, können sie sich klebriges, flüssiges Ei gleich einverleiben. Ist das Junghäschen zu groß, helfen bereitwillige Artgenossen mit, es aufzuteilen.

Wo immer durch regulierende Eingriffe die Zahl der Nichtbrüter-Krähen erhöht wird, steigen die Verluste an Gelegen und Niederwild, anstatt der Zielsetzung gemäß abzunehmen. Wird hingegen nicht eingegriffen, entsteht ein stabiler Brutbestand mit geringfügigen Verlusten bei den erwünschten Tieren.

So auch im Wasservogelschutzgebiet am unteren Inn. Dort hatte man in den 1970er-Jahren – lange vor Beginn der Diskussion um die Notwendigkeiten der Krähen- und Elsterregulierung, weil diese als Singvögel von der Europäischen Vogelschutzrichtlinie geschützt worden waren – Rabenkrähen abgeschossen, in der Hoffnung, damit den Wasservogelbestand schützen zu können – mit gegenteiligem Erfolg, denn der Nichtbrüterbestand der Rabenkrähen nahm zu. Nachdem die Jagd eingestellt worden war, nahm die Häufigkeit umherschweifender Rabenkrähen nach wenigen Jahren stark ab. Nichtbrütergruppen verschwanden schließlich ganz. Am dünnen Brutbestand von wenigen Paaren auf den Inseln änderte sich nichts, weil diesen entsprechend weite, offene Flächen für die Suche nach Insekten zum Füttern ihrer kleinen Jungen fehlten. Dazu mussten sie auf die Felder ins Vorland hinausfliegen, wo die moderne Feldbewirtschaftung den Insekten kaum noch Überlebensmöglichkeiten bietet. Das Wasservogelschutzgebiet brauchte keine »Raubzeugbekämpfung« zugunsten der zu schützenden Vögel. Braucht ein Niederwildrevier eine solche Regulierung? Dazu wurde in einem Großversuch im Saarland Aufschlussreiches festgestellt.

Totalabschuss

Von 1990 bis 1996 wurde im nördlichen Saarland ein bemerkenswerter Großversuch durchgeführt. In einem 700 Hektar großen Jagdrevier sollte mit intensivster jagdlicher Bekämpfung von Raubwild und Raubzeug geklärt werden, wie sich ein derartiger Totalabschuss auf die Bestände von Niederwild und Singvögeln auswirkt. Die Vorgehensweise war mit dem Naturschutz abgestimmt, denn, wie schon angedeutet, auch unter Naturschützern war es strittig, ob Krähen, Elstern und Füchse die Vorkommen seltener Arten gefährdeten. Durch umfangreiche Begleituntersuchungen war sichergestellt, dass die Wirkungen des Totalabschusses entsprechend überprüft werden konnten. Die Zeitspanne von sechs vollen Jagdjahren sollte zudem ausreichend lang sein, um Trends erkennen und von kurzfristigen Schwankungen, wie sie, zumeist witterungsbedingt, von Jahr zu Jahr auftreten, unterscheiden zu können.

Mit 939 abgeschossenen Rabenkrähen, 909 Eichelhähern und 394 Elstern, zusammen also 2242 Rabenvögeln bzw. Stück Raubzeug, entfiel auf diese der größere Teil des Totalabschusses. An Raubwild wurden 922 Stück erlegt, nämlich 579 Füchse, 174 Hermeline, 146 Marder, 15 Iltisse und acht Dachse.

Es lohnt, diese Zahlen als solche etwas genauer zu betrachten, denn sie spiegeln Häufigkeitsverhältnisse. So errechnen sich für die Rabenkrähen im Durchschnitt 156 Stück Abschuss pro Jahr. Da in der freien Landschaft die »Allzweckreviere« der Rabenkrähen, wie der Biologe Wolfgang Epple sie nennt, unter günstigen Bedingungen 15, bei weniger guten Verhältnissen 40 Hektar groß sind, sollte es in diesem 700 Hektar großen Jagdrevier also zwischen 17 und 46 Brutreviere von Rabenkrähen gegeben haben. Hätte jedes Brutpaar darin die für solche Lebensräume typische Zahl von 1,1 Jungen pro Jahr zum Ausfliegen gebracht, wäre der Rabenkrähenbestand nach der Brutzeit auf 53 bis 143 Vögel im Jagdrevier angewachsen. Die natürliche Todesrate hätte pro Jahr knapp einem Drittel der Altvögel und fast zwei Dritteln der flüggen Jungen das Leben gekostet, also zusammen 24 im Fall der geringen Siedlungsdichte der Rabenkrähen von 17 Revieren und 65 Todesfälle bei der höheren Siedlungsdichte von 46 Brutrevieren im Gebiet. Der durchschnittliche jährliche »Totalabschuss« lag also so hoch, dass er, den niedrigeren Brutbestand von 17 Paaren zugrunde gelegt, diesen samt seinem Fortpflanzungsergebnis um rund das Dreifache übertraf und die Rabenkrähen völlig ausgerottet haben müsste. Auch bei Zugrundelegung der hohen Bestandszahl der Krähen hätten 156 abgeschossene den spätsommerlichen Endbestand von 143 noch übertroffen. Die niedrigsten Abschusszahlen, 112 und 116 pro Jahr, reichen gerade in den Bereich eines produktiven Krähenbestandes, während die hohen (184 und 203) diesen ganz erheblich übersteigen. Dass dennoch Jahr für Jahr mehr als 100 bis über 200 Rabenkrähen erlegt wurden, beweist somit hinlänglich, wie rasch freigewordene Brutreviere von weiter umherstreifenden Nichtbrütern eingenommen werden. Über die sechs Jahre des Totalabschusses ließ sich nicht einmal ein (statistisch signifikanter) Abnahmetrend feststellen. In den letz-

ten beiden Versuchsjahren wurden mit 184 und 178 Rabenkrähen sogar mehr geschossen als in den beiden ersten (112
und 146).

Ganz ähnlich verhielt es sich mit den Elstern. Der Abschuss
von insgesamt 394 Stück zeigte in ihrer Bestandsentwicklung
keinerlei Wirkung. Die 64 und 54 der beiden ersten Jahre wurden mit 75 und 68 in den beiden letzten, zusammengenom-
men jeweils, um gut 20 Prozent übertroffen; bei den Rabenkrähen lag die Abschussquote in den beiden letzten Jahren
sogar um 40 Prozent über der der beiden ersten. Einzig die
Jagdstrecken des Eichelhähers wurden etwas rückläufig. Sie
nahmen in den beiden letzten Jahren um 15 Prozent ab, was
aber beim invasionsartigen Auftreten von Eichelhähern in
langjährigen Abständen auch eine unbedeutende Schwan-
kung gewesen sein kann. Der Zustrom von Eichelhähern im
Jagdjahr 2002/03 aus dem Nordosten führte sogar zu Neu-
ansiedlungen in Großstädten.

Nun können Vögel eben fliegen und sind daher viel leichter
in der Lage, frei gewordene Räume aus der Umgebung wieder
zu besiedeln als Säugetiere, die zu Fuß unterwegs sind. Die
genaue Erfassung der Jagdstrecken von Füchsen, Mardern
und anderen Kleinraubtieren im saarländischen Großversuch
macht den Vergleich möglich.

Dabei kam jedoch überraschenderweise eine klar ansteigen-
de Zahl der erlegten Füchse zustande. Erfasst wurde ihre
»Strecke« bereits im Vorlauf des Großversuchs seit dem Jagdjahr 1986/87. In diesem schossen die Jäger sieben Füchse, am
Ende des Versuchs 1995/96 aber 104. Der Höchstwert ergab
sich 1993/94 mit 144 Füchsen. Der Zunahmetrend ist eindeutig und hält einer statistischen Überprüfung stand. Auch
Dachse wurden ab 1992/93 bis zum Ende mit acht Stück
mehr erbeutet als in den vier Jahren davor (2 Stück), Stein-

und Baummarder gleichfalls (114 gegen 51). Da für das gesamte Raubwild weiter zurückreichende Jagdstrecken für das Großrevier vorliegen, lassen sich die Jahre des versuchten Totalabschusses mit den vorausgegangenen »normalen« vergleichen. 178 in den fünf Jahren vor Beginn des Ausrottungsversuchs stehen 922 in den sechs Jahren danach gegenüber oder 36 pro Jahr vorher, 154 während des Versuchs. Diese Steigerung um das mehr als Vierfache und der Quasi-Totalabschuss von Raubzeug (1333 Stück in den sechs Jahren, was in allen Jahren den tatsächlichen Brutbestand übertroffen haben müsste!) sollten nun Wirkung gezeigt haben bei Niederwild und Singvögeln.

Reaktion von Niederwild und Singvögeln

Aus jagdlicher Sicht, leider, war das nicht der Fall. Es nahmen weder Fasane noch Hasen zu. Die Hasen-Jagdstrecken schwankten, wie das seit Langem bekannt ist, zwischen guten und schlechten Jahren ohne Trend seit 1985/86 zwischen zwei und 16 Stück, mit Nullwerten dazwischen, weil wegen zu geringer Hasenbestände diese gar nicht bejagt wurden. Am Ende gab es mit zwölf und 16 Hasen nicht mehr als fünf Jahre vor Beginn des Versuchs mit 15 Stück. Ein Trend kam nicht zustande. Beim Fasan schien sich eine Zunahme in der zweiten Hälfte der Versuchszeit abzuzeichnen, aber diese fiel im über 500 Kilometer entfernten Südostbayern ohne massive Vernichtung von Füchsen und anderen Feinden der Fasane genauso aus wie im nördlichen Saarland. Jahre mit günstiger Witterung, vor allem während der Aufzuchtzeit der Jungen, wirken bei diesem vorderasiatischen Vogel im atlantischen Klimabereich West- und Mitteleuropas weit stärker als die natürlichen Feinde.

Zweifellos war auch der Einsatz geradezu unverhältnismäßig hoch. Während der Versuchszeit kamen auf jeden erlegten Fasan 14 getötete Rabenkrähen und Elstern sowie sechs Füchse oder fast 25 Individuen von Raubwild und Raubzeug. Ein 25-zu-eins-Verhältnis von vernichteten Feinden zugunsten eines Fasans als Jagdertrag liegt sicherlich weit jenseits von vernünftiger Jagdwirtschaft; vom Natur- und Tierschutz ganz zu schweigen. Noch schlechter steht es um das Verhältnis Raubwild und Raubzeug zu Hasen, weil mit 49 praktisch genau doppelt so viele mögliche Feinde vernichtet wie Hasen erlegt wurden. Bei keiner der beiden Niederwildarten lohnte die Bekämpfung von Raubwild und Raubzeug. Das geht aus diesen Befunden in aller Deutlichkeit hervor. Dass mit der Bekämpfung die Krähen und Elstern den Abschusszahlen zufolge sogar zugenommen hatten, deckt sich mit den Darlegungen auf Seite 103–106. Da das Auf und Ab bei den Hasen vom Ganzen anscheinend unberührt geblieben ist und die etwas höheren Jagdstrecken beim Fasan Mitte der 1990er-Jahre mit der Witterung zusammenhingen, bleibt offen, ob sich der Totalabschuss überhaupt in irgendeiner Weise auf das Niederwild ausgewirkt hat – positiv oder negativ!

Somit verbleibt die Frage, ob denn wenigstens die Singvögel begünstigt wurden. Auch dies konnte nicht nachgewiesen werden, weil hierzu erstens nur in einem Teilgebiet von 200 Hektar und bloß für vier Jahre, nicht von Beginn und bis zum Ende, genauere Untersuchungen angestellt wurden. Zweitens erfasste man lediglich zwei Arten von Singvögeln, die Feldlerche und das Braunkehlchen sowie als Bodenbrüter im Offenland den Kiebitz. Braunkehlchen und Kiebitz waren aber mit Null bis vier Brutpaaren viel zu selten für eine statistische Absicherung. Den besten Wert bei den Feldlerchen gab es 1994, als auch die Fasane den Höchstwert erreichten und, wie schon ausgeführt, großräumig günstige Verhältnisse in der

Brutzeit herrschten. Dass es im selben Jahr auch bei den Rabenkrähen einen ihrer beiden Höchstwerte (in den Abschusszahlen) gab, passt nicht zur Vorstellung, dass die Verminderung der Nesträuber den Bodenbrütern und Singvögeln zugutekommt. Bei Letzteren sind außerdem lediglich Brutpaare gezählt und nicht die Brutergebnisse festgestellt worden. Sie besagen nichts darüber, ob Kiebitze und Braunkehlchen überhaupt ein Junges zum Flüggewerden bzw. Ausfliegen gebracht hatten oder wie der Bruterfolg der Lerchen ausgefallen war.

Ein groß angelegter Freilandversuch brachte also einerseits das klare Ergebnis, dass sich nicht einmal die intensivste Bekämpfung von Raubwild und Raubzeug zugunsten des Niederwildes lohnt. Andererseits blieb offen, ob die Vernichtung von 2242 Rabenkrähen, Elstern und Eichelhähern auf nur 700 Hektar und 174 Hermelinen dazu den Singvögeln zugutegekommen ist. Wolle man den günstigsten Fall von vier der seltenen Braunkehlchen-Brutpaare als Erfolg der Massenvernichtung werten, käme ein Aufwand von 600 Getöteten pro Braunkehlchenpaar zustande. Dessen Überleben lässt sich mit so einer Vorgehensweise auf keinen Fall sichern. Mit einer Artenschutzmaßnahme hat das ganz und gar nichts zu tun.

Flächenabschuss von Krähen

Der Großversuch im Saarland war durch die Unterschutzstellung der Rabenvögel ausgelöst worden. Die verhärteten Fronten zwischen den Befürwortern einer Bestandsregulierung der Rabenvögel und den Vogelschützern, die solche Eingriffe als unnötig und schädlich ablehnten, sollte durch die Befunde zu einem Konsens zusammengeführt werden. Das gelang nicht, weil das Ergebnis den Jägern deutlich machte, dass selbst größte Anstrengungen nichts Greifbares zugunsten des Niederwildes bewirkten. Ein häufig von Jägerseite vorgebrachtes Argument war, man könne so einen Einzelfall nicht verallgemeinern. Erfolgreich setzten sie stark erweiterte und vereinfachte Genehmigungen für den Abschuss von Rabenvögeln durch, weil aus ihrer Sicht durch die Krähen und Elstern das Gleichgewicht im Naturhaushalt gestört werde und zu hohe Verluste an Niederwild verursacht würden.

Verschiedene Bundesländer führten unter dem Druck der Jagdverbände de facto wieder eine Jagdzeit auf Rabenvögel ein. In direkt zeitlichem Anschluss an die umfangreichen Untersuchungen im Saarland kam es zum Beispiel in Bayern zu folgenden (gemeldeten) Abschusszahlen von »Krähen & Elstern«:

Jagdjahr		speziell Rabenkrähen*
1995/96	79 452	
1996/97	97 175	32 000
1997/98	91 742	
1998/99		36 350
2002/03		41 000

Viel oder wenig? Wirksam oder unwirksam? Das sind die Fragen, die sich zu diesen Zahlen stellen. Bayern hat eine ausgewiesene Jagdfläche von 6 577 285 Hektar. Daraus ergibt sich, dass pro 100 Hektar durchschnittlich etwa 1,5 Rabenvögel abgeschossen wurden. Im Großversuchsrevier im Saarland lag die Abschussquote bei 31,7 Krähen und Elstern pro 100 Hek-

---

* als solche gemeldet und vom *Bayerischen Staatsministerium für Ernährung, Landwirtschaft und Forsten*, oberste Jagdbehörde, dem Bayerischen Landtag genannt.

tar, also dem mehr als 20-Fachen. Wie oben gezeigt, hätte dabei der gesamte Bestand an Krähen und Elstern ausgerottet worden sein müssen. Das war nicht der Fall, denn die Abschusszahlen gingen mit Fortschreiten des Versuchs nicht zurück. Also erhielt das Gebiet Zuzug und Ausgleich aus der Umgebung. Für die Erträge beim Niederwild war das, wie dargelegt, gleichgültig. Jeder Fasan war einfach um 25 Schuss Munition teurer geworden. Mehr Fasane gab es deshalb nicht.

Wie wirken sich aber 1,5 abgeschossene Krähen und Elstern je 100 Hektar großflächig in Bayern aus? Der Krähenbestand und seine Produktivität geben Aufschluss hierzu. Wieder können wir Siedlungsdichten der Rabenkrähen zugrunde legen. Angaben hierzu finden sich in *Brutvögel in Bayern* von 2005. Die Häufigkeit der Rabenkrähen ist demnach in den unterschiedlichen Lebensräumen sehr verschieden. Die Angaben streuen zwischen 0,5 Brutpaaren in voralpinen Mooren und großflächiger Agrarlandschaft über ein bis drei in der kleinteilig strukturierter Landschaft bis knapp neun Paare an Waldrändern und lockeren Waldbeständen – jeweils pro 100 Hektar. Hieraus ergeben sich genau dieselben Häufigkeitswerte, wie sie für West- und Norddeutschland zutreffen und für die Berechnungen im Versuchsrevier im Saarland zugrunde gelegt wurden: 0,6 bis zehn Brutpaare pro 100 Hektar oder 3,1 im Mix der Landschaft.

Legen wir der Berechnung die neueren Zahlen von 2002/03 zugrunde, die sich angeblich nur auf Rabenkrähen beziehen. Dann ergeben die 41 000 in diesem Jagdjahr Abgeschossenen 0,6 pro 100 Hektar. Von den 9,6 Rabenkrähen, die der durchschnittlichen Siedlungsdichte und ihrem normalen Bruterfolg zufolge vorhanden gewesen sein sollten, sind mit dem Abschuss also 0,6 Stück oder weniger als zehn Prozent des Bestandes nach der Brutzeit entnommen worden. Auf die Nachwuchsproduktion allein bezogen, ergibt sich eine Minderung um weniger als 20 Prozent. Da die normale Sterblichkeit der Jungen aber bis zu 70 Prozent und mehr beträgt, hatte der Abschuss lediglich Verluste vorweggenommen, die ohnehin aufgetreten wären, und damit den winterlichen Nahrungsengpass für die Jungkrähen um ein Viertel bis ein Drittel abgemildert. Mit an Sicherheit grenzender Wahrscheinlichkeit vergrößerte er den Anteil der Nichtbrüter in den Rabenkrähenbeständen. Damit ist die Quote der von ihnen verursachten Verluste an Gelegen von Singvögeln und Niederwild nicht nur nicht gesenkt, sondern angehoben worden. Das habe ich oben bereits ausführlich dargelegt.

Ohne Berücksichtigung der Intelligenz der Rabenkrähen bewirkt diese jagdliche Dezimierung die Erhaltung und Förderung der Produktivität der Rabenkrähen-Bestände. Es kommen nach zerstörten Revierpaaren mehr Nichtbrüter in der nächsten Saison zur Fortpflanzung. Die Nachwuchsrate steigt.

Wer als Jäger das nicht glauben möchte, braucht sich nur die Verhältnisse beim Rehwild aus diesem Blickwinkel ansehen. Ein anhaltend hoher Jagddruck von rund einer Million abgeschossener Rehe pro Jahr hat den Bestand nicht auf gewünschter Höhe reguliert, sondern auf hohem Niveau hoch produktiv gehalten, sodass das Verbiss- und Wildschadensproblem im Wald unvermindert fortdauert. Ähnlich wie bei den Rabenkrähen im Saarland rotteten die Versuche von Totalabschuss des Rehwildes in einzelnen Revieren dieses nicht aus, sondern sie erhöhten Flexibilität, Mobilität und Scheu der Rehe.

Sollten die Jäger das Ziel, die Erträge an Niederwildjagd und die Bruterfolge von Singvögeln zu verbessern, wirklich bei der Krähenbekämpfung im Auge haben, zielten sie mit dem Abschuss glatt daneben. Sie erreichten das Gegenteil. Es verwundert daher auch nicht, dass die Autoren des Werkes *Brut-*

vögel in Bayern (Bezzel et al. 2005) zur Rabenkrähe zwei bemerkenswerte Feststellungen für Bayern treffen: »Vor 1980 wurde der Bestand etwas geringer eingeschätzt, einige Jahre später wurde jedoch ein deutlich höherer Minimalwert angenommen. (…) Regional werden die Bestände als gleich bleibend geschätzt, es kommen aber auch Zunahmen vor.« Und das, obwohl die Abschusszahlen, wie wenige Zeilen danach genauer ausgeführt wird, von 18 000 im Jagdjahr 1988/89 auf 41 000 2002/03 gesteigert worden sind. »Der Abschuss ist also in 15 Jahren um den Faktor 2,3 angestiegen. Dies mit der Zunahme der Rabenkrähe begründen zu wollen, ist nach allen vorliegenden Bestandsdaten und brutökologischen Erkenntnissen verfehlt.« – So die abschließende Beurteilung der Autoren. Dem ist lediglich hinzuzufügen, dass auch die Rabenkrähe auf ihre (intelligente) Weise darauf reagiert hat. Davon mehr im Teil über die Rabenvögel in der Stadt. Vorher sind noch weitere Probleme zum Kolkraben und zu den anderen Krähenvogelarten zu behandeln. Denn es geht ihnen gar nicht gut in Feld und Flur, und das nicht nur, weil sie dort abgeschossen werden.

Kolkraben im Flachland

Wiedereinbürgerung

Zur Bestandsentwicklung der Kolkraben stellten Bauer & Berthold (1997) im Handbuch *Die Brutvögel Mitteleuropas. Bestand und Gefährdung* fest: »Überwiegend durch massive Verfolgung des vermeintlichen Jagd- und Landwirtschaftsschädlings wurde ein großer Teil der Populationen der Niederungen im nördlichen Mitteleuropa sowie der Mittelgebirge und der Alpen zwischen 1870 und den 1940er-Jahren ausgerottet oder auf kleine Restpopulationen reduziert.«

Die prekäre Lage dauerte noch bis in die 1970er-Jahre an oder es kam sogar zu weiteren Bestandsrückgängen. Erst danach, in den letzten 30 bis 40 Jahren, setzte dank wirksam gewordener Schutzmaßnahmen die Wiedererholung ein. Mitte der 1990er-Jahre wurde der Bestand des Kolkraben in Mitteleuropa auf 12 000 bis 18 000 Brutpaare geschätzt. In Bayern gab es um 1980 etwa 300 und um 2000 wohl die doppelte Anzahl, weil sich bei der Kartierung der Brutvorkommen zwischen 1996 und 1999 zeigte, dass sich die Zahl der besetzten Rasterflächen (geographische Einheiten der Kartierung) verdoppelt hatte.

Die Kolkraben breiten sich nach und nach von den Alpen her ins Vorland aus. Die Kartierungen der außeralpinen Vorkommen zeigen jedoch größere Lücken. Diese lassen sich nicht mit der Eignung der Gebiete erklären. Auch nicht mit mangelndem Nachwuchs, weil es beim Kolkraben wie bei den Rabenkrähen Nichtbrüterschwärme gibt, die auf der Suche nach

Junggesellen-Gruppe von Kolkraben an einem Tierkadaver, den sie gemeinsam nutzen

Nahrung und nach geeigneten Brutplätzen weit umherstreifen. Zur Neuansiedlung kommt es aber in der Regel an den Rändern der Vorkommen.

Von den Medien verteufelt

So ist es gegenwärtig zwar nicht mehr so sehr der Druck, der von den Jägern ausgeht, der den Kolkraben zu schaffen macht. Aber wenn auch die Mehrzahl der »Großen Schwarzen« jagdlich akzeptiert oder wenigstens geduldet wird, bedeutet das nicht, dass es generell zu keinen Verfolgungen und Abschüssen mehr kommt. Neuen Auftrieb zur Bekämpfung der Raben erhielten die Rabenfeinde vor einigen Jahren mit Schlagzeilen aus Mecklenburg-Vorpommern und anderen Gebieten Norddeutschlands. Dort wurde den Kolkraben Mord an Schafen und Lämmern angelastet. Obwohl sich Journalisten und Foto-

grafen wochenlang auf die Lauer legten, um solche Schandta-
ten der Raben zu dokumentieren, gelang dies nicht. Sehr wahrscheinlich handelte es sich um Fehldeutungen.

Dass sich Raben an frisch toten oder bereits an sterbenden
Schafen einfinden und bei gesunden Mutterschafen nach der
Geburt den Mutterkuchen (Plazenta oder auch Nachgeburt
genannt) verzehren, gehört zu ihrem normalen Verhalten.
Dass sie sich dabei in Scharen einfinden, ist ebenso wohl bekannt. Zu mehreren sind sie in der Lage, die Konkurrenz um
so hochwertige Kadaver zurückzudrängen oder ganz fernzuhalten. Seeadler tun sich in Nordostdeutschland mit den Kolkraben ähnlich schwer wie die Steinadler in den Alpen. Beiden
haben die Raben nicht geschadet. Die Alpen sind seit zwei
Jahrzehnten mit Steinadler-Revieren besetzt. Die Seeadler-
bestände in Nordostdeutschland wachsen an und breiten sich
nach Süden und Westen aus. Auch wenn eine Gruppe von
Raben sich an einem Kadaver den Adlern als überlegen erwei-
sen sollte, schädigen sie damit die Adlerbestände nicht. Solche
Konkurrenz gehört zum normalen Leben.

Füchse und, wo es sie gibt, auch Wölfe kommen als Interes-
senten hinzu. An einem größeren toten Tier werden sich in
Brandenburg und im nordöstlichen Sachsen alsbald nicht nur
Milane und Bussarde, Kolkraben und Seeadler sowie Füchse
einfinden, sondern auch Wölfe, weil sich dort in den letzten
Jahren wieder Wolfsrudel angesiedelt haben. Wer von ihnen
allen – und ob überhaupt – das Tier getötet hat, verrät die bloße Anwesenheit nicht.

Sehr wahrscheinlich war es in den betreffenden Schafherden
zu Totgeburten von Lämmern gekommen. Auch Mutterschafe
gehen gelegentlich bei der Geburt ein. Ist der Hirt nicht zur
Stelle, werden auftretende Geburtskomplikationen nicht rechtzeitig erkannt. Was die Schafhüter sahen, muss nicht der Anfang des Vorgangs gewesen sein. Wie sich überhaupt im Detail

bei jenen Begebenheiten kaum etwas hatte nachprüfen lassen. Aber das Bild vom friedliche Lämmer und hilflose Schafe mordenden Raben war in die Welt gesetzt. Millionen Unwissender fühlten sich sogleich an die Szenen im berühmten Film »Die Vögel« von Alfred Hitchcock erinnert. Das Grauen griff um sich, das jene absurden Szenen dieses Horrorfilms wachgerufen hatte, obwohl man mit nur etwas genauerem Blick sehen kann, dass ausgestopfte Vogelköpfe mit darin verborgenen Beilen in die Holzwände einschlagen. Nach dem Denkmuster, »jetzt geht es bei den Schafen los, die Menschen werden als Ziele folgen«, blieb die gesunde Skepsis gegenüber solchen Horrormeldungen auf der Strecke. Dass keine Beweise zu erbringen waren, interessierte nicht mehr. Man hatte das Gruseln verspürt.

Die Vernunft tut sich schwer. Denn entweder werden die Tiere unangebracht verharmlost oder gleich ganz verteufelt. Für die großen schwarzen Raben ohne den Kuscheltiereffekt, wie bei Knut und Flocke, den in Sicherheitsverwahrung der Zoos gehaltenen Eisbären, den größten und am wenigsten berechenbaren Raubtieren der Erde, neigt die Stimmung bereitwillig zur Verteufelung. Alles passt bei ihnen zusammen. Sie haben nichts Niedliches an sich. Sie sind schwarz, was für sich genommen gefühlsmäßig für allzu viele Menschen schon ein Makel ist. Und sie sind geradezu höllisch intelligent. Im Vergleich zu den Raben, falls man so eine Kontrastierung überhaupt vorbringen kann, sind die Eisbären stupide. Im Vergleich zu den Raben diese aber wenigstens als Jungtiere herzig. Und später betteln sie im Zoo so schön nach Fisch, der ihnen hingeworfen wird. Die neutrale Haltung wäre, festzustellen, dass beide auf ihre so unterschiedliche Weise faszinierende Lebewesen sind.

Wollen wir kritiklos den Sensationsberichten glauben, nur weil sie in den Medien groß aufgemacht geboten werden?

Muss der Ankläger in diesem Fall nicht die Schuld des Ange-
klagten mit handfesten Beweisen belegen, wenn sich der Be-
klagte selbst dazu nicht äußern kann? Tierschützer werfen solche Fragen mit Bitternis völlig zu Recht in die Debatte. Ein Vogel und groß und schwarz zu sein, darf nicht ausreichen, um
ihn (wieder) für vogelfrei zu erklären.

Aasfresser

Versuchen wir, noch etwas genauer herauszubekommen, was
sich abgespielt haben könnte. Eine Beobachtung, die ich vor
vielen Jahren machte, könnte dabei hilfreich sein. So sah ich
an einem sonnigen Spätherbstnachmittag, wie einer der damals schon frei fliegenden Gänsegeier aus dem Salzburger
Zoo vom Untersberg in Richtung Geierfelsen geflogen kam.
Aber er landete nicht in der Felswand bei den Artgenossen,
sondern auf dem fast völlig leeren Parkplatz vor dem Zoo.
Dort saß am Rande auf einer Bank eine alte, dunkel gekleidete Frau. Sie war eingenickt. Die milde Sonne hatte sie anscheinend schläfrig gemacht. Nicht gerade geräuschlos landete der
große Geier in vielleicht gut zehn Metern Entfernung. Mit
dem komischen Watschelgang der Geier näherte er sich und
machte dabei einen langen Hals. Die letzten Meter wurde er
langsamer und langsamer. Die Frau rührte sich nicht. Sie at-
mete ruhig und gleichmäßig, wie ich mithilfe des Fernglases,
das ich (fast immer) bei mir hatte, sehen konnte. Als der Geier
nahe genug war, zupfte er am äußersten Ende des Rocks, der
beinahe den Boden streifte. Die Frau zuckte zusammen. Der
Geier noch mehr. So schnell es ging, hüpfte er weg und wuch-
tete sich mit schweren Flügelschlägen in die Höhe. Dann
segelte er in die Geierwand hinein. Die alte Frau hatte wohl
nicht so recht begriffen, was wirklich geschehen war. Sie stand

121

auf, schüttelte ihre Kleidung zurecht und ging ruhigen Schrittes davon.

Vergleichbares sah ich in Afrika bei Geierraben und Weißnackenraben. Hatten sie als erste ein (frisch) totes Tier entdeckt, näherten sie sich äußerst vorsichtig. Sie fassten möglichst am hinteren Ende oder am Rücken zu, wo es am wenigsten gefährlich war, sollte das Tier noch leben. Damit überprüften sie, ob sich dieses noch regte. Erst dann fingen sie an, direkt auf den Kadaver einzuhacken.

Es ist völlig normal, dass sich die Verwerter von Aas dem toten Lebewesen sehr vorsichtig nähern. Das tun Schakale und Wölfe so, Geier wie Adler oder Milane und Raben. Trifft man Kolkraben an einem noch gänzlich unversehrten Lamm oder gar an einem Mutterschaf, während sie in die Augen picken, bedeutet dies keineswegs, dass das Tier damit getötet worden ist. Die Raben stehen lediglich am Beginn einer langen Serie von Versuchen und Maßnahmen, den Kadaver zu verwerten, da das Auspicken der Augen der einzige Zugang zum Fleisch des Tieres ist – die zähe Haut können auch harte Rabenschnäbel nicht bewältigen.

Ohne diese Kadaverentsorgung, die bis in die letzten Jahrhunderte hinein auch bei uns in Mitteleuropa noch üblich war, hätten ganz sicher für Tier und Mensch gefährliche Krankheiten viel schneller um sich gegriffen. Manche Epidemie ist von den Kadaververwertern buchstäblich im Keim erstickt worden. Tierkörperverwertungen sind eine Erfindung der jüngsten Vergangenheit. Die Natur funktionierte auch ohne sie. Die Tierseuchen sind ohne Geier und Raben nicht harmloser geworden, wie wir aus regelmäßig wiederkehrenden Erfahrungen wissen. Kolkraben, Raben- und Nebelkrähen, den beiden Aaskrähen also, und einigen anderen Vögeln, wie Milanen, sollten wir dankbar sein, dass nicht jedes

Keinen Respekt zeigt diese Nebelkrähe vor dem mächtigen Seeadler. Mit ihrer Wendigkeit entkommt sie ihm leicht.

tote Tier aufwändig entsorgt werden muss. Wundern wir uns eher darüber, wie selten, wie extrem selten wir draußen in Wald und Flur ein totes Tier finden. Die einzige wesentliche Ausnahme bilden die Straßen mit den vielen Tieren, die dem Autoverkehr zum Opfer fallen. Nirgendwo sonst finden sich Krähen und Bussarde am Tag und Füchse in der Nacht so regelmäßig und zahlreich ein wie an diesen von Tierleichen gesäumten Produkten unserer Eil-Gesellschaft. Allerdings vermitteln sie dabei ziemlich falsche Vorstellungen von der tatsächlichen Häufigkeit der Aasverwerter. Das zeigt später die genauere Betrachtung ihrer Bestände in Feld und Flur.

Winterkrähen

Zugverhalten der Saatkrähen

Rabenkrähen und Saatkrähen gleichen einander in Größe und Aussehen so sehr, dass man genauere Kenntnisse braucht, um sie zu unterscheiden. Schnabelform und -befiederung liefern uns Menschen die wichtigsten Anhaltspunkte. Im Flug ist es die leicht keilförmig gerundete Form des Schwanzes, an dem sich die Saatkrähen von den Rabenkrähen unterscheiden lassen. Schreiten sie auf dem Boden, gibt das Vorhandensein oder Fehlen einer Befiederung der Beine ein weiteres Kennzeichen ab. Dass die beiden Arten selbst keine Probleme haben, sich voneinander zu unterscheiden, ist bereits betont worden. Obwohl sie viel kleinere Augen haben als wir, sehen sie damit offenbar besser.

Saatkrähen führen als einzige Krähenart weite Wanderflüge zwischen Brutgebiet und Winterquartier durch, die mehrere Hundert bis über Tausend Kilometer lang ausfallen können. Ihr Flügelschnitt qualifiziert sie, wie alle Krähenvögel, nicht für weite Flüge. Kurze, rundliche Flügel ermöglichen einen wendigen Flug. Für den tagelangen Dauerflug passen sie nicht. Krähen können daher auch nicht, wie viele Singvögel, in der Kühle der Nacht ziehen. Die unbefiederte Zone am Kopf, über die sie überschüssige Wärme abgeben, ist bei den nördlichen, am weitesten ziehenden Saatkrähen am größten, bei den südlichen Artgenossen, die nur kurze Strecken ziehen, am kleinsten ausgebildet. Auf dem Zug fliegen sie meistens nur wenige Stunden am Stück. Dazwischen rasten sie und

Nester einer Brutkolonie von Saatkrähen. Große Kolonien können Hunderte von Nestern beinhalten.

nachts suchen sie, wie beschrieben, die den erfahrenen Altkrähen bekannten Rastplätze entlang der Zugwege auf.

Saatkrähen leben so gut wie immer in Schwärmen. Sie brüten gemeinsam in Kolonien, schweifen gemeinsam im lockeren Schwarm auf Nahrungssuche, nutzen gemeinsame Schlafplätze und ziehen zusammen aus ihren Brutgebieten in die Winterquartiere. Alljährlich kommen sie dabei zu vielen Tausenden aus dem Osten, aus Polen, Weißrussland, der Ukraine und Russland bis zum Ural, nach Mittel- und Westeuropa. Hier überwintern sie. Auch die in Mitteleuropa brütenden Saatkrähen ziehen in wintermilde Gegenden, nur fällt das bei ihren geringen Mengen nicht so auf. Die Durchzügler und Wintergäste übertreffen den heimischen Brutbestand um ein Vielfaches. Je nach Region kann der Unterschied extrem groß ausfallen. So brüteten im gesamten Stadtgebiet von Berlin zwischen 1990 und 2000 nur 335 bis 147 Saatkrähenpaare in jeweils gut einem Dutzend Einzelkolonien, aber 4100 bis

4900 Paare Nebelkrähen. Der Brutbestand der Saatkrähen entsprach damit nur wenigen Prozent der Nebelkrähen. Ähnlich verhielt es sich in München mit 130 Brutpaaren im Jahre 1996 und größenordnungsmäßig 1200 Brutpaaren von Rabenkrähen. Bei der Behandlung der Stadtkrähen komme ich darauf zurück. Hier geht es zunächst um das Mengenverhältnis von Saatkrähen-Brutbestand und Zahl der Wintergäste. In München waren in den 1960er- und 1970er-Jahren um die 50 000 Saatkrähen im Stadtgebiet. In Berlin und Wien noch viel mehr. So wurden in Wien im Winter 1990/91 etwa 200 000 Saatkrähen gezählt. In Berlin sammelten sich allein im Tiergarten bis zu 40 000. Im Zahlenverhältnis übertraf damit der Winterbestand die Brutbestände um das Mehrhundertfache.

Am Land gab und gibt es in Mitteleuropa weithin überhaupt keine Saatkrähen-Brutvorkommen. Für Bayern umfasste der gesamte Brutbestand an Saatkrähen nur rund 3300 Paare (1996). Dank intensiver Schutzmaßnahmen an den Kolonien, die immer wieder zerstört worden waren, sind es bis in die Gegenwart etwas mehr geworden. Die Saatkrähe gehört damit als Brutvogel zu den seltenen Arten, als Wintergast aber zu den sehr häufigen. Allein hieraus ergibt sich ein Einschätzungskonflikt, wenn der Brutbestand und seine Entwicklung nicht von den Wintergästen getrennt betrachtet werden. Es verhält sich bei den Saatkrähen eben nicht so wie mit den Rabenkrähen, die das ganze Jahr über mehr oder weniger genau in ihrem Brutgebiet bleiben. Die Häufigkeit der Rabenkrähen in Herbst und Winter spiegelt daher ihren Erfolg in der vorausgegangenen Brutzeit und über die Jahre hinweg die Entwicklung ihrer Bestände. Bei den Saatkrähen ist das so direkt nicht der Fall.

Niedergang der Saatkrähen

Ihre Häufigkeit im Winter hängt zwar auch von Bestandsgröße und Bruterfolg im fernen östlichen Brutgebiet ab, aber es können sich großflächige Änderungen ergeben, wenn sich die Lebensbedingungen im Winterquartier oder die Winter verändern. So nahmen in den 1970er-Jahren die Wintermengen der Saatkrähen im niederbayerischen Inntal rapide ab. In nur knapp einem Jahrzehnt waren sie auf zehn Prozent und weniger im Vergleich zu den früheren Mengen zurückgegangen. Ich kannte die Winterkrähen seit meiner frühen Jugendzeit, weil ein Krähenschlafplatz, ein kleines Fichtengehölz inmitten einer offenen Feldflur, direkt am Schulweg lag. Im Spätherbst und Winter sah ich die großen Schwärme von diesem Schlafplatz abfliegen, wenn ich frühmorgens mit dem Fahrrad zur Bahn fuhr. Bei der Rückkehr am Nachmittag traf ich sie in

In der Dämmerung sammeln sich die Saatkrähen oft auf hohen Bäumen, bevor sie bei Einbruch der Dunkelheit ihren Schlafplatz anfliegen.

einzelnen, meist zwischen 50 und 300 Vögel umfassenden Schwärmen verteilt auf den Feldern und Wiesen nach Nahrung suchen. Bald fand ich weitere Schlafplätze. In den späten 1960er- und frühen 1970er-Jahren kontrollierte ich die drei größten Schlafplätze im niederbayerischen Inntal regelmäßig. Zum Schlafen aufgesucht wurden dichte Bestände hoher Pappeln an der Mündung der Rott in den Inn und direkt am Ufer des Stausees von Egglfing-Obernberg. Den dritten Schlafplatz wählten die Krähen etwa 20 Kilometer weiter südwestlich auf Inseln im Stausee Ering-Frauenstein. Beide Stauseen wurden 1974 Vogelschutzgebiet, in dem bald auch die Jagd auf »Federwild« eingestellt wurde. Günstigste Verhältnisse herrschten also mit sicheren Schlafplätzen und weiten, offenen Feldfluren zur Nahrungssuche. Saatkrähen und Dohlen fanden sich zu Zehntausenden ein.

Vor allem ihr abendlicher Schlafplatzflug bot Erlebnisse der besonderen Art. Aus dem im Spätherbst und Winter häufigen Nebel über dem Tal des unteren Inn, 25 bis 55 Kilometer vom Zusammenfluss von Inn und Donau entfernt, ertönten zuerst die quorrenden Rufe der Saatkrähen und die hellen »djack, djacks« der Dohlen. Dann erst kamen die schwarzen Vögel zum Vorschein. Die kleineren Dohlen flogen enger zusammen als die größeren Saatkrähen. Und sie waren lauter. Staffel um Staffel der Schwarzen erschien. Ohne besondere Scheu und scheinbar ungeordnet wirbelten sie aus der Höhe nieder. Oft sammelten sie sich auf einer freien Feldfläche in der Nähe der drei Schlafplätze. Beim Mittleren war eine große flache Sandbank sehr begehrt. Wenn es nicht zu frostig war, gingen die Saatkrähen und Dohlen dort nieder, um zu baden. Meistens waren schon kleine Gruppen von Rabenkrähen anwesend, die auch ihre Schlafplätze aufsuchten. Dann wurde die Sandbank über Hunderte von Metern schwarz. Von dort oder von den Sammelplätzen auf den Feldern ging es dann in der späten

1 Kolkrabe, der »Größte« unter den Rabenvögeln, an einem toten Reh, das zur Anlo-
:kung von Bären ausgelegt worden war.

2 Rabenkrähe, die »Kleinausgabe« des großen Kolkraben, doch kaum weniger intelligent

3 Für den östlichen Zwilling der Rabenkrähe, die Nebelkrähe, ist die pullunderartige Graufärbung von Hals und Bauch bezeichnend.

4 Saatkrähe im Alterskleid: blau schillerndes Gefieder, federlos ›nacktes‹ Gesicht und Federn an den Beinen wie kurze Hosen

5 Der recht bunt wirkende Eichelhäher beim Herausholen einer Eichel, die er als Winter-vorrat versteckt hatte.

6 Dieser Tannenhäher hat den Kropf voller Haselnüsse, für die er nun ein Versteck sucht

7 Bei der schwarzweißen Elster schimmern die Federn an Flügeln und Schwanz ganz besonders stark metallisch.

Dämmerung weiter zum eigentlichen Schlafplatz, an dem nun im letzten Licht die Baumkronen schwarz wurden. Anderntags waren Massen von Speiballen darunter zu finden. Aus ihnen ging hervor, was die Krähen und die Dohlen verzehrt hatten. Damals ließ sich die Nahrung bestens erkennen: hauptsächlich Maiskörner, die von der spätherbstlichen Körnermaisernte übrig geblieben waren. Die Krähen fanden sie. Systematisch, Schritt für Schritt, suchten sie die Maisfelder ab, auf denen oft noch die Stoppeln standen und dürre Maisblätter den Boden bedeckten. Wie eingangs schon ausgeführt, nimmt die pflanzliche Nahrung bei den Saatkrähen einen viel größeren Anteil als bei den Rabenkrähen ein. Reste tierischer Nahrung ließen sich kaum in diesen spätherbstlichen Speiballen ausmachen.

Doch nach wenigen Jahren, ab Anfang der 1970er-Jahre, gingen die Mengen der Krähen und Dohlen stark zurück. Tagsüber waren kaum noch Schwärme schwarzer Krähenvögel auf den Feldern zu sehen. Die Schlafplatzflüge verloren das Spektakuläre. Was in den 1980er-Jahren und seither noch kam, bewegte sich mit Schwankungen von Winter zu Winter bei nur fünf bis 20 Prozent der früheren Mengen, die wenigstens 20 Jahre lang regelmäßig gekommen waren. Mit Verzögerung setzte auch in München der Rückgang ein. Anstelle der früheren 40 000 bis 50 000 Saatkrähen in der Stadt konnten Anfang der 1990er-Jahre nur noch um die 10 000 und in den letzten Wintern nicht einmal mehr so viele gezählt werden. Ehemals bekannte große Schlafplätze der Winterkrähen sind ganz verlassen. Ähnlich starke Rückgänge zeichneten sich nahezu überall in Stadt und Land in Mitteleuropa ab, wo entsprechende Vergleichsuntersuchungen aus früheren Zeiten vorlagen.

Vorausgegangen waren bereits vor 100 Jahren die Einbrüche im Brutbestand der Saatkrähen. So gab es in Bayern Ende des

19. Jahrhunderts noch mindestens 10 000 Brutpaare, wahrscheinlich mehr, weil das Land nicht annähernd so präzise wie in unserer Zeit von Vogelkundlern kontrolliert werden konnte. Der klägliche Rest von kaum 600 Brutpaaren im Jahre 1955 bedeutete im Vergleich zum Bestand von 1898 einen Rückgang um 95 Prozent. Damals lag die Dezimierung im Wesentlichen an der Verfolgung. Die Brutkolonien wurden systematisch vernichtet, weil die Saatkrähen (man beachte den Namen) angeblich Schäden in der Landwirtschaft verursachten. Als sich in jüngerer Vergangenheit der Vogelschutz nach und nach durchsetzen konnte, stieg der Brutbestand und verfünffachte sich bis Ende der 1990er-Jahre. Da weiterhin Saatkrähenkolonien insbesondere außerhalb der Städte bekämpft werden, kommt die Wiedererholung auf das frühere Niveau nur schleppend voran. Die gegenwärtige Verbreitung dieser Krähenart in Bayern drückt dies in aller Deutlichkeit aus. 68 Prozent des gesamtbayerischen Bestandes entfallen auf das mittlere und randalpine Schwaben, wo allein im Landkreis Unterallgäu mit den Städten Mindelheim und Memmingen fast die Hälfte aller in Bayern brütenden Saatkrähen lebt. Die restlichen Vorkommen befinden sich im Bereich der Städte München, Straubing, Würzburg und Schweinfurt sowie am Starnberger See. Sie liegen also im vor jagdlichen Eingriffen geschützten Siedlungsbereich und in Regionen mit überwiegender oder nahezu ausschließlicher Grünlandwirtschaft. In dieser gibt es so gut wie keine direkten Konflikte mit Interessen der Landwirtschaft; insbesondere mit dem Getreide- und Maisanbau.

Der Rückgang der Grünlandwirtschaft trug daher mit großer Wahrscheinlichkeit zum Niedergang der Saatkrähen bei. Der starke Bestandseinbruch in der ersten Hälfte des 20. Jahrhunderts lässt sich damit jedoch nicht erklären. Denn die Umstellung auf die weitgehende Stallviehhaltung fand erst in den

1970er-Jahren statt. Auch Pflanzenschutzmittel scheiden als Begründung für den Rückgang aus, denn diese wurden erst nach dem Zweiten Weltkrieg umfänglich eingesetzt. Somit bleibt die direkte Vernichtung der Brutkolonien als Hauptgrund für den Zusammenbruch des Saatkrähenbestandes in Bayern und darüber hinaus in weiten Teilen Mitteleuropas bis zum Beginn der Wiedererholung im letzten Drittel des 20. Jahrhunderts. (Die Wirksamkeit des Schutzes von Brutbeständen darf damit mit an Sicherheit grenzender Wahrscheinlichkeit als erwiesen gelten.)

Bleiben die Saatkrähen aus, weil die Winter milder geworden sind? Ist das vielleicht der Grund für die so starke Abnahme der Winterbestände? Diese Annahme liegt nahe, da die Klimaerwärmung so breit diskutiert und für Vieles verantwortlich gemacht wird (das wir nur nicht genauer erforscht haben). Selbstverständlich trifft es zu, dass bei großer Winterkälte mehr Vögel aus dem kontinentalen Osten in den milderen, vom atlantischen Klima beeinflussten Westen Europas wandern. Doch die Zahlen der Winterbestände von Krähen- und Dohlen ergeben keinen direkten Zusammenhang mit besonders kalten Wintern. Eher trifft das Gegenteil zu. War auch bei uns der Winter (sehr) kalt, wie 1962/63 oder 1985/86, überwinterten weniger Krähen hierzulande als bei milderem Verlauf der Witterung. Große Kälte zwingt die Vögel, nicht nur die Krähen, stärker in die wärmeren Städte hinein, wo es auch viel mehr Nahrung gibt als draußen. Nach dem Extremwinter von 1962/63 sollten daher die Winterbestände zu- und nicht abgenommen haben.

Im niederbayerischen Inntal war dies auch bis in die 1970er-Jahre hinein der Fall. Der dort so markante und nachhaltig starke Zusammenbruch der Winterbestände hatte danach nichts mehr mit der Winterwitterung zu tun. So weit es dazu verwertbare Zählungen gibt, war dies auch überregional der Fall.

Der Zusammenbruch der Winterbestände muss daher Ursachen haben, die außerhalb unseres Raumes liegen. Sie sollten in den Brutgebieten zu finden sein. Vielleicht werden dort seit den 1970er-Jahren die Brutkolonien ähnlich systematisch vernichtet wie in der ersten Hälfte des 20. Jahrhunderts noch bei uns? Vielleicht verschlechterten sich in Mittelost- und Osteuropa die Lebensbedingungen für die Saatkrähen und Dohlen so sehr, dass immer weniger zum Überwintern in den Westen fliegen? Für beide Möglichkeiten lassen sich keine direkten Hinweise in der vogelkundlichen Fachliteratur finden. Der Naturschutz gewinnt auch dort an Gewicht. Zur sozialistischen Zeit war er sogar noch stärker als nach dem Zusammenbruch der Sowjetunion. Der Rückgang setzte aber nicht 1990 ein, sondern zwei Jahrzehnte früher.

»Es gibt viele Ursachen«, ist ein häufig vorgebrachtes Argument. Wir sollten nicht nur nach einer suchen, der zugehörige Rat. Dahinter steckt in aller Regel Unwissenheit. Was nicht genau genug zu fassen ist, wird auf viele Ursachen geschoben. Wir kennen dies aus so gut wie allen Lebenslagen. Wenn Bestände von vergleichsweise nicht zu übersehenden und leicht zu erfassenden Tieren plötzlich zusammenbrechen, hat das nicht viele Gründe, sondern meistens einen ganz bestimmten Grund. Diesen zu ermitteln, ähnelt der kriminalistischen Vorgehensweise. Umstände und Einflüsse sind stets zu berücksichtigen. Aber fast immer gibt es den einen, den entscheidenden Grund. Auf die Spur können uns zwei andere Krähenvogelarten bringen, von denen bisher eine, die Dohle, nur am Rande, und die andere, die Elster, fast gar nicht behandelt worden ist.

Dohlen im Inntal

Als ich meine Dohle vom Dorfkirchturm holte, hatte noch jeder Kirchturm im niederbayerischen Inntal und darüber hinaus seine Dohlenkolonie. Es gehörte einfach dazu, dass die munteren Vögel den Turm umschwärmten. Einer der beiden Kirchtürme war immer besetzt, oft auch beide. Die Umgebung des Dorfes bot den Dohlen genug Nahrung. Sie brauchten nicht weit auszufliegen, um zur Zeit der Jungenaufzucht die dafür nötigen Insekten zu sammeln. Zwischen 20 und 70 Paare hatte jeder Turm in den besten Jahren. Um die 30 siedelten im bevorzugten spitzen Turm in ungünstigeren Jahren. Offenbar teilte sich die Kolonie des Hauptturms, wenn die Zahl der Brutpaare zu groß geworden war. Gab es wieder Platz, kehrten die in den anderen Turm mit Zwiebelkuppe umgezogenen zurück. In der späten Kindheit und frühen Jugendzeit macht man sich dazu leider keine Notizen. Die Vorstellung, dass sich am gewohnten Bild der die Kirchtürme umkreisenden Dohlen etwas ändern könnte, lag undenkbar fern. Das blieb auch so bis in die 1970er-Jahre hinein. Die Dohlen flogen. Sie kamen auf die gemähten Wiesenstücke am Dorfrand, wo sie mitunter meinen Tommy dazu veranlassten, sich zu ihnen zu gesellen.

Dann wurden die Kirchtürme vergittert. Die Dohlen sollten keinen Zugang mehr bekommen, weil angeblich das Gestühl der Türme von ihnen geschädigt würde. Weshalb das über Jahrhunderte nicht der Fall gewesen war, wollten die Verantwortlichen nicht beantworten. Natürlich werden auch Kirchtürme mal reparaturbedürftig. Manche sind nie wirklich fertig gebaut worden, weil der Zahn der Zeit an ihnen schneller nagte, als der Bau vorankam.

Als die Dohlen seltener wurden, fiel das noch nicht so sehr auf. Als sie schließlich fort waren, stellten ein paar Dorfleute stirnrunzelnd die Frage, warum? Weil der Pfarrer den Turm vergittern ließ, war die Antwort. Doch als zur selben Zeit eine besondere Dohlenkolonie erlosch, die nichts mit der Kirche zu tun hatte, wurde ich stutzig. Diese Kolonie existierte seit langen Zeiten an einer Steilwand, die der Inn in einen Randhügel des Tales geschnitten hatte. Die dort anstehenden, aus der fernen Tertiärzeit stammenden, rund zehn Millionen Jahre alten Schotter trugen im oberen Teil ausgedehnte Bänder aus mit Ton durchsetztem Sand. Dort hinein, in wildromantischer Umgebung, hatten sich die Dohlen selbst Löcher gegraben und eine wohl jahrhunderte-alte Brutkolonie gebildet. Weil es sie schon so lange gab, hat-ten ihr die Anwohner der Umgebung einen eigenen Namen gegeben: Dachlwände. »Dachl«, das waren im Regional-dialekt des bayerischen Alpenvorlandes die Dohlen. Der Name rührt natürlich von den Dächern. An diesen Dachl-wänden, heute sind sie ohne Dohlen Naturschutzgebiet, ver-schwanden sie zur selben Zeit, als man sie aus den Kirch-türmen verbannte. Die Vergitterung allein war also mögli-cherweise gar nicht schuld. Mancher Kirchturm wurde auch wieder geöffnet, weil die Maßnahme angeblich vor allem gegen die Taubenplage gerichtet war. Die Dohlenbestände erholten sich jedoch nur unwesentlich.

Bauer & Berthold (1996) fassten kurz zusammen: »In vielen Bereichen Mitteleuropas (…) kam es zu teilweise drasti-schen Abnahmen, z.B. in Mecklenburg-Vorpommern in kaum zehn Jahren um ein Drittel oder ein Viertel der Bestän-de der 1970er Jahre, (…) in Tschechien schon seit den 1960er Jahren. (…) Dementsprechend sind auch die Winterbestän-de, z.B. in Südbayern und Baden-Württemberg, stark rück-läufig, ohne dass eine Verlagerung in andere Regionen erkennbar wäre.« Und weiter heißt es: »In jüngster Zeit ist in einigen stark betroffenen Regionen infolge von Hilfs- und

Schutzmaßnahmen eine Erholung oder leichte Bestands-
steigerung erkennbar.«

Die Vorgänge im niederbayerischen Inntal waren also kein
örtliches Ereignis, sondern Teil einer viel weiter reichenden
Entwicklung. Nähere Gründe, warum das geschah, wurden
nicht angegeben. Doch interessanterweise trafen die Rückgänge die Kirchturmdohlen der Dörfer in der Feldflur, nicht
aber jenen Teil des Gesamtbrutbestandes, der einzeln oder in
kleinen Gruppen in lichten Wäldern lebt. Dieser macht
ziemlich genau ein Drittel aus. Und an den Häufigkeiten dieser Dohlen änderte sich nichts. Die Kirchturmdohlen, auf
die 16 Prozent der Koloniestandorte, aber wegen der Größe
ihrer Kolonien mehr als die Hälfte des Gesamtbestandes entfiel, waren am stärksten betroffen. Sie suchen, wie in meinem
Heimatdorf, auf der Flur, die die Dörfer umgibt, nach Nahrung. Also sollte dort wohl der Schlüssel zum Verständnis der
Abnahme liegen.

Denn nun sind es bereits zwei Vogelarten, die heimische Dohle und die als Wintergast kommenden Saatkrähen und in ihrer
Begleitung ebenfalls die Dohlen, deren Bestände zur gleichen
Zeit so stark abgenommen hatten. Es musste sich um etwas
handeln, das beide mehr oder minder gleichermaßen traf und
das sich auch mit dem Schutz der Brutkolonien nicht allzu
sehr veränderte. Bei den Brutbeständen der heimischen Dohlen ließ sich Abschuss als Ursache ausschließen. Als weiterer
Gesichtspunkt kommt hinzu, dass die Winterbestände der
Saatkrähen und Dohlen sogar noch viel schneller und stärker
abgenommen hatten als die heimischen Brutbestände, trotz
Vergitterung der Kirchtürme. Immer mehr Möglichkeiten
schieden aus. Da brachte die Erinnerung eine weitere Vogelart
mit ins Spiel. Die Elster.

Elsternnester

Die großen Nester der Elstern waren so ziemlich die ersten Vogelnester, die ich als Kind bewusst zur Kenntnis nahm. Jeder im Dorf kannte diese Nester, auch wenn es in den Gärten keine gab. Die Elstern bauten ihre Nester in dichten Kronen höherer Bäume, nicht aber in die ganz großen. Am Rand des Auwaldes und am Fluss selbst, wo an den Dämmen höheres Gebüsch die Ufer säumte, waren sie am häufigsten zu sehen. Stets blieben die Nester außerhalb der Reichweite der Dorfjugend. Man hätte sie auch mit geschicktem Klettern kaum erreichen können.

Das Elsternnest ist ein großes, sehr sperriges Gebilde. Meistens wird es rundlich bis eiförmig gebaut. Es kann über einen halben Meter hoch sein. Der skandinavische Biologe Andre P. Möller untersuchte eines genau und fand, dass es aus 598 Zweigen erbaut worden war und 4,6 Kilogramm wog. Zur Fertigung eines derartigen, ziemlich normalen Elsternnestes wurde somit das über 20-Fache des Gewichtes einer Elster angeschleppt. Massive, aus unserer Sicht qualitativ bessere Nester, wie sie etwa Amseln und Singdrosseln bauen, wiegen proportional gesehen mit dem 10- bis 15-Fachen des Gewichts ihrer Erbauer auch nicht mehr. Elstern lassen sich vom Gewicht anscheinend nicht beeinflussen. Man hat Nester gefunden, in deren Massivboden Stahlspäne eingebaut waren, sodass ein Gewicht von acht Kilogramm zustande kam.

Das Nest der Elstern besteht aus dem eigentlichen, napfförmigen, mit Lehm verfestigten Nest und aus bis zu einem halben Meter langen Zweigen sowie dem »Dach«, das, kuppelförmig gewölbt, darüber gebaut wird. Dafür werden sogar 70 bis 80 Zentimeter lange und einen halben Zentimeter dicke Zweige verwendet. Mit solchen anzufliegen, bereitet den Elstern schon sichtlich Mühe. Das Dach schützt weder vor Regen, noch gibt es nennenswert Schatten. Vor Beginn der Eiablage bewacht ein Partner des Paares beständig das Nest. Also muss es mit der eigenartigen Konstruktion eine besondere Bewandtnis haben. Brüten Elstern in den Kolonien von Saatkrähen, fehlt das Dach. Die Saatkrähen tragen es einfach immer wieder ab und benutzen die Zweige für den eigenen Nestbau. Dennoch ergeht es den Elsternbruten in Saatkrähenkolonien nicht schlechter als in Einzelnestern. Vielleicht erzielen sie sogar einen im Durchschnitt höheren Bruterfolg. Denn die Elstern profitieren von der gemeinsamen Feindabwehr der Krähen. Eier und Junge sind in der Kolonie auch nicht in Gefahr, weil sich die Saatkrähen gegenseitig zwar Nistmaterial stehlen, nicht aber die Nester ausrauben, wenn sie Gelege und Nestlinge enthalten.

Bei den nicht durch Kolonien geschützten Elstern ist hingegen der Nestraub Hauptursache für Brutverluste und -ausfälle. Raben- und Nebelkrähen sind ihre bedeutendsten Nestfeinde. Die Dachkonstruktion hält diese einigermaßen ab. Die schlanken Elstern können durch kleinere Lücken hindurchschlüpfen. Oft verbauen sie auch Dornen oder Stacheln tragende Zweige. Diese wirken noch besser. Trotzdem fällt ein großer Teil der Brutversuche der Elstern den Nesträubern zum Opfer. Wo diese fehlen oder sehr selten sind, verzichten sie mitunter auf den aufwändigen Kuppelbau. Dann lassen sich ihre Nester kaum noch als Elsternnester erkennen.

Um das Erkennen geht es oft vorab schon ganz wesentlich. Im Winter finden wir die Nester von Elstern leicht. Man kann sie kartieren und zählen und so für ein größeres Gebiet eine Vorstellung gewinnen, wie häufig die Elster ist. Da bei Weitem nicht alle Nester aber auch zum Brüten verwendet werden, sondern vielfach nur sogenannte Spielnester sind, wird der Bestand durch reine Nesterzählungen jedoch ganz sicher zu hoch eingeschätzt. Spielnester sind wahrscheinlich auch kein »Spiel«, sondern überlebenswichtig. Sie täuschen Nestfeinde und mitunter wohl auch die arteigene Konkurrenz.

Elsternnester mögen »unordentlich« aussehen. Unser Eindruck hat aber wenig mit der Funktion der Nester zu tun. Ein im Winter, wenn die Laubbäume keine Blätter tragen, sehr auffälliges kugelförmiges Gebilde lässt sich zur Brutzeit der Elstern gar nicht immer so einfach eindeutig erkennen. Dann sieht es den überall dort, wo Elstern leben, oft recht häufigen kugelförmigen Mistelbüschen sehr ähnlich. Diese passen auch in der Größe! *Taphrina*-Pilze verursachen an Bäumen sogenannte Hexenbesen. Auch solche, die vor allem an älteren Laubbäumen auftreten, können den Elsternnestern durchaus gleichen. Zusammen mit den nicht bewohnten »Spielnestern« der Elstern ergibt das eine Vielzahl von Irrtumsmöglichkeiten für Nesträuber. Es ist zudem nicht einmal gesagt, dass die Elstern keine besseren Nester bauen könnten. Ihre Familienverwandten, die Japanischen Krähen, die später behandelt werden, bauen ganz besondere Nester aus einem höchst verwunderlichen Material. Noch mehr zeigen die zur weiteren Rabenvogelverwandtschaft gehörenden Laubenvögel mit Liebeslauben und Maibäumen, was in dieser Gruppierung von Vogelfamilien in dieser Hinsicht steckt.

Elsternnester sind vielleicht nicht schön, doch sehr funktionell: Manche Vögel können im Kronenbereich von Bäumen gute Nester, die Stürmen und Wetter trotzen, gar nicht bauen. Die Nester von Elstern und Krähen sind daher von Zweitnutzern »gesucht«. Zu diesen gehören vor allem Falken und Eulen. Die Waldohreule *Asio otus* bezieht vorwiegend Krähen- und Elsternnester, die an Waldrändern in Höhen von vier bis zehn Metern erbaut worden sind. Turmfalken *Falco tinnunculus* und die seltenen Baumfalken *Falco subbuteo*, in Südosteuropa auch die noch viel rareren Würgfalken *Falco cherrug* ziehen hohe, freier stehende Nester auf einzelnen Bäumen oder Baumgruppen vor.

Sie sind nicht einfach zu »faul« zum Nestbau, sondern praktisch unfähig dazu. Ihre stark gekrümmten Hakenschnäbel setzen zu knapp am Kopf an. Sie lassen keinen Spielraum für den gezielten Einbau von Zweigen, um ein stabiles Gebilde zu schaffen. Greifvögel mit etwas längerem Schnabel tun sich bereits sichtlich schwer, mitgebrachtes Baumaterial für ihre Horste passend unterzubringen. Jahrelang, mitunter jahrzehntelang benutzen sie dieselben Nester, die immer größer und massiger werden, bis sie von der Unterlage nicht mehr getragen werden können.

Die besonders kurzschnäbeligen und kurzgesichtigen Eulen brüten deshalb in Höhlen und Nischen, wo sie ihre Eier einfach auf dem Boden ablegen. Manchmal bilden die von den Jungen ausgewürgten Gewölle einen nestartigen Wall um die Brut, die den Eindruck eines Nestes vermittelt. Frei brütende, wie die schon angeführte Waldohreule, nutzen nach Möglichkeit verlassene Krähen- und Elsternnester. Oder sie brüten einfach direkt am Boden wie die Sumpfohreule *Asio flammeus* und in besonderen Mäusejahren die Waldohreule.

Diese Anmerkungen sind deswegen vonnöten, weil aus ihnen hervorgeht, dass die Nester von Elstern und Krähen für andere Vögel von großer Bedeutung sind. Die Bedeutung der Krähennester sollte deswegen auch in Hinblick auf die Bekämpfungsmaßnahmen entsprechend berücksichtigt werden.

Elsternleben

Mit ihrem langen, grünlich schimmernden Schwanz und der markanten Schwarz-Weiß-Zeichnung sind Elstern unverkennbar. Sie galten in meiner niederbayerischen Heimat bei den Bäuerinnen als Eier- und Kükenräuber. Die Jäger hatten sich darum zu kümmern, dass die Elstern nicht »überhand«-nahmen. Das taten Erstere in den 1950er- und 1960er-Jahren vornehmlich durch Ausschießen der Nester Letzterer während der Brutzeit. An Elstern mangelte es dennoch nie. Genügend Nester müssen unentdeckt geblieben sein. Die vier oder fünf erfolgreich ausfliegenden Jungen pro Brut glichen die Verluste durch die Bejagung aus. Es gab sogar viel mehr Elstern in jener Zeit als danach und gegenwärtig. Das konnte ich meinen Zählungen entnehmen, die ich seit den 1960er-Jahren vorgenommen hatte. Damals fand ich heraus, dass im Winter und noch im zeitigen Frühjahr die Elstern der Gegend wie die Krähen zu einem gemeinsamen Schlafplatz flogen. Dieser befand sich auf einer kleinen Insel mitten im Innstausee von Egglfing-Obernberg. Rundherum war offene Wasserfläche. Die von allen Richtungen, hauptsächlich direkt von den beiden Landseiten her anfliegenden Elstern ließen sich leicht zählen. Der Schlafplatzflug setzte zu Beginn der Dämmerung ein und war zu Ende, noch bevor es ganz dunkel geworden war.

In den späten 1960er-Jahren suchten regelmäßig über 100 Elstern diesen oder einen ähnlichen Schlafplatz ein Stück weiter flussaufwärts auf. Am 27. Januar 1972 zählte ich genau 140 Elstern, die zu diesem idealen Schlafplatz flogen. Im Januar 1973 waren es 120. Danach stürzte die Zahl regelrecht ab, ging auf nur noch wenige Individuen zurück, erholte sich von 1977 bis 1983 wieder auf zwischen 20 und 40 Elstern und dann war es zu Ende. Ein anderer Schlafplatz im Gebiet wurde nicht gefunden. Da nicht auszuschließen ist, dass es einen solchen doch gab, lässt sich lediglich ein Rückgang um etwa 80 Prozent zweifelsfrei feststellen. Mäck & Jürgens (1999) stellten für die Elster in Deutschland einen allgemein »drastischen Bestandsrückgang in der Feldflur« fest. Das scheint zunächst im Widerspruch zu Bezzel (2005) zu sein, der in *Brutvögel in*

Bayern schrieb: »Von 1975 bis 1999 sind keine allgemeinen Bestandsänderungen zu erkennen. Um 1980 lagen die Bestandsschätzungen nur geringfügig höher (nämlich 50 000 bis 80 000 Brutpaare) oder im Bereich der Spannweite von 1999 (20 000 bis 60 000).« Nun macht das allerdings schon einen großen Unterschied, wenn man die jeweiligen Mittelwerte zugrunde legt, nämlich rund 40 Prozent minus. Aber darum geht es bei so großen Unsicherheitsspannen der Mengen gar nicht. Entscheidender ist, dass sich die Elstern zunehmend in die Sicherheit des Siedlungsraumes, vor allem in die Städte, und an die Nahbereiche der Autobahnen verlagert haben.

Wer sich nicht mit allzu vielen »Zahlen« befassen möchte, kann nun die nachfolgenden Kalkulationen bis zum nächsten Abschnitt überspringen. Sie dienen der genaueren Begründung für die zu ziehenden Schlussfolgerungen. Eine solche ist bei der zwischen Landwirten, Jägern und Vogelschützern heftig umstrittenen Beurteilung der Elstern – und auch anderer Rabenvögel – vonnöten.

In der offenen Flur gab es den Bestandserhebungen der letzten Jahrzehnte zufolge nur noch 0,05 bis 0,07 Elstern-Brutpaare und in kleinteilig gegliederter Agrarlandschaft 0,1 bis 0,2 pro 100 Hektar. Dafür entwickelte sich der Bestand in den Siedlungsbereichen auf 2,3 bis drei und vielerorts in den Städten bis über zehn Nester pro 100 Hektar. So etwa in Bremen, Osnabrück, Köln, Berlin und Breslau oder in Stadtteilen von München. Im Vergleich zur Flur stieg die Häufigkeit der Elster im Siedlungsraum auf das Zehn- bis Hundertfache an. Da Städte, Dörfer und Industriegebiete gut zehn Prozent der Landesfläche in Mitteleuropa ausmachen, glichen die Elstern darin ihre Ausdünnung auf dem Land aus. Bei einem Flächenanteil von 55 Prozent, den Feld und Flur bei uns in Deutschland einnehmen, lässt sich leicht berechnen, um wie viel höher der Elsternbestand in Städten und anderen größeren Siedlungen werden müsste, um die Verluste auszugleichen. Gehen wir von 80 000 Brutpaaren in Bayern vor 1970, also vor Beginn des Bestandszusammenbruchs, und 80 Prozent Verlust als Folge davon aus, so wären nur noch knapp 9000 Brutpaare Elstern auf mehr als der Hälfte der bayerischen Landesfläche zu erwarten. Das ergibt genau die aus den umfangreichen Freilanduntersuchungen ermittelten durchschnittlichen 0,2 Brutpaare pro Quadratkilometer (100 Hektar). Gut 35 000 Brutpaare wären demnach über die erhöhte Siedlungsdichte zu ersetzen, hätte sich im Gesamtbestand nichts geändert. Bei zwei bis drei Nestern pro 100 Hektar in diesem Lebensraum würden sich Zugewinne von 15 000 bis 21 000 Brutpaaren ergeben. Damit ist der untere Wert, 20 000 Brutpaare, der Schätzung Bezzels (2005) in *Brutvögel in Bayern* realistischer als der obere (60 000). Denn aus Waldgebieten (33 Prozent Anteil an den Kartierungen) kommen noch ein paar Tausend hinzu.

Doch wie man die sehr groben Zahlen auch dreht und wendet, das entscheidende Ergebnis bleibt bestehen. Die Elstern haben das Land weitgehend verlassen und im Siedlungsbereich den Schwerpunkt ihrer Häufigkeit aufgebaut. Auch die Fortpflanzung fällt dort besser aus. Trotz ähnlich großem Bruterfolg pro Paar ergibt der viel größere Brutbestand der Städte natürlich mehr Nachwuchs. Siedlungselstern erzielten in Ulm 0,75 Junge pro Brutpaar, alle erfolglosen mit eingerechnet, Feldelstern kamen in der Umgebung mit 1,18 besser weg. Das weist darauf hin, dass der Bestand in der Stadt gesättigt ist und tatsächlich auch nicht mehr weiter anwächst.

Ähnliche Verlagerungen haben bei den Rabenkrähen stattgefunden. Darauf wird später näher eingegangen. Hier soll die Frage weiter verfolgt werden, was denn der Grund für diese starken Änderungen in Verteilung und Häufigkeit der Elstern gewesen ist. Denn 0,05 Brutpaare pro Quadratkilometer in der offenen Agrarlandschaft bedeuten, dass es praktisch keine Elstern mehr gibt, weil nur noch ein Paar auf 2000 Hektar Fläche brütet. Mehrere Jagdreviere zusammen hätten dann nur noch ein einziges Elsternpaar. Trotzdem werden aber allein in Bayern jährlich zwischen 15 000 und 30 000 Elstern abgeschossen. Die Feldelstern können eine solche Dezimierung absolut nicht überleben, wenn wahrscheinlich nur noch, wie oben ausgeführt, um die 9000 Brutpaare auf den bayerischen Fluren existieren. Nichtbrüter-Gruppen, die sich bei Elstern auch bilden, kommen kaum noch vor.

Dennoch kann der Abschuss nicht die alleinige Ursache für die Ausdünnung der Feldelster-Bestände gewesen sein. Denn diese waren trotz Bejagung bis in die frühen 1970er-Jahre ziemlich stabil geblieben. Am Zusammenbruch gegen Mitte der 1970er-Jahre war die Jagd zumindest in den Revieren im Einzugsbereich des geschilderten Schlafplatzes aller Wahrscheinlichkeit nach nicht beteiligt. Ich kannte die dortigen Jäger gut. An ihnen lag es nicht. Elstern schossen sie nur dann, wenn Klagen über Verluste an Hühnerküken an sie herangetragen wurden. Da dies oft vorsorglich geschah, hielten sich im unmittelbaren Dorfrandbereich keine Elstern. Sie lebten bevorzugt am Rand der Auen. Das zeigten die Schlafplatzzählungen. Unter den Elstern litten die Jagdstrecken an Fasanen und Hasen nicht. Bis Anfang der 1970er-Jahre fielen die herbstlichen Treibjagden sehr gut aus. Die Jäger klagten damals auch nicht über Elstern und Krähen. Doch so plötzlich, wie die Bestände der Elstern zusammenbrachen, ging es auch mit dem Fasan abwärts (siehe Abbildung auf S. 145). Über diesen Zusammenhang kommen wir dem eigentlichen Grund immer näher. Die Indizienkette beginnt sich zu schließen.

143

Die Mais-Connection

Anfang der 1970er-Jahre wurde der Anbau von Mais in Südostbayern großflächig eingeführt. Das niederbayerische Inntal wurde zum frühen Zentrum des Maisanbaus in Deutschland. Dort entstanden die größten zusammenhängigen Flächen, auf denen nur noch Mais angebaut wurde. Zwar kann man Vieles zusammenstellen, was scheinbar passt. Ein Zusammenhang ergibt sich daraus nicht. Sehen wir uns aber den außerordentlich gleichsinnigen Verlauf der Bestandsabnahme bei Fasan und Elster an, so wird klar, dass eine gemeinsame Ursache gegeben sein muss. Beide Vögel sind zu verschieden in ihrer Lebensweise und nicht näher miteinander verwandt. Auch die Dohlenbestände brachen in den frühen 1970er-Jahren zusammen. Die Winterschwärme der Saatkrähen und Dohlen aus dem Osten nahmen stark ab und blieben weithin aus. Welche Wirkung kommt für sie alle gemeinsam infrage? Lebensraumveränderung?

In der Regel ist damit Verschlechterung gemeint. Da passt die andere Niederwildart, der Feldhase, nicht dazu. Aus der Abbildung auf der nächsten Seite geht hervor, dass dessen Häufigkeit auf den Fluren, auf denen die so starken Rückgänge von Fasanen, Elstern und Dohlen festgestellt worden waren, stark schwankte, aber zusammen mit den Vogelarten keine Tendenz ergab. Die bloße Ausweitung der Maisanbaufläche hätte zudem langsamere Abnahmen verursachen müssen, wenn sich die Maisäcker für Fasane und Elstern nicht mehr eigneten. Es blieben auch Flächen übrig, die normalerweise von diesen Vögeln aufgesucht und genutzt werden. Die Hasen überlebten, weil sie solche Teile der Agrarlandschaft aufsuchten. Ihr Rückgang verlief viel langsamer und anhaltender als jener von Fasan und Krähenvögeln.

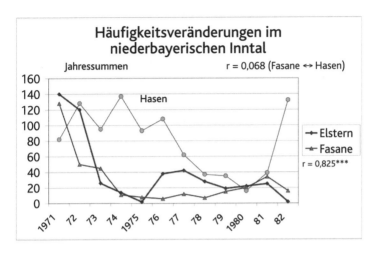

Die Ernährung gibt die Antwort. Der frostempfindliche Mais wird recht spät ausgesät; im niederbayerischen Inntal in den meisten Jahren erst Anfang Mai. Um den 10. Mai setzt die Keimung ein. Die Wochen von Anfang bis Mitte Mai bilden jedoch eine Schlüsselzeit für viele Tiere der Feldflur. Entweder sind schon erste Junge da oder sie kommen gerade oder die Brutzeit erreicht den Höhepunkt. Auf den offenen Fluren wird nach Nahrung gesucht. Maiskörner sind für Fasane wie für Krähen, Elstern und Dohlen höchst begehrtes und ergiebiges Futter. Hühnerfutter eben, das den Eidotter gelb macht. Doch der Mais, der verfüttert wird, ist anders als der ausgesäte. Dieser wird farblich »verfremdet«, sodass der recht offen ausgebrachte Mais nicht so auffällt, zudem vergällt und vergiftet. Vergällt gegen das Gefressenwerden durch die Feldhühner und die Krähen, Elstern etc. Vergiftet, um die Körner gegen Pilze zu schützen. Ein Schutzmittel gelangte in besonders großem Umfang zum Einsatz: Methylquecksilber.

Wenn nun plötzlich, das heißt nach wenigen Jahren der Umstellung, wo früher Wiesen, Weiden oder Wintergetreidefelder waren, nur noch Maisfelder vorhanden sind, auf denen zur kritischen Zeit sehr attraktive Körner ausgebracht werden, die man durch systematisches Absuchen dieser Flächen mühelos aufpicken kann, ist die tödliche Falle bereit.

Oft hörte ich in den Anfangsjahren des Maisanbaus mir gut bekannte Bauern klagen, dass die Vögel wieder so viel weggepickt hatten. Zu sehen war das alsbald nach dem Keimen des Maises. Am Rand des Auwaldes oder bei den wenigen Feldgehölzen, die seit der Flurbereinigung noch übrig geblieben waren, kamen kaum Jungpflanzen hoch. Fernab draußen auf der ganz offenen Flur standen die Zeilen in Reih und Glied. Doch die Verluste an die Vögel nahmen ab, so wie deren Bestände schwanden. Bald gab es keine Klagen mehr. Aber auch keine Lerchen, weil sie auf den riesigen Flächen nichts mehr für sich und für ihre Jungen fanden. Die Kiebitze verschwanden, die letzten Rebhühner auch.

Die Maisflur wurde zu einer Verödungszone. Je mehr sie sich ausdehnte, desto weniger Vögel und Schmetterlinge gab es. Und der Maisanbau griff um sich. Deutschlandweit stiegen die davon eingenommenen Flächen an, bis sie Ende der 1980er-Jahre in der alten Bundesrepublik Deutschland allmählich auf hohem Niveau verblieben. Über eine Million Hektar hatte die Gesamtfläche erreicht, davon 372 000 Hektar allein in Bayern und 11 600 Hektar im Landkreis Passau mit der Hälfte des niederbayerischen Inntals. Vier Landkreise in Niedersachsen und Westfalen erreichten mit über 9000 bis 11 200 Hektar ähnliche Größenordnungen. Dort bildete sich das flächengrößte Maisanbaugebiet heraus. An dritter Stelle folgte Baden-Württemberg mit dem Oberrheintal. Der Maisanbau erfasste weitere Teile von Mittel- und Westeuropa sowie Südost- und Osteuropa. In Rumänien nahm er über drei Millionen Hektar ein, im ehemaligen Jugoslawien 2,2 und in Ungarn 1,2 Millionen Hektar. Von den 4,3 Millionen Hektar, die 1988 in der Sowjetunion zum Maisanbau genutzt wurden, entfiel ein großer Teil auf die Ukraine. Die Ausweitung nach Norden und Westen aus den »klassischen Maisanbaugebieten« im Südosten Europas und in der Türkei erfolgte mit der Einführung neuer Hybridsorten, die mit dem kühleren Klima zurechtkommen.

Auf Millionen Hektar ist seither gebeiztes Saatgut ausgebracht worden. Dass dieses die Bestandsrückgänge und regionalen Zusammenbrüche von Fasanen, Elstern, Dohlen und Krähen bei uns in Mitteleuropa verursacht hat, ist nach der Indizienkette sehr wahrscheinlich (Abb.).

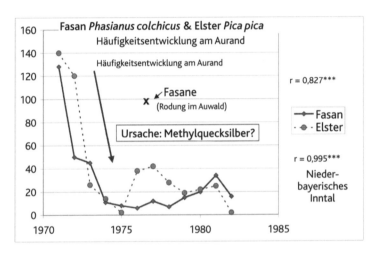

Hinweise darauf hatte es vereinzelt schon in den frühen 1990er-Jahren gegeben. In der umfangreichen Untersuchung zu den Krähenvögeln in Deutschland, die von Mack & Jürgens zusammengestellt und 1999 vom *Bundesamt für Naturschutz* veröffentlicht wurde, steht zu den Rückgangsursachen bei der Elster: »direkte Vergiftung der Nahrung durch chemische Behandlung von Saatgut«.

Merkwürdigerweise war jedoch in den Untersuchungen zur Schwermetallbelastung und der Brauchbarkeit der Elster für das sogenannte Bio-Monitoring, also die Registrierung von Änderungen in der Flur mithilfe von Daten, die von Elstern gewonnen werden können, das Quecksilber ausgenommen worden. Getestet wurde auf Blei, Cadmium und Kupfer. Für diese (Schwer-)Metalle sind keine belastenden Werte festgestellt worden, die auf negative Wirkungen auf die Elstern verwiesen hätten.

Wenn nun aber das behandelte Saatgut mit großer Wahrscheinlichkeit die Hauptursache für den Rückgang von Elstern und anderen Körner verzehrenden Vögeln in unserer Feldflur war, so sollte dasselbe für die Herkunftsgebiete der Winterkrähen gelten. Die Beizmittel wurden in Osteuropa wohl kaum vorsichtiger angewendet als bei uns, sobald sie zur Verfügung standen und sich ihr Einsatz rechnete. Beim Maisanbau ist dieser praktisch unverzichtbar, sonst würden kaum Körner zum Keimen und Aufwachsen kommen.

Elstern und Saatkrähen in Osteuropa

Als ich im November 1977 auf der Krim war, fiel mir die außerordentliche Häufigkeit der Elstern dort auf. Es gab sie überall. Elsternnester säumten auf den Bäumen die Straßen. Die Zählungen, die ich machen konnte, ergaben einen vielfach höheren Bestand als bei uns.

Damals lagen Erntemaschinen auf den Feldern fest, weil, wie man mir erklärte, der Treibstoff ausgegangen war. Weite Flächen von Weizen und Mais waren nicht geerntet worden. Für die Krähen und Elstern muss das paradiesisch gewesen sein. Wie mögen heute die Verhältnisse dort aussehen? In welchem Umfang werden Beizmittel und Methylquecksilber eingesetzt? Bringen die Saatkrähen deshalb dort kaum noch Junge hoch, weil die Nahrung, mit der sie ihre Jungen füttern, zu stark vergiftet ist? In den klein gewordenen Winterschwärmen gibt es fast nur Altvögel.

Aufschlussreich sind hierzu Untersuchungen aus Polen. Die Elstern kommen dort in den verschiedenen Landesteilen sehr unterschiedlich häufig vor. In den Städten gibt es sehr viel mehr Elstern als auf dem Land. Dasselbe gilt offenbar für die Ukraine, wie Mäck & Jürgens in ihrer Untersuchung von 1999 feststellten. Deshalb verglich ich meine Fernstreckenzählung in Bayern mit den Befunden aus Polen.

Die Ergebnisse stimmen sehr gut miteinander überein. Am häufigsten kamen die Elstern in den Städten vor, gefolgt von (größeren) Dörfern und vom »Bergland«, wo Ackerbau nicht mehr oder nur noch sporadisch betrieben wird und Dauergrünland vorherrscht. Flussniederungen mit Auen schneiden hingegen schlecht ab, obwohl sie früher, wie das meine Untersuchungen am unteren Inn aus den 1960er- und frühen 1970er-Jahren gezeigt hatten, dort besonders häufig gewesen waren. Mit Abstand am dünnsten besiedelt war in beiden Ländern die offene Flur. Da sich Polen und Südbayern klimatisch recht deutlich unterscheiden, ist anzunehmen, dass die Übereinstimmungen den Verhältnissen in der Landnutzung entsprechen. Damit zurück zu den Rabenkrähen.

Feldkrähen

Die Krähen und Elstern führen uns hinein in die Probleme der modernen Agrarlandschaft. Verbreitung, Häufigkeit und Bestandsänderungen dieser Vögel sind für die Jäger mindestens so aufschlussreich wie für die Naturschützer. Sie gehen uns alle an, weil wir von den Produkten der Fluren leben. Sehen wir uns daher die Rabenkrähen der Fluren noch einmal etwas genauer an. In Mitteleuropa sind sie flächendeckend verbreitet. Sie weisen keine so großen Lücken in den Vorkommen auf wie die weithin ganz fehlenden Elstern. Aus Zählungen auf längeren Fahrten »übers Land« zeichnet sich bereits ein grobes Bild ab: Auch die Krähen kommen in den verschiedenen Teilbereichen der Kulturlandschaft sehr ungleich verteilt vor (siehe untenstehende Abbildung). Die Häufigkeitsverhältnisse fallen ähnlich wie bei den Elstern aus. Stadtnah gibt es die meisten, stadtfern auf dem offenen Land die wenigsten Rabenkrähen.

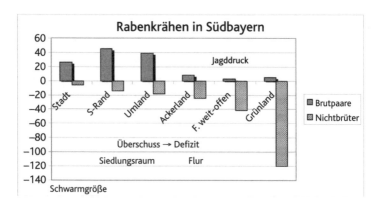

Nichtbrüter fallen in den Städten kaum, am Stadtrand nur stellenweise auf. Zum Umland hin werden sie häufiger. In Bereichen von Ackerland, insbesondere von weiten, offenen Fluren, und im Dauergrünland gibt es die meisten Nichtbrüter und die größten Schwärme (bis 140 in einem Nichtbrüterschwarm in den in der Abbildung zusammengefassten Untersuchungen in Südbayern). Der Befund fällt eindeutig aus: Wo Jagddruck herrscht, streifen die Nichtbrüter-Schwärme umher. Wo nicht gejagt wird, stellen sich stabile Revierverhältnisse ein. Das ist bereits ausgeführt worden. Hier geht es nun um das Verhalten der Rabenkrähen und die Folgen für die Entwicklung ihrer Bestände.

Der anhaltende Jagddruck konnte von den »Landkrähen« nach den großen landwirtschaftlichen Umstellungen auf den Fluren nicht mehr ertragen werden. Ihre Bestände waren zu klein geworden, um die hohen Verluste auszugleichen. Trotz guter Bruterfolge in Einzelfällen lohnte das Brüten jahrelang nicht mehr. Es ist besser für die Rabenkrähen, im Schwarm herumzustreifen. Dieser bietet Schutz, weil selbst bei erfolgreicher Jagd auf diese Krähen immer nur einzelne getroffen werden. Die anderen lernen Ort und Person zu meiden. Je mehr es werden, desto sicherer ist es im Schwarm. Die Abbildung auf Seite 150 zeigt diese Tendenz.

Auf der anderen Seite entwickelte sich ein produktiver Stadtbestand. Hier verhält es sich auf andere Weise ähnlich: Je größer die Stadt, desto sicherer sind Revier und Brut. Gefährlich wird es für die Krähen erst in den Randzonen, in denen sie die Bejagung wieder treffen kann. Im Siedlungsbereich erzeugen die Krähenbestände den Überschuss, der auf dem Land wieder weitgehend verbraucht wird. Die Städte sind ihre Hochburgen geworden. Am Stadtrand können sich die Elstern und stellenweise auch die Saatkrähen festsetzen. Beide brauchen mehr freien Boden für die Nahrungssuche als die Rabenkrähen. Wenn, wie in Bayern, Jahr für Jahr 40 000 von ihnen zum Zwecke der »Regulierung« abgeschossen werden, hält dieser Abschuss den Gesamtbestand geradezu hochproduktiv.
1978 veröffentliche der Münchner Vogelkundler Josef Koller ausführliche Untersuchungen zur Vogelwelt in der Umgebung von Dachau. Auf 75 Quadratkilometern brüteten nur 45 Rabenkrähenpaare, also 0,6 pro Quadratkilometer. Im Englischen Garten in München gab es damals schon 8,8 pro Quadratkilometer, also das 15-Fache. Von der gesamten bayerischen Jagdfläche wird pro Quadratkilometer jährlich etwa eine Rabenkrähe abgeschossen. Da nur 1,2 Rabenkrähen im

großen Durchschnitt darauf leben, die pro Saison ein Junges zum Ausfliegen bringen, bedeutet der Abschuss die Hälfte des Freilandbestandes. Das kann kein Wildtierbestand vertragen, weil Verluste aus natürlichen Ursachen hinzukommen. Als die Krähenhäufigkeit auf den Fluren vor den großen Veränderungen in den 1970er-Jahren noch vier- bis fünffach höher lag, spielte der Abschuss kaum eine Rolle. Dieselbe Vorgehensweise wirkt daher ganz anders, wenn sich die Lebensbedingungen inzwischen so grundlegend geändert haben. Das gilt für die Krähen wie für die Elstern. Diese mussten sogar noch mit den Feinden aus der Krähenwelt zusätzlich zu den Verfolgungen durch die Menschen zurechtkommen. Auch sie haben das geschafft!

Die Jäger kennen die Lage eigentlich gut vom Niedergang des Rebhuhns *Perdix perdix*. Da diese Feldhühner aber keine hochproduktiven, im ganzen Land verteilten Kernzonen wie die Krähen und Elstern mit den Städten haben, ließen sich ihre auf den Fluren weithin so stark geschrumpften Restbestände jagdlich auch nicht mehr nutzen. Die Hühnervögel sind ganz allgemein nicht clever genug für rasche Umstellungen in der Lebensweise, wenn sich die Bedingungen verändert haben. Die Krähenvögel können das bestens. Sie sind den Unbilden der Fluren und den Nachstellungen der Jäger weitgehend ausgewichen in die Sicherheit der Städte. Doch wie lebt es sich dort für sie? Stellen die Städte nur Rettungsinseln dar, oder sind sie mehr? Die »Stadtkrähen« geben vielfältige und erstaunliche Antworten darauf.

Stadtkrähen

Doch Huckebein verschleudert nur
Die schöne Gabe der Natur.

Großstadtrevier

Die Schwanzlose

Eine Rabenkrähe ohne Schwanz war die erste Stadtkrähe, die mein Interesse am Leben der Krähen in der Stadt weckte. Aus dem vierzigjährigen Provisorium im Nordflügel des Nymphenburger Schlosses konnte die Zoologische Staatssammlung 1985 endlich in einen ganz modernen, weitgehend in den Boden hinein versenkt angelegten Neubau umziehen. Die Magazine für die Sammlungen sind unterirdisch in zwei Stockwerken errichtet, unter denen sich noch ein weiteres für die Technik befindet, über die das Ganze versorgt wird. Die Magazine mit den Sammlungen werden genau reguliert temperatur- und feuchtigkeitskonstant gehalten. Darüber, auf dem sich kaum aus dem Boden heraushebenden, völlig flachen »Dach« wächst Gras. Schafe weideten jahrelang darauf. Die Arbeitsräume der Wissenschaftler und Techniker sind um Lichthöfe herum gruppiert. Einige der Zimmer haben sogar einen ganz guten Ausblick auf die benachbarten Häuser und Gärten des Wohnsiedlungsbereichs in München-Obermenzing, in dem sich die Anlage befindet. Mein Arbeitszimmer auf der obersten Etage bietet eine der besten Ausblicksmöglichkeiten. Und kaum waren wir eingezogen, war sie auch schon da. Mit bewundernswerter Eleganz landete sie auf den glatten runden Stangen der Schutzgitter, die verhindern sollen, dass jemand beim unvorsichtigen Gang über den Rasen auf dem Dach plötzlich zwei Stockwerke in die Tiefe stürzt. Direkt vor meinem Fenster ruderte sie vorüber, krächzte dabei und machte mich so auf sie aufmerksam: eine Rabenkrähe ohne Schwanz.

Sie flog wie ein »Nurflügel«. Praktisch genau entlang der Hinterkante ihrer völlig intakten Flügel schien der Körper abgeschnitten zu sein. Nicht ein bisschen Schwanzansatz war zu sehen. Als ich diese Krähe die ersten paar Male sah, nahm ich an, sie hätte eine sogenannte Schreckmauser gemacht und dabei das Schwanzgefieder komplett abgestoßen. Vielleicht hatte sie ein Habicht gegriffen und sie war ihm dadurch entgangen. »Schwanzlose« Vögel sieht man öfters. Handelt es sich um größere, wie Amseln oder Krähen, fallen sie leichter auf als Finken oder Meisen, die bei einer Schreckmauser ihr Schwanzgefieder dem verdutzten Feind zurückgelassen hatten. Es wächst wieder nach.

Bei dieser Rabenkrähe wuchs es aber nicht nach. Wir waren im Juni in den Neubau eingezogen. Der Sommer verging. Die Krähe blieb. Es wuchsen ihr keine Schwanzfedern. Sie flog munter umher, hatte offensichtlich einen Partner und das Gelände der Zoologischen Staatssammlung in München war ihr Revier. Dass sie dieses auch zu verteidigen bereit waren, stellten die beiden öfters unter Beweis. Dem Umzug der so umfangreichen Sammlung in diesen unterirdischen Bau waren natürlich Jahre reger Bautätigkeit vorausgegangen. Bagger hatten eine gewaltige Baugrube ausgehoben, dabei große Mengen Kies gefördert und mit einem Teil des Aushubmaterials einen kegelförmigen Hügel aufgeschüttet. Bepflanzungsmaßnahmen sollten die »Wunde« möglichst rasch beseitigen.

In einem Eck des großen Gartens war ein Wäldchen übrig geblieben. Es existiert immer noch, auch wenn einige der alten hohen Bäume aus Sicherheitsgründen gefällt werden mussten. Jüngere sind nachgewachsen. Am Fuß des Hügels wurde ein Teich angelegt. An den beiden Parkplätzen pflanzte man Ahorne. Sie sollten den Autos im Sommer etwas Schatten liefern, aber auch das allzu Hochmodern-Technische, wie etwa die Verkleidung der oberirdischen Gebäudeteile mit Titanblech, besser in die »Natur« einfügen. Solche ästhetischen Aspekte bewegten zwar die Menschen, nicht aber erkennbar die Vögel. Tiere wanderten auf das weitläufige Gelände ein und Pflanzen siedelten sich von selbst in großer Artenvielfalt an. Man konnte nur staunen, welchen Reichtum an Samen es im Boden gibt, so schnell keimte auf, was es vorher weit und breit nicht gegeben hatte. Dass Vögel und Insekten dank ihrer Flugfähigkeit zu den besonders schnellen Erstbesiedlern gehörten, verwunderte nicht. Was mich aber von Anfang an beeindruckte, das war die Sicherheit, mit der die meisten Vögel, allen voran aber die Krähen, die Menschen taxierten. Bei der früheren Unterbringung im Nymphenburger Schloss war mir dies nicht so aufgefallen. Im Park wimmelte es zwar fast immer vor Gänsen, Schwänen, Enten, Möwen und Tauben, weil die Vögel von Besuchern gefüttert wurden. Sicher waren auch Rabenkrähen dabei; im Winter auf jeden Fall Saatkrähen. Sie interessierten mich nicht, weil all diese Vögel einfach futterzahm geworden waren. Dabei richteten sie ihr Verhalten auf die Menschen aus. Dass sich auch daraus viel über Lebensweise und Intelligenz der verschiedenen Vogelarten entnehmen lässt, wenn man sich in die Rolle des geduldigen, möglichst unbeteiligten Beobachters begibt, war mir in dem Jahrzehnt meiner dortigen Tätigkeit nicht bewusst.

Mit der schwanzlosen Rabenkrähe auf dem neuen Gelände der Zoologischen Staatssammlung schlug mein Desinteresse rasch um zu Faszination. Allein schon, wie sie flog, beeindruckte mich. Als Ornithologe, der ich die Stelle als Konservator der Vogelsammlung bekommen hatte, war ich überzeugt davon, dass der Vogel die Schwanzfedern für einen normalen Flug unbedingt braucht. Das war mir so selbstverständlich erschienen, bevor ich die Schwanzlose erlebte,

Die schwanzlose Rabenkrähe und ihr Partner. Oft flog sie voran, trotz der fehlenden Steuerfedern.

dass ich, wie man so sagt, darauf gewettet hätte. Ich hätte eine derartige Wette glatt verloren. Die einzige Auffälligkeit, die diese Krähe im Flug zeigte, bestand darin, dass sie deutlich mehr »ruderte« als ihr Partner, wenn beide zusammen an meinem Fenster vorbei über den Innenhof flogen. Landeten sie auf dem Gestänge, neigte sich die Schwanzlose erkennbar mehr nach vorn als ihr Partner, kippte dabei aber nicht. Die Punktlandung am Boden klappte unterschiedslos. Nur ging sie dann aufrechter als eine normal gefiederte Krähe umher. Daran erkannte ich sie, wenn sie im entfernten Winkel des Geländes nach Nahrung suchte. Ziemlich sicher bin ich mir, dass sie ausgeprägtere Körperbewegungen machte, wenn sie angestrengt rief. Und das tat sie oft, denn die beiden mussten immer wieder fremde Krähen abwehren, die auf das Gelände wollten. So heftig, wie die Schwanzlose ihren Partner zum Angriff hetzte, schätzte ich sie als Weibchen ein. Da ich nie eine Paarung zu sehen bekam, kann ich es nicht sicher sagen, aber sehr wahrscheinlich war es so. Ihr Partner verhielt sich wie ein typisches Männchen.

Der Sommer war vergangen, der Herbst und die Hauptmauserzeit der Rabenkrähen waren gekommen und gleichfalls vorübergegangen. Es wuchsen ihr keine Schwanzfedern. Nachdem sie auch den (für mich) ersten Winter auf dem Gelände verbracht hatte und sich auch im Frühjahr nichts tat, war endgültig klar, dass diese Krähe keine Schwanzfedern ausbilden konnte. Was immer ich überlegte, es blieben nur zwei einigermaßen plausible Vermutungen, nämlich dass sie von Anfang an aufgrund eines genetischen Defekts kein Schwanzgefieder ausbilden konnte oder dass ihr dieses weggeschossen worden war, wobei ein Schrotkorn das gesamte Federbildungsgewebe am Körperende zerstört haben musste. Die übrigen Federn waren völlig normal entwickelt. Sie wurden auch wie bei Krähen üblich gemausert. Da ich eine ganze Reihe davon auf dem Gelände der Zoologischen Staatssammlung fand, konnte ich mich im Detail davon überzeugen, dass diese Federn in Ordnung waren. Die Schwanzlose hatte ihr übriges Fluggefieder offenbar gar nicht sonderlich abgenutzt.

Nun wurde es im Frühjahr aber in anderer Weise interessant. Die häufigen Auseinandersetzungen zeigten, dass andere Rabenkrähen an diesem Brutrevier interessiert waren. Sehr interessiert, denn fast täglich gab es Kämpfe. Rasch erkannte ich, dass es nicht die unmittelbaren Nachbarn dieses »unseres« Paares waren, mit denen sich die Schwanzlose und ihr Partner auseinandersetzen mussten, sondern Fremde. Diese flogen, nachdem sie von »unserem« Paar erfolgreich vertrieben worden waren, über die Nachbarreviere hinweg davon. Die Fremden erkannten die Behinderung eines der beiden Partner, schätzten dieses zweifellos als solches zu bezeichnende Handicap aber falsch ein und blieben erfolglos. Die beiden verteidigten ihr Revier.

Mehr noch: Sie brüteten erfolgreich! Im Sommer waren sie zu fünft; die Schwanzlose, ihr Partner und drei als solche leicht am Gefiederzustand und Bettelverhalten zu erkennende Jung-krähen. Von nun an wurde diese Krähe noch spannender. Sie überlebte nicht nur in der Stadt, sondern sie hatte es sogar zu einer erfolgreichen Brut gebracht. Würde es weiter klappen? Werden die beiden das sichtlich besonders attraktive Revier halten können? Die Fläche bietet mit dem Wäldchen, dem Hügel, der über die Dächer der Umgebung hinaus Ausblick bietet, dem Teich und den wenig gepflegten Rasenflächen allein schon eine fast ideale Kombination von Teilen eines Krähen-Lebensraumes. Dass Menschen auf der Oberfläche nur wenig zugange und nicht nur den Krähen, sondern den Tieren ganz allgemein sehr zugetan sind, mag die Revierqualität noch weiter gesteigert haben. Jedenfalls zeigten die vielen Streitigkeiten ganz unabhängig von meiner Beurteilung, dass es sich um ein höchst begehrtes Krähenrevier handelte.

Den Ort des Nestes fand ich nun auch auf einer hohen Fich-te, die aus dem kleinen Waldrest auf dem Institutsgelände her-ausragte. Von dort aus hatte das Krähenpaar sicher einen per-fekten Rundum-Ausblick. Im Frühjahr bezog einer von bei-den häufig den Wachtposten auf der Spitze des dreieckig aus dem Boden aufragenden Hörsaalgebäudes an der Zoologi-schen Staatssammlung. Dort zu landen, war für die Schwanz-lose kein Problem. Im dritten Sommer nach dem Einzug in das neue Gebäude klappte es offenbar nicht mit einer er-folgreichen Brut, denn das Paar war immer allein auf dem Institutsgelände. Im Jahr darauf zog es zwei Junge groß, dann wieder drei. Nach sieben Jahren sah ich die Schwanzlose zum letzten Mal. Sie hatte in dieser Zeit, das letzte Jahr mit ein-geschlossen, zweimal erfolglos gebrütet und insgesamt 14 Jun-ge erzielt. Mit zwei Jungen pro Brut und 2,8 Jungen pro erfolg-reicher Brut lag sie, verglichen mit anderen Krähenpaaren, sehr gut. Rechnen wir 60 Prozent Verlust der flüggen Jungen nach dem ersten Winter, erzielte sie in ihrer Lebenszeit wahrscheinlich wenigstens acht überlebende Junge. Oder mehr, denn wie alt sie war, als ich sie 1985 zum ersten Mal sah, ließ sich nicht feststellen. Da ihr Revier fest etabliert war, kann es also durchaus sein, dass sie zehn Jahre alt geworden war.

Beides ist erstaunlich, die Fähigkeit, mit dem Handicap des völlig fehlenden Schwanzes so gut zu überleben, und die lange Lebensdauer, die so viel Nachwuchs ergeben hatte. Erinnern wir uns: Draußen auf der offenen Feldflur erzielen die Krähen nur etwa 0,7 Junge pro Brut. Selbst wenn sie, wie die Schwanzlose, sieben Brutjahre lebten, hätten sie nur fünf Junge zustande gebracht. Das schaffte die Schwanzlose in der Stadt mit zwei Bruten. Allerdings bei den letzten beiden Bruten mit Beteiligung eines »Helfers«.

Erfolgreich als Trio

In den 1980er-Jahren kam die Zuwanderung von Krähen und Elstern in die Städte richtig in Schwung. Die Rabenkrähen brüteten nun nicht mehr nur in den großen Parkanlagen, sondern auch in den Wohnsiedlungsgebieten. In der Umgebung der Zoologischen Staatssammlung in München konnte ich direkt mitverfolgen, wie der Brutbestand zunahm und wie die Brutreviere der Krähen immer kleiner wurden. Das ging in manchen Jahren schneller, offenbar weil besonders gute Brutergebnisse die Bestandszunahme verstärkten, in anderen kaum merklich oder es wurden Reviere aufgegeben.

Nicht alle Jahre sind gleich günstig; auch nicht in der Stadt mit ihren abgepufferten Lebensverhältnissen. Es überlagerten sich sogar zwei Entwicklungen. Die eine, die geschilderte Zunahme der Bestandsdichte durch die Gründung neuer Krähenreviere, und die andere, von der ein Schwinden der bevorzugten Nahrung in der Stadt ausging. Das war die zunehmend bessere Entsorgung der Abfälle. Offene Mülldeponien, von denen Krähen und andere Vögel wie auch Ratten und Mäuse so sehr profitiert hatten, verschwanden. Mir scheint, dass nach und nach auch weniger Essensreste auf den Straßen und in den Anlagen einfach weggeworfen wurden. Oben geschlossene Abfallbehälter mit nur seitlichem, breit schlitzartigem Einwurf erschwerten den tierischen Müllentsorgern den Zugriff. Die Verminderung der Taubenfütterungen mag auch dazu beigetragen haben, dass die Krähen nicht mehr so leicht an für sie ergiebiges Futter herankommen konnten. Auf jeden Fall wirkte sich der Trend zur »Blumenwiese« aus. Die nicht als Liegewiesen vorgesehenen Wiesenflächen sollten nicht mehr regelmäßig gemäht und im kurz geschorenen Zustand des »Englischen Rasens« gehalten werden, sondern bunte Blumen tragen.

Das gefällt vielen Menschen, manchem Allergiker dagegen gar nicht. Denn mit den Blumen wachsen auch die Gräser voll auf. Sie kommen zum Blühen. »Englischer Rasen« streut keinen Gräserpollen aus. Auch den Krähen und vielen anderen Vögeln nützt er, weil sie auf den kurzrasigen Wiesen viel einfacher und ergiebiger nach Nahrung suchen können als auf den blühenden Blumenwiesen, auf denen das Gras kniehoch steht. Diese Feststellung soll nicht als Wertung für oder gegen Blumen und Schmetterlinge (und weniger Pflegekosten für die Parkanlagen) oder Vögel und künstlicher aussehende Parkflächen missverstanden werden. Es handelt sich einfach um eine Feststellung.

Jedenfalls stieg in dieser Situation in den 1990er-Jahren (in München) der Druck auf die Besitzer guter Krähen-Brutreviere ganz enorm. Die Revierkrähen sahen sich immer häufigeren Angriffen durch Revierlose ausgesetzt. So auch unsere Schwanzlose. Oftmals wirbelten in den letzten Jahren ihrer Existenz bis zu zehn Rabenkrähen über den Innenhöfen der

Zoologischen Staatssammlung mit lautem, hörbar bösem Gekrächze umher. Wer zu wem gehörte, ließ sich nicht ausmachen. Jedenfalls wirkte die Schwanzlose jedes Mal sehr gestresst. Dass sie dennoch zu erfolgreichen Bruten kam, verdankte sie einem Helfer, der sich ihr anschloss. Anfangs war nur zu sehen, dass dem nach Nahrung suchenden Paar in einiger Entfernung, meistens so zwischen fünf und zehn Meter, eine dritte Rabenkrähe folgte. Diese suchte zwar auch für sich herum auf der Wiese über der Bibliothek oder neben den Parkplätzen, aber wenn sich das Paar zu weit entfernte oder abflog, flog die Dritte hinterher. Die Schwanzlose zeigte wenig Reaktion auf diese Annäherung durch einen weiteren Artgenossen, aber ihr Männchen machte jedes Mal mit gesträubtem Gefieder einen drohenden dicken Kopf. Nach und nach nahm auch diese Drohung ab.

Der dritte Vogel wurde zu einem Dritten im Bunde. Aus dem Paar war ein Trio geworden. Zu zweit stürzten sich fortan das Männchen und der dritte Vogel auf jeden schwarzen Eindringling. Die Schwanzlose musste sich kaum noch beteiligen. Mitunter hatte ich, wenn ich ihnen zuschaute, den Eindruck, dass sie gleichsam Regie führte. Das ließ mich wieder an meiner Einstufung zweifeln, dass die Schwanzlose ein Weibchen war. Aber es war wohl doch so. Ihre beiden Partner reichten einfach aus, um Eindringlinge zu bekämpfen. Beide wurden ohnehin von den Reviernachbarn respektiert. Und als ich bei diesen nachschaute, stellte ich fest, dass sich auch dort in den meisten Revieren ein dritter Vogel dem Paar zugesellt hatte. Nur drei von elf Rabenkrähen-Brutpaaren, die ich im Stadtteil Obermenzing genauer beobachtete, bestanden noch aus dem Paar allein. Die acht anderen hatte ein Trio mit einem Bruthelfer gebildet. Offenbar lohnte der Dritte, denn in den Jahren 2003 und 2006 erzielten diese Paare im Durchschnitt 2,5 flügge Junge, die allein gebliebenen aber nur 1,3. Da im Spätsommer die Paare mit ihren flüggen Jungen oft auch auf den Wegen oder auf offenen Plätzen in ihren Brutrevieren unterwegs sind, lässt sich der Bruterfolg recht einfach sehen.

Inzwischen – seit wann, das ist die Frage – hat die Triobildung auch andere Krähenvorkommen erfasst. Beim Versuch einer genaueren Zählung stellte ich auf einer Bahnfahrt von München über Freising und Landshut nach Regensburg tagsüber bei sehr guten Sichtverhältnissen fest, dass im Münchner Stadtgebiet (bis zum Stadtrand) 46 Prozent der Rabenkrähenpaare Trios waren, im Bereich von Freising 20 Prozent und am Südrand von Regensburg ebenfalls 20 Prozent. Dazwischen sah ich auf der ganzen Strecke nur Paare oder Nichtbrütergruppen, wobei die Häufigkeit der Krähen auf den Fluren im Vergleich zu München auf nur 15 bis knapp 20 Prozent zurückging.

Die Bildung von Trios war also eine Reaktion auf die hohe Siedlungsdichte der Krähen in der Stadt. Der dritte Vogel schützt als Helfer das Paar auf jeden Fall vor den Angriffen durch Artgenossen. Inwieweit dieser auch direkt bei der Fütterung der Jungen mitwirkt, konnte ich nicht sehen, da für meine Augen die Krähen einfach nicht unterschiedlich genug aussehen und sie nicht entsprechend beringt werden konnten. Aus anderen Untersuchungen lässt sich ableiten, dass es sich bei den Helfern meistens um ein junges Männchen aus der vorausgegangenen Brut handelt. Wenn dieses bei der Aufzucht von Geschwistern einer Nachfolgegeneration mithilft, würde dies Verhältnissen entsprechen, wie sie auch bei zahlreichen anderen Vogelarten festgestellt worden sind. Doch anders als bei Bienenfressern in Afrika könnte hier direkt an heimischen Krähen geforscht werden. Bekanntlich reizt das Exotische immer stärker als das Vertraute und vermeintlich längst Bekannte.

Die Attraktivität der Städte

Nahrung der Stadtkrähen

Wir verstehen nun im Großen und Ganzen, warum die Städte für die Krähen so attraktiv sind. Sie bieten dreierlei in günstiger Kombination: weitgehenden Schutz vor Verfolgung, strukturreiches, vielfältiges Gelände mit guten Brutmöglichkeiten und Nahrung. Wie ich eingangs bereits betonte, brauchen die Rabenkrähen eine unserer Nahrung recht ähnliche Zusammensetzung, während die Saatkrähen und die Dohlen einen erheblich größeren Anteil an Pflanzenkost verzehren. Dass auch diese »ergiebig« sein muss, ist ebenfalls bereits hervorgehoben worden. Keimendes Getreide entspricht in etwa Sojasprossen, Maiskörner dem Speisemais und Popcorn. Obst ist bei Krähen schon weniger begehrt als etwa bei Star, Amsel und Drossel. Wichtig sind in allen Fällen Insekten bei der Versorgung der Jungen. Brot aus wohl gemeinter Fütterung kann Insekten nicht ersetzen, weil es viel zu wenig Proteine enthält; Weißbrot schon gar nicht. Wurst- und andere fleischhaltige Essensreste oder Käse waren bei den Krähen auf den Müllkippen und aus den Abfallkörben sehr begehrt. Die Schließung der Müllkippen verschlechterte daher die Ernährungsverhältnisse für die Stadtkrähen insbesondere im Winter, wenn sich auch territoriale Brutvögel zu herumstreifenden Gruppen zusammenschließen. Die Krähen sollten daher in den Städten eigentlich wieder seltener geworden sein. Das ist in Bezug auf die Winterkrähen und Dohlen auch der Fall. Wie schon ausgeführt, gab es bis in die 1970er-Jahre viel mehr der »schwarzen Gesellen« in den Städten als gegenwärtig. Dass sich beinahe kolonieartig dichtes Brüten von Raben- und Nebelkrähen in großen innerstädtischen Parkanlagen halten konnte, liegt wohl daran, dass es dort immer noch viel Essensabfall von Menschen gibt.

Aber grundsätzlich gilt, dass die erreichbare Nahrungsmenge die Bestandsgröße bestimmt. Der starke Rückgang der Krähen an den modernen, ordentlich bewirtschafteten Mülldeponien zeigt das im früheren Überflussbereich ebenso deutlich wie die heutige Seltenheit der Krähenvögel in der offenen Flur, wo es weithin nicht Verwertbares mehr für sie gibt. Kein Jäger könnte seinen Krähenbestand schützen und zum Anwachsen bringen, wenn diesem die Nahrungsgrundlage fehlt. Das gilt für Rebhühner und Hasen wie für Fasane und Krähen und für alle anderen Bewohner der Fluren. Wo die Maiswüste dominiert oder einförmigste Rübenäcker sich bis zum Horizont ausdehnen, geht es dem Wild schlecht und den nicht dazu gehörenden Tieren und Pflanzen auch. Es nützt den Tieren auch wenig, intelligent zu sein, wenn die Suche nichts mehr einbringt. Kann man vielleicht den Rebhühnern und Fasanen mit Winterfütterungen, die weit bis ins Frühjahr hinein mit Futter beschickt werden, über die knappsten Monate helfen, so hilft all die Hilfe nichts, wenn es dann zur Zeit von Jungenführung und -aufzucht an dafür geeigneter Nahrung fehlt. Ob direkte Vergiftung oder einfach Mangel, der Rückgang der Feldkrähen drückt leichter sichtbar als der der Feldhühner aus, wie sich die Lage in der Flur entwickelt hat.

Allein schon deswegen sollten es uns die Krähen und Elstern wert sein, landauf, landab leben zu können. Sie zeigen mit ihren Vorkommen und ihren Häufigkeiten eine reichhaltige oder eine verarmte Flur an. Wie in den Städten auch. Nur verweisen sie dort mit ihrer hohen Häufigkeit eher indirekt auf den Reichtum an Vögeln, Schmetterlingen und anderen Tieren. Und damit sind wir bei der Frage angelangt, ob denn nicht die Zunahme der Krähenvögel in den Städten die dortigen Singvögel geschädigt hat.

Krähen und Singvögel

Der Streit ist alt und heftig. Die Positionen gehen weit auseinander. Die Meinungen liegen fest. Sie lassen wenig Raum für Kompromisse. Krähen und Elstern holen regelmäßig Eier und Jungvögel aus den Nestern der Singvögel oder fangen und fressen frisch ausgeflogene Junge, die sich nicht schnell genug ins schützende Dickicht retten können. Zu sehen bekommt man den »Singvogelmord« in der Stadt viel häufiger als in Wald und Flur. Weil draußen die Tiere, zumal die bejagten Arten, scheu sind. Wer im Vorgarten sieht, wie eine Krähe oder Elster einen hilflosen Jungvogel packt und in schnabelgerechte Stücke zerreißt, möchte am liebsten der kleinen, hilflosen Kreatur zu Hilfe eilen. Meistens ist das längst zu spät. Der Jungvogel ist ohnehin schon tot. Da hat man sich also die Mühe gemacht und die Vögel im Winter gefüttert, im Garten Dickichte geschaffen, in denen sie nisten können oder für die Höhlenbrüter Nistkästen aufgehängt. Und nun kommen diese schwarzen oder schwarzweißen Mörder und machen mit ihrer Gier den ganzen, so gut gemeinten Vogelschutz zunichte. Kreischt eine Amsel in Todesangst auf, weil sie der Sperber gepackt hat, sind unsere Emotionen gleichfalls auf ihrer Seite. Als »größter Feind der Singvögel« wurde der Sperber noch bis vor wenigen Jahrzehnten gnadenlos verfolgt. Jetzt genießt auch er den Schutz des Gesetzes wie die Rabenvögel.

Am »Singvogelmord« im Garten sind jedoch nicht nur Krähen, Elstern und Sperber beteiligt, sondern auch frei laufende Hauskatzen. Diese stehen nicht einmal unter Naturschutz. Es schützt sie nur das Gewohnheitsrecht, dass Katzen auch in fremden Gärten frei herumlaufen dürfen, Hunde aber nicht. Hunde mögen meistens weder Katzen noch Krähen. Hundebesitzer schließen sich der Meinung ihrer Hunde in der Regel an. Singvögel fangen Hunde so gut wie nie. Das schafft klare Fronten. Andererseits sind Kleingärtner schlecht auf Amsel & Co zu sprechen. Sie halten Katzen für gänzlich harmlos, weil sie nicht von Pflanzen leben, lasten aber Krähen das unerwünschte Herumstochern in gepflegten Beeten an. Wer wie urteilt, hängt von der Interessenlage ab. Verurteilt wird die »Tat« als solche, insbesondere wenn die Täter auf frischer Tat ertappt werden, und nicht ihre Auswirkung. Doch das macht einen grundlegenden Unterschied.

»Ein einziger Vogel vernichtet im Laufe seines Lebens Tausende von Eiern, Jungen oder Erwachsenen von solchen Arten, die selten und geschützt sind.«

Welcher Vogel ist damit gemeint? In einem Buch, das von Krähen handelt, scheint die Antwort klar. Nesträuber wie die Krähen und Elstern. Doch entnommen ist das Zitat in verkürzter Form einer Abhandlung zum Schutz von Schmetterlingen. Gemeint waren Meisen und andere von Insekten lebende Singvögel! Die »Tausende« könnten stutzig machen. So eine Größenordnung ist für Krähen oder Elstern sicherlich übertrieben, zumal es Singvogelgelege nur in einem vergleichsweise kurzen Teil des Jahres gibt. Es geht also nicht nur um Einseitigkeit bei der Beurteilung der Krähenvögel als Singvogelfeinde, sondern auch um die Wahl des Blickwinkels. Für Singvogelschützer sind Singvögel das Hauptziel. Insekten, gleichgültig, um welche es sich handelt, haben ihnen als Nahrungsgrundlage zu dienen. Für Greifvögel, wie Sperber, Habichte und manche Falken, sind aber Singvögel die Nahrungsgrundlage; für die netten Häschen sind es die (seltenen) Kräuterlein und für so manche hochgradig spezialisierte, höchst seltene und in den Roten Listen stehende Insektenart eine rare, geschützte Pflanze. Das gilt alles in der Stadt ganz genau so wie auf dem Land, denn bei beiden handelt es sich um Kulturlandschaften und nicht um unberührte Wildnis, die aus sich selbst lebt.

Versuchen wir daher, uns vom unmittelbaren Vorgang des Fressens und Gefressenwerdens zu distanzieren. Wir werden darauf zwangsläufig emotional reagieren und Tiere, die andere töten, weil das so ihre Lebensweise ist, als Raubtiere einstufen, Vertilger von Insekten aber für »nützlich« halten und wer von Gras lebt als »friedlich« empfinden. Fragen wir besser nach den Folgen. Welche Wirkung haben die Verluste an Gelegen und Jungen für Überleben und Bestandsentwicklung der Singvögel? Genau diese Frage stand im Zentrum des Großversuchs im Saarland: Was bringt die umfassende Bekämpfung von Beutegreifern für das (nutzbare) Niederwild und für die Singvögel? Das Ergebnis nach sechs Jahren war eindeutig. Der Massenabschuss, wenn er überhaupt etwas bewirkte, steigerte eher die Verluste an Niederwild und Jungvögeln, als er sie senkte. Auf jeden Fall blieb der Bestand an Rabenkrähen hochproduktiv. Genau das ergaben auch die langjährigen Streckenzählungen von Rabenkrähen entlang der Bundesstraße zwölf von München in Richtung Passau über eine Distanz von 150 Kilometern. Zehntausende abgeschossener Rabenkrähen bewirkten in 15 Jahren keine erkennbare Änderung der Krähenhäufigkeit. Die Gründe sind oben dargelegt worden.

Umgekehrt nahmen die Singvögel in München und in anderen Städten, in denen das näher untersucht wurde, keineswegs ab, als die Krähen häufiger wurden und die Elstern einwanderten. In Osnabrück hat das der Ornithologe G. Kooiker über viele Jahre ausführlich erforscht. Der Elsternbestand nahm von 60 Paaren im Jahre 1984 auf 230 in 1993 zu. In diesen zehn

Jahren stieg der Brutbestand an Ringeltauben auf rund das Doppelte. Der Bestand an Kleinvögeln blieb bei Andeutung einer leicht steigenden Tendenz unverändert. Viele weitere, im Ergebnis ganz ähnliche Befunde gibt es in der vogelkundlichen und wildbiologischen Fachliteratur. Der Nachweis einer nachhaltigen Schädigung der Singvogelbestände durch Krähen und Elstern hat sich nicht erbringen lassen.

Im Großversuch des Totalabschusses aller »Beutegreifer« im nördlichen Saarland blieb die Singvogelfrage zwar mangels ausreichender Befunde unbeantwortet. Klare Vorteile für die Singvögel hatte er jedenfalls nicht gebracht. Aber wo die Krähen- und Elsternhäufigkeit um so vieles höher ist als auf dem Land, könnten in der Tat andere Verhältnisse herrschen. Das Ausnehmen von Nestern und der Verzehr von Jungvögeln durch Krähen und Elstern wird deswegen so oft gesehen, weil diese in den Städten so häufig sind. »So häufig« heißt aber nicht zu häufig! Wir müssen die Größe der Krähen- und Elsternbestände der Häufigkeit der Singvögel gegenüberstellen. Diese liegt in den Städten weitaus höher als draußen auf dem Land. Aus Stadtparks und großen innerstädtischen Friedhöfen sind sogar die höchsten Siedlungsdichten von Singvögeln überhaupt gemeldet worden. Über 1500 Brutpaare pro Quadratkilometer können das sein. Diese Menge übertrifft die Häufigkeit von Singvögeln in den tropischen Regenwäldern um das Drei- bis Fünffache. Sie liegt um das Fünfzigfache höher als in der offenen Feldflur Mitteleuropas!

Bei dieser Häufigkeit der Singvögel in den Städten ist von vornherein gar nicht anzunehmen, dass der Druck der Krähenvögel auf die Kleinvögel größer als draußen sein könnte. Auf das Verhältnis kommt es an und nicht auf die absolute Bestandsgröße einer der beiden Seiten. Dasselbe gilt auch für die Hauskatzen. Wenn sie in den Dörfern fünf- bis zehnmal häufiger als Wildkatzen im Wald sind, aber auch zehnmal mehr Kleinvögel pro Quadratkilometer im Dorf als im Forst nisten, erbeuten sie auf jeden Fall viel weniger Vögel als ihre besonders geschützten, wildlebenden Verwandten. Wildkatzen müssen von selbst gefangener Beute leben. Die Hauskatzen in der Regel nicht. Dennoch ist auch dort, wo Wildkatzen vorkommen, nicht mit einer Beeinträchtigung der Singvögel zu rechnen. Nirgendwo sind Befunde ermittelt worden, die einen negativen Einfluss von Wildkatzen auf die Vögel denkbar erscheinen lassen, geschweige denn nachweisen.

Genauso verhält es sich mit den Krähen und Elstern in der Stadt. Den Beständen ihrer Beutetiere schaden die von ihnen verursachten Verluste nicht. Amseln gäbe es zu viele, meinen viele Kleingärtner. Meisen haben Wohnungsnot, so die Vogelschützer und steigern durch Aufhängen von Nistkästen die Häufigkeit dieser Vögel. Freibrüter, wie Finken und Grasmücken, brauchen dichtes Gebüsch für die Anlage ihrer Nester. Manch unnatürliche, durch häufigen Schnitt sehr dicht gewordene Hecke erfüllt diese Forderung besser als sich frei entfaltende heimische Wildsträucher.

Entscheidend ist bei der Beurteilung all dieser Maßnahmen und der Erwägung eventueller Gegenmaßnahmen die Betrachtung der Bestände und ihrer Produktivität. Das Einzelschicksal, so traurig oder so erfreulich es aus unserer Sicht sein mag, besagt zu wenig. Die erfolgreiche Rotkehlchenbrut im Garten kann für den Bestand bedeutungslos bleiben, wenn die flügge gewordenen Jungen hierbleiben und den Winter nicht überstehen oder auf dem Zug in den Mittelmeerraum ums Leben gekommen sind. Überleben ist mehr als leben. Das machen wir Menschen uns allzu selten bewusst, weil wir am eigenen Leben hängen und die Individualität so hoch schätzen. Gegenwärtig beklagen wir die Überalterung unserer Gesellschaft. Die Folgen für die Rentensicherheit und die sich daraus ergebenden Lasten für die der Zahl nach zu wenige gewordenen Jugendlichen beschäftigen die Politik. Die Ursache ist hingegen völlig klar: Wir haben nun schon seit Jahrzehnten zu wenig Nachwuchs. Als die Kindersterblichkeit noch hoch lag und Seuchen und Kriege immer wieder die menschlichen Bevölkerungen dezimierten, wuchs sie an. Jetzt schrumpft sie, obwohl diese Verlustursachen für unser Volk wie für fast alle Europäer weitestgehend beseitigt sind. Mit unserem so gepriesenen Verstand waren wir offensichtlich nicht in der Lage, rechtzeitig die richtigen Schlussfolgerungen zu ziehen. Um wie viel schwerer ist es, aus wenigen und zufälligen Einblicken in das Geschehen der Bestandsentwicklung von Tieren in der Natur, die uns umgibt, die richtigen Deutungen zu gewinnen.

Halten wir uns daher an die Ergebnisse. In den Städten hat die Häufigkeit der Singvögel noch viel stärker zugenommen als jene der Krähen und Elstern. In einem Stadtgebiet wie in München-Obermenzing und Pasing gibt es rund achtmal so viele Singvögel pro Quadratkilometer wie im *Naturschutzgebiet Isarauen* südlich von München. Reviere von Rabenkrähen decken das Stadtgebiet praktisch vollständig ab. Elstern kommen als Brutvögel vor und in den letzten Jahren haben sich auch Eichelhäher angesiedelt. Draußen im Isar-Naturschutzgebiet sind die Krähen und Elstern viel seltener, aber ein Kolkrabenpaar hat dort sein ausgedehntes Revier. An den Häufigkeiten der Singvögel ließen sich keine Änderungen feststellen. Rabenkrähen und Elstern müssen also in Bezug auf ihre Schädlichkeit für die Singvögel frei gesprochen werden. Die Verluste, die auf das Konto dieser »Nesträuber« gehen, bewegen sich innerhalb der natürlichen Ausfälle. Sie kommen nicht zu diesen dazu! Das ist der entscheidende Punkt. Nur wenn sie zusätzliche Verluste verursachen würden, wirkte sich das auf die Entwicklung des davon betroffenen Bestandes negativ aus. Ein treffendes Beispiel hierfür liefert die fortgesetzt intensive Bejagung der Elster auf dem Land. Der Abschuss dezimierte die ohnehin durch die ungünstigen Veränderungen in der Landwirtschaft betroffenen Elstern noch weiter; so weit, dass sie in manchen Gebieten bereits ausgestorben sind. Den Jägern hat das nichts eingebracht außer Ausgaben für Patronen.

Produktive Bestände halten hingegen manch zusätzliche Verluste aus. Daher werden sie produktiv genannt. Ob zu klein gewordene, zu schwache Bestände mittel- oder längerfristig an Ort und Stelle überleben werden, hängt hingegen meistens gar nicht von ihrer eigenen Leistung ab, weil diese ohnehin zu gering ausfällt, sondern vom Zustrom von Artgenossen aus anderen produktiven Beständen. Dafür lieferten die Krähen und Elstern geradezu Musterbeispiele im Verhältnis von produktiven Stadt- und zuschussbedürftigen Landpopulationen. Was ergibt sich aus alldem? Die vielleicht wichtigste Einsicht ist, dass nicht der Augenschein zählt und noch weniger der Anschein, der davon erweckt wird, sondern das Ergebnis. Ist dieses die Anstrengungen nicht wert, wie bei der Krähen- und Elsterbekämpfung, sollte die Maßnahme umgehend eingestellt werden. Das gilt keineswegs nur für diesen Spezialfall, sondern in allen Bereichen. Auch und gerade im Naturschutz sollten Verbote aufgehoben und Maßnahmen eingestellt werden, die das angestrebte Ergebnis nicht erbrachten. Einsicht ist Intelligenz im Wortsinn. Sie »liest« zwischen den Zeilen und hinterfragt. Sie sucht nach besseren Lösungen oder nach neuen Wegen, wenn die bisherigen nicht gut genug waren. Krähen können das. Die nachfolgend behandelten Problemlösungen stellen dies unter Beweis.

Intelligenz der Krähenvögel

Der größte Lump bleibt obenauf!!

»Nusskrähen«

Knacken der Walnüsse

Anfang der 1990er-Jahre wunderte ich mich über halbe Schalen von Walnüssen, die immer wieder im gepflasterten Innenhof des Münchner Hauses lagen, in dem ich wohnte. Fuhr ich das Auto in die Garage, überfuhr ich mitunter diese halben Nüsse. Hörbar krachend wurden sie zerdrückt, aber wegen der Härte der Nussschale nicht zu Brei zerquetscht. Zunächst verdächtigte ich Kinder aus der Nachbarschaft, obgleich es mich wunderte, dass ich immer nur halbe Nüsse und keine ganzen fand. Warum sollten die Kinder aber halbe Nüsse, manche leer, andere mit Nussfleisch, in den Hof werfen? Irgendwie stimmte da etwas nicht.

Die Lösung ergab sich, als ich eines Tages gerade aus der offen stehenden Haustüre kam. Eine ganze Walnuss sauste aus Dachhöhe auf den Innenhof, zersprang in zwei Hälften und eine Rabenkrähe kam hinterher, fasste die eine und flog damit aufs Dach zurück. Eine zweite Krähe, die schon im Anflug war, traute sich nicht mehr, die andere Hälfte zu holen, weil ich in den Hof gekommen war. Schnell entfernte ich mich auf die Straße hinaus und wartete in für die Krähen anscheinend sicherer Entfernung ab, wie es weitergehen würde. Die zweite Krähe beäugte mich, schwang sich dann auf den Hof hinab und fing an, die Nusshälfte auszupicken. Die andere bearbeitete die erste Nusshälfte oben auf dem Dach weiter. Als diese leer war, kullerte sie herab, hüpfte gerade noch über die Dachrinne und landete auf dem Pflaster. Hier lagen sie nun, die beiden leeren Hälften. Oben schüttelten die Krähen ihr Gefieder und flogen ab. Wohin, das konnte ich leider bei der Höhe des Hauses nicht sehen.

Ich betrachtete mir die beiden leeren Schalen genauer, bevor ich sie in den Mülleimer warf. Sie trugen an der Ansatzstelle des Stils gerade noch erkennbare Einschläge. Eine Krähe hatte offenbar sehr gezielt dorthin gehackt, bevor sie die Nuss mit dem Schnabel packte und in flatterndem Flug in die Höhe trug. Aus etwa zehn bis 15 Metern Höhe warf sie diese zielgenau auf den gepflasterten und allseitig umschlossenen Innenhof hinab. Dort schlug sie auf und zersprang in zwei Hälften. Bei der Art des Innenhofes konnten die Nussteile nicht verloren gehen oder so unter irgendetwas fallen, dass sie die Krähen nicht mehr hätten erreichen können. Wie das alles genau vor sich ging, beobachtete ich in den nächsten Tagen vom Fenster aus. Die Krähen kamen mit je einer Nuss im Schnabel angeflogen, zielten gut und pickten sich in aller Ruhe den Inhalt heraus, sodass außer den leeren Schalen nichts übrig blieb.

»Meine« Krähen waren also etwas Besonderes – dachte ich! Aber nicht lange. Denn schon ein paar Tage später sah ich den gleichen Vorgang beim Warten auf einen Zug am Pasinger Bahnhof in München. Dort warfen Rabenkrähen Walnüsse auf den Granitschotter der Bahngeleise an Stellen ab, auf denen wohl nur gelegentlich rangiert wurde und kein häufiger Zugverkehr herrschte. Hier hüpften die Nüsse nicht so weit, waren aber mitunter schwieriger wiederzufinden. Die Abwurftechnik zum Öffnen von harten Walnüssen hatte sich also in Kreisen der Rabenkrähen bereits ausgebreitet. In der vogelkundlichen Fachliteratur fand ich noch wenig. Es gab Berichte, die ein solches Verhalten aus Bremen und aus anderen Städten schilderten, was aber eher als Kuriosität behandelt wurde.

Behandlung der Walnüsse

Um eine Kuriosität handelte es sich nun gewiss nicht mehr, als auch die Rabenkrähen, in deren Revier die Zoologische Staatssammlung lag, anfingen, Walnüsse auf den Parkplätzen abzuwerfen. Hier ließen sie sich viel leichter bei ihrem Tun beobachten als im geschlossenen Innenhof des Wohnhauses. Und hier zeigte sich, dass die Nutzung von Walnüssen einen beträchtlichen Anteil an der Ernährung der Stadtkrähen dieser Gegend ausmachte. Doch zunächst zur Vorgehensweise. Denn der Abwurf stellt das Endstück einer Abfolge von Tätigkeiten dar. Diese beginnen mit dem Pflücken der Nüsse.

Anfänglich beobachtete ich lediglich, dass die Krähen die von den Bäumen abgefallenen Nüsse sammelten. Diese stecken nur noch locker in ihrer verdorrenden, ursprünglich grünen Schale. Ohne weitere Behandlung können die Krähen eine Nuss mit dem Schnabel fassen und, wie ich es oben beschrieben habe, an die passende Stelle zum Abwurf tragen. Der Ausfall der Nüsse setzt meistens im September ein. Auslöser ist oft ein früher Herbststurm. Ein solcher kann auch noch »grüne«, also in der noch geschlossenen Schale steckende Nüsse vom Baum reißen. Die Krähen probieren daran herum. Sie versuchen, die Schale aufzuschlagen und die Nuss daraus zu entnehmen. Das ist nicht allzu schwierig. Sie können auch eine grüne Nuss fassen, im Flug emportragen und abwerfen. Vielleicht springt sie auf, vielleicht auch nicht. Mit etwas Nachbehandlung gelingt es schon, die Nuss herauszubekommen.

Die Krähen wurden noch zielstrebiger in ihrer Vorgehensweise. Als es Mitte bis Ende August an der Zeit war, flogen sie die noch hängenden Nüsse in unbeholfenem Rüttelflug an. Sie versuchten, meist mit Erfolg, solche abzureißen. An einem Nussbaum in der Nachbarschaft der Zoologischen Staatssammlung konnte ich das oft beobachten, weil sich die Krähen bei dieser Tätigkeit von Menschen unter ihnen überhaupt nicht stören ließen – denn der Baum steht, geschützt von einer hohen Mauer, in einem Garten direkt an einer sehr stark befahrenen Straße. Sobald eine Krähe eine Nuss solcherart erbeutet hatte, flog sie damit zum Parkplatz der Zoologischen Staatssammlung. Aber nicht, um sie dort abzuwerfen. Sie landete vielmehr und hackte mit einigen, recht gekonnt wirkenden Schnabelhieben die Nuss aus der grünen Schale. Diese »frische« Nuss warf sie dann in der üblichen Weise über dem Parkplatz ab. Die in diesem Zustand noch recht süßen Nüsse schmecken den Krähen offenbar ganz besonders gut.

Setzte dann die Reife voll ein, gab es ein Überangebot. Dieses versteckten die Krähen nun zum weitaus überwiegenden Teil. Wie sie dabei vorgehen, ließ sich auch erst nach genaueren Beobachtungen feststellen.

Verstecken und Nutzen der Nüsse

Die Zeit der Nüsse beginnt schon im August. Je nach Verlauf der Frühjahrs- und Sommerwitterung werden die Walnüsse früher oder später reif. Im berühmten Hitzesommer 2003 setzte die Reife gegen Mitte August allmählich ein. Die Krähen fingen Ende August an, sich um die Nüsse zu kümmern. Im Jahr davor waren sie, wie auch in den letzten Jahren, mehrere Wochen später dran. Die Nutzung der Walnüsse wurde erst im September auffällig. Die Abbildung auf Seite 178 zeigt 2002 und 2003 im Vergleich.

Die Trockenheit des Sommers 2003 hatte jedoch eine schlechte Walnussernte verursacht. Viele Nüsse fielen bereits ab, bevor sie reiften. Die Krähen hatten offensichtlich weniger davon als im Jahr davor mit einer recht guten Nussernte. Mit früherer oder späterer Nutzung hatte das nichts zu tun. Ein anderer Effekt war dagegen sichtbar geworden: Die wenig ergiebige Nussernte von 2003 blieb ohne größere »Nachwirkungen«. Gemeint ist damit ein Verstecken und Wiederhervorholen der Nüsse zu einer späteren Zeit, vor allem im Winter. 2002 war das sehr ausgeprägt der Fall. In der zweiten Dezemberhälfte verzehrten »unsere« Rabenkrähen noch immer ähnlich viele Walnüsse wie zur Hauptzeit der Nussreife Anfang Oktober.

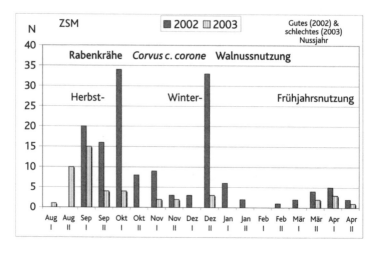

Mit rund 68 einzeln auf dem Parkplatz der Zoologischen Staatssammlung registrierten Walnüssen kam unser Paar ab November, also im Winter, zwar nicht auf die knapp 80 im Herbst, aber doch in eine vergleichbare Größenordnung. Nach dem Sommer 2003 mit dem geringen Ertrag an Walnüssen fiel die Winternutzung jedoch fast ganz aus. In den folgenden Jahren konnte man die Krähen wieder im Winter Walnüsse verzehren sehen. Nur die Mengen wechselten je nach Ertrag der Nussernte.

Die Walnüsse dienen den Rabenkrähen also nicht nur als saisonal günstige Nahrung. Sie verstecken diese in beträchtlicher

Menge und nutzen den Vorrat in schlechteren Zeiten. Es faszinierte mich, wie sie dabei vorgehen. Zuerst bemerkte ich nur einen Teil des Verhaltens, bevor ich Einsicht in den Ablauf bekam. Im September und Oktober sah ich, dass die Rabenkrähen auf den offenen Rasenflächen des Geländes der Zoologischen Staatssammlung zahlreiche Löcher gegraben hatten. Diese waren fünf bis knapp zehn Zentimeter tief, kegelförmig drehrund und gut sichtbar. Was sie bedeuten sollten, verstand ich nicht. Nichts deutete darauf hin, dass zum Beispiel ein Regenwurm aus seinem Gang gezerrt oder ein Pflänzchen herausgezogen worden war. Ein etwas erhöhter Kranz von Moos umgab diese leeren Löcher. Ihre Anordnung ließ kein systematisches Vorgehen erkennen. Die Möglichkeit, dass die Grünspechte, die auf unserem Institutsgelände lebten und in den letzten Jahren zumeist auch erfolgreich Junge großzogen, die Verursacher dieser Löcher waren, zog ich in Betracht, verwarf sie aber wieder. Denn wo die Grünspechte gruben, gab es Nester von Rasenameisen der Gattung *Lasius*. Die neuen Grabstellen enthielten keine Ameisen.

Dann überraschte ich eine Rabenkrähe dabei, wie sie eine Walnuss in einem dieser Löcher blitzschnell versteckte und sogleich so tat, als sei nichts geschehen. Sie schaute sich um, sah weder Konkurrenten noch Feinde und bedeckte mit wenigen Schnabelbewegungen die Nuss mit Moos. Ich versuchte, mir die Stelle zu merken, was mir aber misslang. Die Nuss fand ich nicht. Im Laufe der folgenden etwa zehn Tage verschwanden all die Löcher. Ich vermutete, dass sie nun mit Nüssen aufgefüllt worden waren. Bei mindestens 68 später von den Krähen wiedergefundenen Walnüssen mussten die meisten Löcher tatsächlich mit Nüssen gefüllt worden sein. Ich hätte ganz grob auf etwa 100 geschätzt, hatte aber versäumt, sie zu zählen. Löcher auf der Wiese eines Forschungsinstituts zu zählen, macht auch nicht von vornherein und für

Passanten, die möglicherweise von der Straße aus zuschauen, den Eindruck von Wissenschaft.

Ich hätte mich von solchen Nebensächlichkeiten lieber nicht leiten lassen sollen. Denn als ich ein paar Jahre später feststellte, dass die Rabenkrähen die Eikokons der Wespenspinnen *Argiope bruennichi* auf dem Gelände der Zoologischen Staatssammlung entdeckt hatten und alle bis auf einen oder zwei öffneten und das Spinnengelege verzehrten, war ich doch sehr froh, vorher die Spinnenkokons genau gesucht gehabt zu haben. Die großen, markant gelb-schwarz gestreiften, also mit einer Warntracht ausgestatteten Spinnen ließen sie in Ruhe. Die Abschreckwirkung ihrer Wespentracht funktionierte anscheinend. Aber die braunen Kokons suchten und öffneten sie. Für die Ausbreitung der Wärme liebenden Wespenspinnen spielte dies möglicherweise eine Rolle, aber vielleicht auch nicht, weil ein einziger Kokon, der nicht entdeckt wird, genügt, um Dutzende Spinnen einer neuen Generation im nächsten Frühsommer freizugeben. Diese Spinnen reagierten auf jeden Fall weit stärker auf den Verlauf der Sommerwitterung und die Häufigkeit von Heuschrecken, ihrer Hauptbeute, als auf die von den Krähen verursachten Verluste. Diese kleine Abschweifung mag deswegen gerechtfertigt sein, weil doch immer wieder der Augenschein trügt. Möglichst genaue Zählungen sind allemal besser.

Die Walnüsse selbst galt es genauer zu betrachten. Sie vermittelten weitere Einblicke in die Ernährung der Rabenkrähen und die Art ihrer Vorratshaltung. Zwei kleine Entdeckungen empfand ich besonders beeindruckend. So gab es unter den abgeworfenen Walnüssen einen beträchtlichen Prozentsatz »leerer« Nüsse. Ihr Kern war geschrumpft oder durch Schimmelpilze verdorben. Im September und Oktober machten solche Nüsse in den meisten Jahren 20 bis 30 Prozent der von den Krähen geöffneten aus. Unter denen, die aus dem versteckten Wintervorrat stammten, waren aber nur höchst selten einmal leere oder verdorbene. Also müssen die Krähen schon beim Verstecken darauf geachtet haben, ob die Nuss schwer genug war – und damit in Ordnung – oder zu leicht und wahrscheinlich unbrauchbar. Man kann sich zwar vorstellen, dass sie das merken, wenn sie die Nuss mit dem Schnabel hochheben und davonfliegen, aber dass sie auch den richtigen Schluss daraus ziehen, ist doch erstaunlich.

Der zweite Befund war, dass die Krähen die größeren und schwereren Nüsse länger aufheben als die kleineren und leichteren. Im Lauf des Winters steigt nämlich die Durchschnittsgröße der Walnüsse an, die neu aufgeschlagen wurden.

Ich kann nicht sagen, dass sie sich später erst die Mühe machen wollen, die größeren und schwerer zu öffnenden Nüsse zu bearbeiten, wenn das unbedingt nötig ist. Aber der Zufall reicht zur Erklärung gewiss nicht aus. Denn im Frühjahr blieben praktisch nur die sehr großen Nüsse übrig. Nach dem Sommer 2003, in dem die Nussernte so schwach ausgefallen war, verlief der Anstieg der Größe der nachträglich verwerteten Nüsse noch steiler an als im guten Nussjahr 2002, wie untenstehende Abbildung zeigt.

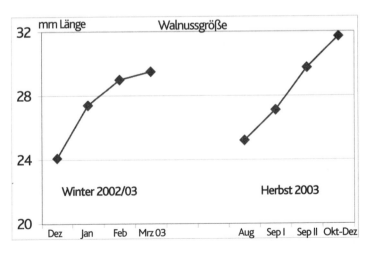

Der Vorrat war 2003 schon im Dezember erschöpft, als im Jahr davor die Nutzung der versteckten Walnüsse erst angefangen hatte. 2004 sah es ganz ähnlich aus. Es gab zwar deutlich mehr Nüsse als 2003, aber viel weniger als im guten Nussjahr 2002. Daher konnten die Krähen auch nur wenige als Vorrat verstecken.

Wann sie diesen brauchen, hängt sehr vom Verlauf der Witterung ab. Bleiben Spätherbst und Frühwinter mild und frostfrei, besteht kein Bedarf, die Vorräte anzugreifen. Früher Frost und Schnee schaffen andere Verhältnisse. Das geht aus dem Verlauf der Nutzung versteckter Walnüsse im Winter 2002/03 ganz deutlich hervor:

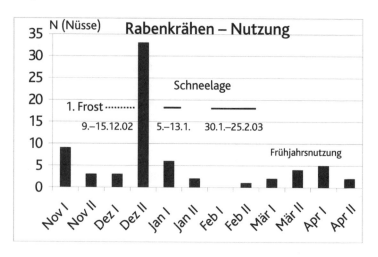

Nach einer ersten Frostperiode vom 9. bis 15. Dezember 2002 schnellte die Zahl der aus den Verstecken hervorgeholten Walnüsse steil in die Höhe. Trotz Schneelage hielt sie bis Mitte Januar an. Von Ende Januar bis Ende Februar lag der Schnee zu hoch und der Boden war zu fest gefroren. Die Rabenkrähen holten sich die restlichen Walnüsse im März und April aus den Verstecken. Diese machten immerhin knapp 20 Prozent der gespeicherten Nüsse aus, wenn die Funde auf dem Parkplatz und in dessen unmittelbarer Umgebung für die versteckten Mengen repräsentativ sind. Die späte Nutzung hat nicht nur mit der Schneelage zu tun. Unmittelbar vor Beginn der Brutzeit ist eine gute Energieversorgung insbesondere für das alleine brütende Weibchen sehr wichtig. Die Walnüsse liefern viel Energie. Sie sind eine ausgezeichnete Nahrung. Sehen wir uns genauer an, was sie so auszeichnet.

Der Nährwert der Walnüsse

Walnüsse gehören auch zu unserer eigenen Nahrung. Ihre Qualitäten, Besonderheiten und Probleme, die sie bei manchen Menschen verursachen, sind gut erforscht. Ein Gramm Walnuss enthält 27 Kilojoule (KJ) Energie, also in etwa gleich viel wie Erdnüsse, die Krähen auch sehr gern mögen. Sie übertreffen damit Zucker und Schokolade, jeweils etwa 17 KJ pro Gramm, oder Bienenhonig (12 KJ) bei weitem. Erst die doppelte Menge von Weizenmehl liefert dieselbe Energie, nur Speck rückt mit 24 KJ näher. Rindfleisch (18 KJ), Leberwurst (11 KJ) und sogar Käse (Emmentaler 17 KJ) liegen beträchtlich unter dem Energiegehalt von Walnüssen. Übertroffen wird er von Butter (30 KJ) und Olivenöl (knapp 39 KJ). Damit zeichnet sich ab, woran es liegt: Die Walnuss enthält 64 Prozent Fett in der Trockenmasse. Auch Haselnüsse sind mit 60 bis 68 Prozent ähnlich ergiebig; Bucheckern (40 bis 46 Prozent) deutlich weniger. Der hohe Fettgehalt der Nüsse macht ihren »Brennwert« aus.

Obwohl auch ihr Eiweißgehalt mit einem Fünftel der Trockenmasse recht gut ausfällt (Fleisch enthält allerdings das Vier- bis Achtfache davon an Proteinen), zählt dieser gerade im Winter vergleichsweise wenig. Da geht es um das ausreichende »Nachheizen« im Körper, um die Wärmeverluste durch die Kälte auszugleichen. Vögel haben im Vergleich zu uns Menschen und den allermeisten anderen Säugetieren einen besonders hohen Energiebedarf, weil ihr Stoffwechsel bei beträchtlich höheren Temperaturen abläuft. Rabenkrähen halten eine Körperinnentemperatur von knapp 42 Grad Celsius. Diese zu erhalten, verbraucht somit im Grundumsatz pro Kilogramm Körpergewicht gerechnet mehr als das Zehnfache des Menschen und das mehr als Sechsfache eines gleich schweren Kaninchens.

Dieser Energiebedarf muss Tag für Tag und Nacht für Nacht gedeckt werden, wobei im Winter gerade die langen, kalten Nächte besonders zählen. Da hilft oft kein morgendliches Sich-Sonnen zur Aufwärmung. Eine Rabenkrähe benötigt wenigstens 360 KJ Energie pro Tag; bei Kälte auch erheblich mehr. Beim viel größeren Menschen liegt der Bedarf zwischen 8400 und 12 300 KJ pro Tag. Die Krähe wiegt aber nur etwa ein halbes Kilogramm. Menschen mit obigen Verbrauchswerten sind 55 bis 70 Kilogramm schwer. Sie wiegen also das (weit) mehr als Hundertfache einer Rabenkrähe, verbrauchen aber nur das 20- bis 25-Fache an Energie. Würden sich die Rabenkrähen im Winter »pflanzlich«, von Äpfeln beispielsweise, die nur zwei Kilojoule pro Gramm Energie enthalten, ernähren, brauchten sie riesige Mengen davon, nämlich mindestens 200 Gramm Äpfel. Das entspricht fast der Hälfte ihres Körpergewichtes. Können sie dagegen Walnüsse verzehren, reichen schon vier bis fünf Stück pro Tag und Krähe. Dabei ist berücksichtigt, dass bei den Vögeln der Ausnutzungsgrad mit 75 bis 80 Prozent der aufgenommenen (ballastfreien) Nahrung anzusetzen ist; also ein Fünftel bis ein Viertel ungenutzt verloren gehen.

Dieser Bedarf fällt in anderer Weise betrachtet sehr hoch aus. Er liegt nämlich an der obersten Grenze in der Vogelwelt.

Wenn wir den besonders viel Energie verzehrenden Schwirr-
flug der Kolibris außer Betracht lassen, dann verbrauchen die
verschiedensten Vogelarten zwischen 3,8 und 5,5 Watt pro
Kilogramm Körpergewicht. Singvögel liegen mit um die sechs
Watt noch darüber und die großen Krähen und Raben mit
7,1 Watt am höchsten. Wir könnten sie als die Turbo-Fahrer
der Vogelwelt bezeichnen, auch wenn sie keineswegs die
schnellsten Flieger sind. Mit ihrem hohen Verbrauch ähneln
sie auch wieder uns Menschen. Er zwingt sie unter bestimmten Umständen zur Vorratshaltung. Dass sie das tun und die
versteckten Nüsse suchen und wiederfinden, ist eine Tatsache;
wie sie das schaffen, jedoch ein Rätsel.

Wiederfinden der Nüsse

Als ich die Löcher sah, die von den Rabenkrähen auf der Wiese unseres Institutsgeländes gebohrt worden waren, konnte
ich kein System in der Verteilung erkennen. Sie schienen mir
eher zufällig verteilt, weil die Krähen bei ihrem Herumspazie-
ren da und dort im Boden gebohrt hatten. Ganz sicher waren
sie weder in Reihen oder bestimmten Abfolgen angeordnet.
Die Pflanzendecke bot mir auch keine Markierungen. Außerdem musste sich diese ja im Verlauf von Herbst und Winter
verändern. Vielleicht würden die Krähen in Winter die versteckten Nüsse einfach deshalb wiederfinden, weil sie in ähnlicher Weise wie im September auf der Wiese herumsuchten?
Der Schnee, der im Dezember 2002 kam, löste diese meine
Fragen auf schier unglaubliche Weise. Und wenn ich nicht in
den letzten Wintern immer wieder einmal bei frisch geschlossener Schneedecke dasselbe gesehen hätte, wären mir vielleicht sogar wieder Zweifel gekommen. Doch die Fotos dokumentieren, was geschah.

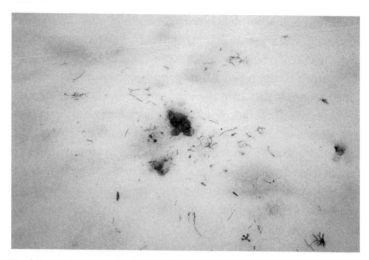

Punktgenau landete die Rabenkrähe, bohrte ein Loch in den Schnee und holte sich die im Boden versteckte Walnuss aus dem Moos.

Die Krähen landeten einfach auf der frischen Schneedecke, machten ein paar Schritte, bückten sich und bohrten ein Loch durch den zehn bis 15 Zentimeter tiefen Schnee – und holten punktgenau die Walnuss aus dem Versteck. Das heraus-gezupfte Moos und in mehreren Fällen auch halbe, frisch leer gepickte Nussschalen bewiesen als eindeutige Hinterlassen-schaften den Vorgang. Im Schnee waren die Schwungfedern abgedrückt, die bei der Landung den Schnee berührt hatten, die Fußspuren und der Abflug. Die größte Entfernung zwi-schen Landestelle und dem Ort, an dem die Nuss ausgegraben wurde, betrug zwar 60 Zentimeter, aber der Fußweg führte direkt zur richtigen Stelle. An zehn verschiedenen Orten hat-ten sie auf diese Weise Nüsse geholt. Wenn sie an allen erfolg-reich waren, deckte das Ergebnis, wie oben ausgeführt, genau den Tagesbedarf an Energie für das Rabenkrähenpaar.

Da nun aber die Krähen offenbar in der Lage sind, die Verste-cke auch bei Schneelage richtig zu orten, bereitet ihnen die

Suche ohne diese plötzliche Abdeckung des Geländes folgerichtig noch weniger Probleme. Anscheinend haben sie so etwas wie eine Karte ihres Territoriums im Kopf. Mit ihrer Hilfe kommen sie auch bei naturgegebenen oder vom Menschen verursachten Veränderungen zurecht. Da spielt es für sie keine Rolle, ob etwa ein Reisighaufen abgelagert oder ein neues Gemüsebeet gegraben wurde, ob neue Bäume gepflanzt und alte gefällt worden sind. Der Mensch würde an der Aufgabe ganz sicher scheitern, im September ein paar Dutzend Walnüsse auf einer freien Wiesenfläche von über 1000 Quadratmetern zu verstecken und sie dann im Dezember wieder zu suchen – mit Schnee wie ohne.

Mit diesem Befund ist klar, dass es den Krähen keine allzu große Mühe bereitete, die Eikokons der Wespenspinnen zu finden. Sie hatten dazu ein von der Verhaltensforschung so bezeichnetes »Suchbild« entwickelt. Ich kannte die Stellen, an denen die großen, recht auffälligen Spinnenweibchen ihre Fangnetze errichtet hatten. In ihrer Umgebung brauchte ich nur zur gegebenen Zeit nach den zunächst hellbraunen, dann allmählich nachdunkelnden, gut kirschgroßen Kugeln zu suchen. Zwei bis drei davon fertigte jede Spinne an. Die Krähen fanden sie auch ohne zoologische Fachkenntnisse alle bis auf ein oder zwei Stück in sehr ungewöhnlicher Position. Nur dass sie wahrscheinlich mehr Suchzeit als ich aufgewandt hatten, beruhigte mich ein wenig.

Lernen von Mustern

Die Wespenspinnen weckten die Erinnerung an einen sehr eindrucksvollen Versuch, den ich vor über 30 Jahren mit meinem Tommy gemacht hatte. Ich fing mit Lichtfallen Schmetterlinge und andere Insekten, die nachts fliegen. Da es sich um

Lebendfang-Lichtfallen gehandelt hatte, in denen die Insekten nicht getötet werden, sondern nur durch einen Trichter in den unter dem Licht angebrachten Fangsack fallen und am nächsten Morgen nach genauer Bestimmung und Auszählung wieder freigelassen werden, war Tommy stets interessiert, ein paar von den Insekten abzubekommen. Bestimmte, sehr häufige Eulenfalter mochte er besonders gern. Geschickt zwickte er den Hinterleib ab und verzehrte diesen. Den unergiebigen Rest des Körpers und die Flügel ließ er zurück. Da Raupen, Puppen dieser Schmetterlinge und tagsüber im Gras ruhende Falter zur natürlichen Nahrung der Krähen gehören, fand ich diese Fütterung in Ordnung. Für Tommy waren das Leckerbissen.

Unter den nachts fliegenden, am Tag aber mehr oder minder versteckt ruhenden Schmetterlingen gibt es aber eine ganze Reihe von Arten, die (für Vögel) schlecht schmecken oder regelrecht giftig sind. Ein auffälliges Farbmuster weist zumeist recht deutlich auf diese Eigenschaft hin. Solche Schmetterlinge sind zudem träge. Sie wären leicht zu fangen. Bei der Auswertung der Lichtfänge haben sie den Vorteil, nicht wie ein Irrwisch herumzuhüpfen oder blitzschnell davonzufliegen, ehe man sich vielleicht bei ihrer Artbestimmung sicher ist. Sie bleiben liegen. Man kann sie in die Hand nehmen, in aller Ruhe betrachten und irgendwo ablegen, ohne dass sie Fluchtversuche machen. Gerade die schönsten Nachtfalter verhalten sich so, weil viele von ihnen dieser Gruppe angehören, die durch Gifte oder Bitterstoffe geschützt ist. Die Hauptvertreter davon sind Bärenspinner. Die »Eulen«, also die Angehörigen der Familie der Eulenfalter, schmecken hingegen meistens gut. Sie sind entsprechend gesucht und in aller Regel mit ihrer Tarnfärbung und -zeichnung der Flügel trefflich geschützt. Zwei in den 1960er- und 1970er-Jahren noch recht häufige Bärenspinner zeichnen sich durch eine besondere Warnfärbung aus. Ihr Hinterleib trägt eine Reihe schwarzer Flecken auf gelbem Grund. In Normalhaltung der weißen bzw. gelblichen Flügel, auf denen zahlreiche kleine schwarze Flecken verteilt sind, ist diese besondere Zeichnung nicht zu sehen. Packt aber ein Vogel diese Schmetterlinge oder fasst man sie mit den Fingern an, drehen sie sich zur Seite, krümmen den Hinterleib, sodass er einer mit Stechen drohenden Wespe ähnlich sieht und präsentieren dabei das schwarz-gelbe Muster – die Wespen-Warntracht. Die beiden Bärenspinner, recht ungenau »Weißer Bär« oder »Weiße Tigermotte«, wissenschaftlich *Spilosoma menthastri*, und »Gelber Bär«/»Gelbe Tigermotte« *Spilarctia lutea* genannt, verhalten sich gleich. Doch im Hinblick auf ihre Giftigkeit sind sie ungleich. Die Weiße Tigermotte enthält viel mehr Gift und Abwehrstoffe als die Gelbe. Diese ahmt das Vorbild in Aussehen und Verhalten, insbesondere aber mit der gelb-schwarzen Hinterleibszeichnung nach. Mimikry werden solche Phänomene in der Biologie genannt.

Die »Gelben Bären«/»Gelben Tigermotten« meiner Lichtfänge und das Interesse von Tommy an den Leckerbissen, die ich frühmorgens aus dem Fangsack entließ, boten eine günstige Gelegenheit, die Wirksamkeit der Warntracht zu testen. Tommy bekam eine Gelbe Tigermotte. Er schnappte sogleich zu, behandelte sie in gewohnter Weise und verzehrte den Hinterleib trotz dessen gelb-schwarzer Warnfärbung. Zwar schien ihm dieser nicht gerade gut geschmeckt zu haben, aber anderntags nahm er wieder eine und verschluckte sie ohne zu zögern. Dann erhielt er eine Weiße, das schlecht schmeckende, giftige Vorbild. Im Vertrauen, dass meine Dosisberechnungen richtig waren und sein Verhalten der Nahrung gegenüber normal, bot ich ihm diesen Schmetterling an. Sein Verhalten war normal. Kaum hatte er ihn im Schnabel, schleuderte er diesen Schmetterling angewidert von sich, fing an zu speicheln und putzte wiederholt den Schnabel. Wie bei dieser klaren Reaktion nicht anders zu erwarten, blieb der Versuch ohne Folgen für Tommy. Er bekam nicht einmal Durchfall, so rechtzeitig hatte er den Falter gemieden.

Nun wurde es spannend. Ich ließ eine Woche vergehen. Dann bot ich Tommy wieder eine Gelbe Tigermotte an. Er nahm sie nicht. Ein kurzes Beäugen genügte ihm, sie zurückzuweisen, ohne auch nur leicht probiert zu haben. Nun erhielt er eine ähnlich große »Rufzeichen-Eule«, ein »Schwarzes C« und andere Eulenfalter. Ohne Zögern fasste und verzehrte er sie alle. Die beiden Bärenspinner mied er auch in den Folgejahren. Er hatte seine Lektion mit dem einen entscheidenden Versuch gelernt.

Aus diesem Grund vermute ich, dass die Wespentracht die nach ihr benannten Spinnen schützt. Die Krähen fraßen keine der mir auf dem Gelände der Zoologischen Staatssammlung bekannten Wespenspinnen weg, aber die tarnfarbenen Eikokons leerten sie.

Neue Entdeckungen im Umgang mit Nüssen

Wie die Rabenkrähen auf das Abwerfen der Walnüsse kamen, weiß ich nicht. Ich konnte auch nichts dazu in Erfahrung bringen. An mehreren Orten wurde es etwa zur selben Zeit in den 1970er- und 1980er-Jahren beobachtet und in den Fachzeitschriften beschrieben. Vielleicht standen am Anfang von den Bäumen auf die Straße gefallene und aufgesprungene oder von Menschen zertretene Nüsse. Beim Wegtragen kann die eine oder die andere Nuss den Krähen entfallen sein. Schlug sie an günstiger Stelle mit hartem Untergrund auf, konnte das ein Signal sein, das weiter ausprobiert wurde. Man kann darüber nachsinnen. Direkt beobachtet hat wohl niemand diese allerersten Anfänge des neuen Umgangs mit Walnüssen. Meine eigenen Erstbeobachtungen in diese Richtung betrafen bereits Krähen, die das Nüsseabwerfen beherrschten. Sie lernten dazu und andere von ihnen. So ergaben Umfragen unter den Münchner Vogelkundlern und Vogelschützern, dass nach und nach auch in anderen Stadtteilen Rabenkrähen beobachtet wurden, die Nüsse sammelten und abwarfen. Die Krähen schauten es voneinander ab. Lernen durch Nachahmung ist nicht nur weit verbreitet, sondern die ursprünglichere und bessere Form. Man denke nur an die Handhabung technischer Geräte und die Betriebsanleitungen dazu. Was beim Zuschauen mit wenigen Handgriffen und geringer Fehlerquote erlernt wird, steht in krassem Missverhältnis zum Eigenversuch mit schriftlicher Betriebsanleitung ohne kundiges Vorbild.

Dass sich Lernen durch Nachahmung ausbreitet, wenn das Ergebnis lohnt, ist also nichts Besonderes. Interessanter wird es, wenn »Verallgemeinerungen« auftreten. Und solche kamen in Form abgeworfener Haselnüsse. Unsere »Nusskrähen« versuchten sich auch an ihnen. Der Erfolg fiel, wie nicht anders zu erwarten, weitaus schlechter aus, weil die kleinen Haselnüsse einfach unzersplittert davon hüpften und sichtlich ratlose Krähen hinterließen. Viele landeten unter Autos oder fielen durch die Gitter von Abwassergullys. Gelegentlich zersplitterte eine. Am ehesten war dies bei fortgeschrittener Reife der Fall, wenn die Schale hart und trocken geworden war. »Junge« Nüsse zerbrachen nicht. Sie ließen sich auch von gezielten Schnabelhieben nicht oder nur höchst selten einmal aufschlagen. Bei den hinreichend gealterten ging das besser. In guten Haselnussjahren versuchten sich die Krähen auch an diesen Nüssen. Eine richtige Tradition kam aber anscheinend nicht zustande.

Vergnüglich wurde das Krähenbeobachten, wenn sie sich an den Rosskastanien versuchten. Es ist schwierig genug, eine glatte, glänzend braune Kastanie überhaupt mit dem Schnabel so zu fassen, dass sie in die Luft getragen werden kann. Wenn sich aber trotz wiederholter Abwurfversuche außer Beulen an der Kastanie nichts tat, schritten die Krähen mit schiefem Kopf im Halbkreis um sie herum, als ob sie überlegten, warum ihre Technik ausgerechnet bei diesen so schön großen »Nüssen« nicht funktioniert. Sie hätten ins bittere Innere leichter kommen können, wenn sie einfach mit dem Schnabel kräftig darauf eingeschlagen hätten.

Das Tun der Rabenkrähen blieb nicht unbeobachtet. Kamen im Herbst die Saatkrähen recht früh in die Stadt und waren die Rabenkrähen noch mit den Walnüssen beschäftigt, bekamen sie Konkurrenz. Bedächtigen Schrittes näherten sich die Saatkrähen, fassten sich auch so eine Walnuss, flogen auf und warfen sie ab – gerade so, wie sie es von den Rabenkrähen zu sehen bekommen hatten. Sehr schnell lernten sie, auf gleiche Weise mit den Walnüssen umzugehen. Ihr Nachteil bestand darin, dass die Nussernte schon weitestgehend vorüber war, wenn sie in der Stadt ankamen.

Schließlich geschah das Bemerkenswerteste überhaupt im Umgang der Krähen mit den Nüssen. Die Rabenkrähen fingen in den allerletzten Jahren an, Walnüsse aus geringer Höhe auf stark befahrene Straßen zu werfen; eigentlich kann man es bereits »legen« nennen. Dazu warteten sie zum Beispiel an der Münchner Verdistraße eine Rotphase der Ampel ab, glitten im Tiefflug von einem nahen Dach, legten die Nuss auf die Straße und warteten die nächste Phase ab, in welcher die Autos von der Rotampel gestoppt wurden. Nicht immer, aber oft genug, waren ihnen die Nüsse »überfahren« worden. Schnell sammelten sie die verwertbaren Stücke, verstauten sie in ihrem Kehlsack und flogen aufs nächstgelegene Flachdach, um sie dort oben zu entkernen. Dass für diesen Zweck Krähen »das Auto benutzen«, war bislang nur vom anderen Ende Eurasiens bekannt, wo in Tokio die dickschnäbligen Haus- oder Dschungelkrähen so vorgehen und Weltruhm mit ihrer Cleverness erlangten.

Nusshäher

So eindrucksvoll das Nüsseverstecken der Rabenkrähen auch war, so ernüchternd besagt eine einfache Überlegung, dass das Krähenpaar oder Trio auf dem Gelände der Zoologischen Staatssammlung allein für die Dauer des Winters 1000 bis 1500 Walnüsse gesammelt und versteckt haben müsste, um davon leben zu können. Das wären mehr Nüsse gewesen, als der Nussbaum, an dem sie sich bedienten, insgesamt trug. Walnussbäume sind auch nicht gerade häufig. Ich konnte auch keine Anzeichen dafür finden, dass die Rabenkrähen ihre Reviere an Nussbäumen ausgerichtet hätten. Falls ein solcher darin vorhanden war, so mag das eine willkommene Zugabe gewesen sein, zumal der Ertrag in den verschiedenen Jahren sehr unterschiedlich ausfiel. Vielleicht nutzten sie in guten Jahren zwischen 500 und 1000 Nüsse; gut die Hälfte davon allerdings schon bei der Nussreife im September und Oktober. Die Hauptmenge der Nahrung musste aus anderen Quellen kommen. Die Krähen sind, wie man fast überall selbst leicht beobachten kann, findig und wählerisch zugleich.

Ein Teil von dem, was sie wirklich so alles verzehren, wird in den Speiballen später sichtbar. Unverdauliches würgen sie wieder aus, bevor es den Magen passiert und in den Darm gelangt. Papierreste, Plastikstücke, sogar Metallteile können darin enthalten sein. Zu harte Pflanzenreste machen den größten Teil aus. Die »anspruchsvolle Nahrungsvielfalt«, wie wir die Zusammensetzung der Nahrung unserer Rabenkrähen kennzeichnen können, bleibt erhalten.

Andere Krähenvögel sind einseitiger und damit auch spezialisierter. Das beste Beispiel hierfür ist der in den Bergwäldern
der Alpen und in den nordischen Nadelwäldern lebende Tannenhäher. Wie schon ausgeführt, hat er mit den (seltenen)
Tannen so gut wie nichts zu tun. Sein Name war ähnlich falsch
gewählt worden wie bis in die jüngste Vergangenheit die
Bezeichnung des Weihnachtsbaumes als Tannenbaum. Tatsächlich handelte es sich bis zum Beginn des umfangreichen
Imports von Weihnachtsbäumen um Fichten. Beim Tannenhäher geht es um Kiefern, speziell um die Zirbelkiefern *Pinus
cembra,* auch Arven genannt. Deren Zapfen und Nüsse nutzt
der Tannenhäher. Und dies in so großem Umfang, dass er
nicht nur als Spezialist hierfür gelten kann, sondern zeitweise
völlig von den Zirbelnüssen abhängig ist.

Da ein Tannenhäher in den Wintermonaten pro Tag mindestens 114 Arvennüsschen im Gesamtgewicht von 22,7 Gramm
braucht, macht das für gut 150 Wintertage in seinem Bergle-
bensraum oder im kalten Norden rund 17 000 Stück aus. So
viele kann sich der Tannenhäher, einzeln versteckt, natürlich
nicht merken. Also versteckt er noch erheblich mehr an passenden Orten, um die Vorräte bei Bedarf schnell genug wiederzufinden. Nach Untersuchungen in den Alpen sammelte jeder
Tannenhäher zwischen 30 000 und 100 000 Arvensamen pro
Jahr. Diese Menge garantiert ausreichende Wiederfunde, auch
wenn Mäuse und andere Häher seine Verstecke zum Teil
bereits geplündert hatten. Bei einem Bedarf von gut 17 000
Arvensamen sind die 30 000 für den unteren Wert eine etwa
doppelte Sicherheit; die 100 000 eine Sechsfache. Wer so gute
Vorratswirtschaft betreibt, kommt auch durch die härtesten
nordischen und alpinen Winter – vorausgesetzt, die Zirbelkiefern mach(t)en mit. Setzen sie zu wenig Zapfen an, fällt die
Samenernte für die Tannenhäher schlecht aus. Doch auch
damit kommen sie zurecht.

Haselnüsse bieten eine gute Alternative. Im Gegensatz zu den Krähen können die Tannenhäher diese harten Nüsse durchaus aufschlagen, ohne sie vorher auf harten Fels abwerfen zu müssen. In guten Haselnussjahren sammeln sie in Schweden die schier unglaubliche Menge von 16 000 bis 104 000 Stück. Selbst wenn sie die eineinhalb Monate von Anfang September bis Mitte Oktober damit beschäftigt sind, müssen sie Tag für Tag zwischen 350 und 2300 Stück bewältigen. Bei zehn Stunden mit gutem Licht sind das 35 bis 230 Haselnüsse pro Stunde. Diese sind zwar im Hinblick auf ihren Energiegehalt ähnlich ergiebig wie die Walnüsse, aber im Vergleich zu den Zapfen der Zirbelkiefern aufwändiger zu öffnen. Sie können auch immer nur einzeln, nicht als ganzer Zapfen, versteckt werden.

In den Arvenwäldern der Alpen kommen Haselnüsse als Ersatznahrung für die Zirbelnüsschen nicht infrage. Die nordischen Tieflandswälder bieten mit ihren vielen Flüssen und feuchten Niederungen mehr. Dort hat sich eine speziell langschnäbelige Unterart des Tannenhähers entwickelt. In manchen Jahren verlassen viele Tausende dieser Vögel die Taiga. Sie ziehen süd- und südwestwärts. Dabei gelangen sie auch nach Mitteleuropa. Früher hielt man sie, ähnlich wie die nordischen Seidenschwänze *Bombycilla garrulus*, für Vorboten besonders strenger Winter. Das mag grundsätzlich stimmen, aber ein direkter Zusammenhang ist nicht gegeben. Vielmehr handelt es sich um ein Zusammentreffen von großer Häufigkeit der Tannenhäher und ganz geringe Zapfenbildung bei den Sibirischen Kiefern *Pinus sibirica* und den nordostasiatischen Zwergkiefern *Pinus pumila*. Invasionen sibirischer Tannenhäher nach Mitteleuropa sind seit Mitte des 18. Jahrhunderts gut belegt. Von 1750 bis 1800 gab es vier davon, von 1800 bis 1850 sieben, dann bis 1900 neun, bis 1950 fünf und in der zweiten Hälfte des 20. Jahrhunderts noch vier. Die letzte Großinvasion erfolgte 1985.

Die alpinen Tannenhäher wandern bei Nahrungsknappheit talwärts und ins Vorland hinaus, wo diese recht vertrauten braunen Vögel mit den vielen weißen Tupfen auf dem Federkleid auffallen. Sie suchen nach Haselnüssen, nehmen auch Äpfel, die noch an den Bäumen hängen oder besuchen sogar Futterstellen für Vögel.

Die starke Spezialisierung hat also auch ihren Preis. Sie macht abhängiger von der einen Hauptnahrung. Wird diese knapp, geht es den Spezialisten schlechter als den flexibleren Verwandten, die als sogenannte Generalisten leichter auf andere Formen des Nahrungserwerbs ausweichen und umstellen können.

Produzieren die Kiefern reichlich Zapfen, geht es den Tannenhähern gut. In den langen Sommertagen finden sie auch in den nordischen Wäldern genug Insekten, um ihre Jungen damit füttern zu können. Auch die Bergwiesen, insbesondere Almen, sind an Insekten recht ergiebig. Der Bergwind trägt die Altvögel, sodass sie weniger Energie für die Flüge zur Futtersuche verbrauchen als ihre Verwandten im Tiefland. Die langen Winter lassen sich mit großen Vorräten gut überstehen. Die Krähen leben, verglichen mit den Tannenhähern, gerade im Winterhalbjahr weitestgehend »vom Schnabel in den Mund« und nicht von guter Vorratswirtschaft. Was unsere »Nusskrähen« zeigten, sind nur Ansätze in diese Richtung. Vielleicht brauchen sie auch nicht mehr bei ihrer Intelligenz. Wie es zwischen solchen Spezialisten, wie den Tannenhähern, die früher auch zutreffender Nusshäher genannt worden sind, und flexiblen Generalisten, wie den Krähen, aussieht, das legt die Lebensweise des Eichelhähers offen.

Eichelhäher

Eichelhäher sind die bekanntesten und im Hinblick auf die unterschiedlichen Lebensräume, die sie besiedeln, die flexibelsten und am weitesten verbreiteten Häher. Sie leben in den Dornbuschwäldern des Mittelmeerraumes, der Macchie, genauso wie in Berg- und Tieflandswäldern vom klimatisch atlantischen Westeuropa über das kontinentale Zentralasien bis in die Subtropen Südostasiens. Es gibt sie am Rand des Atlasgebirges in Nordwestafrika und an den Abhängen des Himalajas, im Kaukasus und auf dem Balkan. In Finnland reicht ihr Vorkommen bis an den Polarkreis. In Zentralasien streift es die Halbwüsten. Damit ist der Eichelhäher ähnlich flexibel in der Wahl seiner Lebensräume wie Aaskrähe und Elster. Er ist in der Tat der Dritte im Bunde unter den besonders erfolgreichen Krähenvögeln. Der Kolkrabe übertrifft den viel kleineren, nur etwa 150 bis 200 Gramm leichten Eichelhäher zwar an Arealgröße, aber in Bezug auf die Häufigkeit ist ihm der kleine Häher bei Weitem überlegen.

So wird der Kolkrabenbestand in Europa auf etwa 280 000 Brutpaare geschätzt, von denen auf Mitteleuropa nur etwa 12 000 bis 18 000 entfallen. Die entsprechenden Zahlen für den Eichelhäher liegen mit bis zu 21 Millionen in Europa und ein bis zwei Millionen in Mitteleuropa rund hundertmal so hoch. Interessanterweise übertrifft damit der Eichelhäher wahrscheinlich sogar das Zwillingspaar Raben- und Nebelkrähe in Europa an Häufigkeit. Dieser Häher muss demnach ein richtiger Erfolgstyp sein. Eine Eigenschaft kommt ihm auf jeden Fall zugute, seine Buntheit. Da er zudem in Erregung und bei Neugier sein Gefieder am Oberkopf sträuben kann, verleiht ihm dies ein besonders »aufgewecktes« Aussehen. Wo Eichelhäher nicht scheu sind, wirken sie mit ihren unterschiedlichen, mitunter recht komischen Stellungen immer lustig. Andererseits waren (und sind?) sie bei den Jägern unbeliebt, weil sie laut rätschend kundtun, dass hier oder dort so ein gefährlicher Grünrock im Wald umherschleicht.

Neutrale Waldspaziergänger nannten die Eichelhäher die »Hüter des Waldes«. Die Jäger sahen sie am liebsten als Federschmuck am Hut, weil sie so manche Pirsch verdorben bekommen hatten. Sie lasteten den Hähern auch Nesterraub und Singvogelmord an, während Waldbesitzer und Forstleute sie als »Pflanzer des Waldes« priesen und schätzten. All diese Eigenschaften treffen auf den Eichelhäher zu, mag die Wortwahl auch übertrieben wirken. Sie warnen laut, wenn sich für sie Ungewöhnliches oder ihrer Meinung nach Gefährliches zeigt. Sie täuschen, indem sie wie ein Bussard miauen. Sie arbeiten im Paar oder in der Gruppe zusammen. Sie verstehen es, sich nahezu unsichtbar zu halten. Sie suchen auch nach Nestern von Singvögeln, verzehren Eier und kleine Junge. Sie pflanzen Tausende von Eichen, weil sie Eicheln in großer Zahl verstecken und sie tragen damit zur Ausbreitung der Wälder bei. Manche Eiche wäre ohne Hilfe des Hähers nie an ihren Standort gelangt.

Die Mengen an Eicheln, die sie verstecken, sind beeindruckend. Das *Handbuch der Vögel Mitteleuropas* (Band 13/III, 1993) gibt ein Beispiel hierzu. Da transportierten 35 bis 40 Eichelhäher in der Grafschaft Essex in England jeweils zwei bis drei Eicheln pro Flug im Kehlsack und eine im Schnabel 400 bis 1500 Meter weit zu den Verstecken. Sie sammelten fast täglich von 9 bis 12 Uhr, während des Höhepunkts der Eichelernte aber von Sonnenauf- bis Sonnenuntergang, zehn bis elf Stunden täglich. Dabei versteckten sie geschätzte 200 000 bis 300 000 Eicheln. Zu einem ganz ähnlichen Ergebnis kam ein hessischer Ornithologe, der am Vogelsberg Eichelhäher beim Eicheltransport intensiv studierte. Die bis zu 65 Vögel sam-

Wer so viele Eicheln versteckt wie der Eichelhäher, findet nicht alle wieder und pflanzt so neue Eichbäume.

melten ebenso viele Eicheln wie ihre Verwandten in Essex, trugen diese aber bis zu fünf Kilometer weit fort und flogen dabei täglich insgesamt rund 175 Kilometer.

Auch für den Eichelhäher ist der Nahrungsbedarf bestimmt worden: 35 Eicheln der Steineiche, was einem Trockengewicht der Eicheln ohne Schale von 22 Gramm entspricht und 89 Kilokalorien oder 370 Kilojoule bei knapp 150 Gramm Körpergewicht des Hähers. Das ist fast die gleiche Energiemenge, die eine Rabenkrähe pro Tag verbraucht.

Damit sind wir bei der Bindung des Eichelhähers an die Eichenwälder. Eicheln sind, so man sie als Nahrung verträgt, ein sehr ergiebiges Futter. So gut die Häher auch sonst in der Wahl ihrer Lebensräume sein mögen, am sichersten ist daher für sie das Leben in den Eichenwäldern. Sie folgen der Verbreitung dieser Bäume praktisch über ganz Eurasien. Nur nach Nordamerika sind sie nicht hinübergekommen. Eine zu ausgedehnte Nadelwaldzone versperrt ihnen in Nordostasien den Weg hinüber nach Alaska und weiter zu den früher riesigen nordamerikanischen Eichenwäldern. Dort nimmt der Blauhäher *Cianocitta cristata* ihre Stelle im Laubwaldgürtel ein. Enge Verwandte davon folgten den Eichen bis Mexiko und breiteten sich weiter nach Südamerika hinein aus. Wie die Eichelhäher in Eurasien führen die Blauhäher auch Wanderungen aus den nördlichen Brutgebieten in südlichere Gefilde durch, wenn ihnen die Nahrung zu knapp wird. Bei den europäischen und asiatischen Eichelhähern kommt es sogar ziemlich regelmäßig zu Massenwanderungen.

Das liegt an den Eichen und gebietsweise auch an den Rotbuchen. Diese fruchten nicht alle Jahre gleichmäßig gut. Es gibt Mastjahre, in denen sich die Zweige unter der Last der Eicheln oder Bucheckern nur so biegen. Die herabgefallenen Eckern bedecken den Waldboden, sodass die vereinten Anstrengungen von Waldmäusen, Eichhörnchen, Hähern, Elstern und des Wildes bei Weitem nicht ausreichen, diese Flut zu bewältigen. Das geschieht bei Eichen und Buchen etwa alle neun bis zehn Jahre. Dazwischen liegen Perioden mit geringem oder nahezu fehlendem Fruchtansatz. Folgen solche abrupt auf Mastjahre und ist der Häherbestand groß, zwingt die Verknappung zur Massenauswanderung. Dass diese zumeist unregelmäßig auftreten, liegt daran, dass Eichen und Buchen die Phasen von Mast- und Magerjahren meistens nicht gleichzeitig durchlaufen. Die Ausweichmöglichkeit auf die jeweils andere Baumart erleichtert es den Eichelhähern, mit den Schwankungen des Nahrungsangebotes zurechtzukommen. Das liegt auch in der Natur ihres Hauptlebensraumes, der Laubwälder. Anders als die Nordischen und die Bergnadelwälder sind die Laubwälder nicht aus einigen wenigen Baumarten zusammengesetzt, sondern aus einem Mosaik recht unterschiedlicher. Diese Vielfalt dämpft das Auf und Ab bei den einzelnen Baumarten. So fällt es in einem Laubmischwald kaum auf, ob bei einer der Baumarten gerade ein »gutes« oder ein »schwaches« Jahr herrscht. In den natürlichen Nadelwäldern wie auch, sogar noch ausgeprägter, in den gepflanzten Forsten bildet eine Hauptbaumart großflächige Reinbestände. Da diese nun zeitgleich die Phasen geringer, mäßiger oder überreicher Fruchtbildung durchlaufen, müssen die Nutzer zwangsläufig diesen vorgegebenen Zyklen folgen. Daher ist sogar in den größer flächigen mitteleuropäischen Buchenwäldern ein ausgeprägter Zyklus der Bucheckernbildung vorhanden. Die Bauern früherer Jahrhunderte kannten diesen Zyklus, weil sie die Schweine zur Mast in die Wälder trieben, damit diese von der Fülle des Herbstes noch so richtig fett wurden, bevor man sie zu Beginn des Winters schlachtete. Von daher kommt die Bezeichnung Mastjahre bei Buchen, Eichen oder auch bei den Fichten.

Invasionen

Während sich die Mastjahre auf Krähen und Elstern kaum auswirken, sind sie im Zusammenhang mit den Hähern besonders interessant. Denn sie lösen in unter Umständen recht fern liegenden Gebieten eine Massenwanderung aus, die dann urplötzlich irgendwo anders mit dem Einflug großer Mengen von Hähern in Erscheinung tritt. Bei den Tannenhähern habe ich bereits darauf hingewiesen, dass es früher, vor allem im 19. Jahrhundert offenbar erheblich öfters solche Massenwanderungen gegeben hat als in unserer Zeit. Nun war das 19. Jahrhundert auch durch besonders ausgeprägte Witte-

rungsturbulenzen gekennzeichnet. Es gab anfangs dicht aufeinander folgende, sehr heiße Sommer und nur mäßig kalte
bis milde Winter. Das wärmste Jahr war in Mitteleuropa 1807.
1787/88 und 1795/96 hatte es so extrem milde Winter wie
erst wieder 1989/90 und 2006/07 gegeben. 1816 und 1818
aber ganz miserable Sommer und 1829/30 einen sehr kalten Winter. Während die Sommerturbulenzen gegen Mitte
des 19. Jahrhunderts abflauten, kamen nun wiederholt sehr
kalte Winter, deren letzter der Eiswinter 1962/63 war. Erneut
sehr starke Schwankungen häuften sich mit besonders war-
men Jahren, aber kühl regnerischen Frühsommern um die
Wende zum dritten Jahrtausend. Der Sommer 2003 geriet
zum heißesten seit Jahrhunderten. Ein sehr kalter und schnee-
reicher Spätwinter war ihm vorausgegangen.

Diesen schlaglichtartig kurzen Anmerkungen zum Wetter-
geschehen in den letzten beiden Jahrhunderten sollen nun
ein paar entsprechende zu Massenwanderungen von Eichelhähern gegenübergestellt werden. So gab es mehrfach große
Invasionen zu Beginn des 19. Jahrhunderts sowie verstärkt
wieder gegen Ende, nämlich 1882 und 1898. Sodann 1916,
1932, 1933, 1936, 1947, 1955, 1964, 1972, 1977 und 1983. Mit
Abständen von drei bis vier Jahren liegen weniger ausgeprägte dazwischen. Ringfunde belegen, dass die Häher bis über
3000 Kilometer weit gezogen waren; in einem Fall vom Mittel-
lauf des Ural-Flusses bis nach Hessen. Da Hunderttausende bis
Millionen Eichelhäher daran beteiligt waren, ist es klar, dass
die örtlichen bis regionalen Bekämpfungen durch Abschuss
überhaupt nichts bewirken konnten. Beim versuchten Totalabschuss im Saarland stiegen die Eichelhäherzahlen sogar an,
wie im entsprechenden Kapitel ausgeführt worden ist.

Die Invasionen hatten aber noch eine andere Folge. Sie zeigte
sich erst beim letzten großen Einflug nordischer und nordöst-

licher Häher nach Mitteleuropa im Herbst 2002. In kleinen Gruppen waren im Oktober und November »überall« fliegende Eichelhäher zu sehen. Sie hielten fast ausnahmslos eine südwestliche Flugrichtung ein. Doch schon im November fingen sie an zu verweilen. Einige stellten sich auf dem Gelände der Zoologischen Staatssammlung ein. Am 24. November 2002 notierte ich zwei, die Eckern von der Rotbuche am Gartenzaun holten. Einer hatte, wie einst die schwanzlose Rabenkrähe, keine Steuerfedern. Da das Schwanzgefieder ansonsten normal ausgebildet und unversehrt war, nahm ich an, dass es sich um eine Schreckmauser gehandelt hatte. Die Häher blieben. Auch an anderen Stellen in der Stadt, insbesondere in der Nähe von Parks und wenn größere Gärten vorhanden waren, hielten sie sich auf. Mit dem Straßenverkehr waren sie offenbar nicht so gut vertraut wie unsere einheimischen Eichelhäher, die selten einmal überfahren werden. Auf der Autobahn von München in Richtung Garmisch fiel mir bei häufigen Fahrten seit 1996 kein einziger überfahrener Eichelhäher auf. Den ersten traf es noch im Spätherbst 2002. Im Frühjahr 2003 folgten sieben weitere auf einem nur 10 km langen Autobahnstück. 2004 gab es dort noch drei Tote und seither (bis einschließlich 2008) keine überfahrenen Eichelhäher mehr. Was sich im Großen als weiträumiges Zuggeschehen abspielte, fand sich auch in der Statistik der nicht mit dem Straßenverkehr vertrauten und ihm zum Opfer gefallenen Eichelhäher während der Invasion vom Spätherbst 2002 und in den beiden Folgejahren. Hunderte sah ich während der Fahrten auf dieser Strecke. Sie flogen ungeschickt über der Autobahn und wichen den mit hohen Geschwindigkeiten fahrenden PKWs oft erst im letzten Moment aus. Nach dem Winter 2002/03 erwischte es viele, weil der Nachwinter lang, schneereich und recht kalt war. Die Häher dürften geschwächt gewesen sein. Wir sahen sie, wie sie vom Rand der Autobahn Split und Salz aufpickten.

Doch das neue Land, das sicherlich vielen Artgenossen schon nach wenigen Monaten Anwesenheit den Tod brachte, geriet für andere zur neuen Heimat. Sie siedelten sich an, und zwar nicht nur in den Wäldern, in denen es in den Folgejahren weitaus mehr Eichelhäher als vor der Invasion gab, sondern auch in den Städten. Zugute kam ihnen dabei ihre geringe Scheu vor den Menschen. So schaute der erste Häher, der sich auf der Birke einfand, die vor unserem Wohnhaus in München steht, höchst interessiert ins offene Küchenfenster. Er benutzte eine flach gewachsene, enge Astgabel als »Schmiede«, um darin Eicheln und Haselnüsse zu bearbeiten. Er war nicht allein, wie auch die meisten anderen Eichelhäher nicht, die sich in der Gegend ansiedelten. Auf dem Gelände der Zoologischen Staatssammlung hielt sich wochenlang ein Trio auf. Nachdem es verschwunden war, nahm ich an, die Häher seien weggezogen. Doch sie kamen mit zwei flüggen Jungen wieder. Seither brüten die Eichelhäher in München in Stadtteilen, in denen zumindest in den vorausgegangenen beiden Jahrzehnten keine Häher vorgekommen waren. Ihre Scheu ist viel geringer als die ihrer Artgenossen draußen im Wald. Vermutlich werden sie mit der Zeit ähnlich futterzahm wie ihre ferneren Verwandten in Nordamerika. Diese suchen Park- und Picknickplätze auf, betteln um Futter und klauen sich auch bei günstiger Gelegenheit welches, wenn die Menschen kurz nicht aufpassen.

Die Verstädterung der Eichelhäher begann in England um 1930, ebenso in Osnabrück (1932 und 1933), in Lübeck (1935 und 1938) sowie in Plauen im Vogtland (1936 und 1937); alles vielleicht Folgen der Großinvasionen Anfang der 1930er-Jahre (siehe oben). Doch, so ist im *Handbuch der Vögel Mitteleuropas* von 1993 zu lesen, »mittlerweile ist diese ökologische Expansionstendenz abgeklungen und die Art als Stadtbewohner vielerorts wieder ganz verschwunden«.

So schnell können sich die Verhältnisse wieder ändern! Die Natur ist dynamisch. Sie entzieht sich jeglicher Festlegung. Unerwartetes kann immer wieder einmal auftreten. Auf Istrien hatten die Mittelmeer-Silbermöwen *Larus michahellis*, die den Silbermöwen der Nordsee sehr ähnlich sehen, aber gelbe Beine haben, im Laufe der Jahre in einer Ferienanlage gelernt, dass die Touristen ihren Besuch schätzen. Sie kamen zum Frühstück auf die Terrassen und schauten auch am Abend vorbei. Nur die Mittagsstunden verdösten sie auf kleinen Felsinseln vor dem Strand, weil da bei den Menschen kaum etwas zu erwarten war. Von den Dächern aus oder im Seewind ihre Kreise ziehend kontrollierten sie sehr genau, wann sich die Türen öffneten und das Frühstück auf den Terrassen zubereitet wurde. Dann landeten sie auf den Veranden, verbeugten sich, wie viele Touristen meinten, ihnen zum Gruß, und schickten ein helles Jauchzen in den Himmel. Den Artgenossen signalisierte dieser Ruf, dass sie ja nicht wagen sollten, hierherzukommen. Denn jede Möwe hatte ihr eigenes Terrain, das sie wie ein richtiges Revier gegen die Artgenossen verteidigte. Das klappte vor allem dann nicht so gut, wenn das Frühstück mehr oder weniger gleichzeitig von mehreren Bewohnern der Ferienhäuser angefangen wurde. Denn zu einem »Bettelrevier« gehörten immer mehrere. Bettelte die große Möwe dann auf der einen Terrasse, nutzte eine andere die Gelegenheit, auf der nächsten in derselben Absicht zu landen. Das war ein Eindringen ins Revier und die »Besitzerin« (die ein Männchen sein konnte, natürlich, weil wir »die« Möwen weiblich bezeichnen!) griff sofort an. Die Verfolgungsjagd im Flug führte oft bis aufs Meer hinaus – und eine dritte Möwe bekam so ein Frühstück.

Man sah ihnen den Appetit an und konnte nicht widerstehen. Denn aus der Schnabelspitze tröpfelte der Speichel. Dass dies oft auch, vielleicht fast immer, nichts weiter war als die Abscheidung von überschüssigem Salz, interessierte nur Kenner, also Biologen. Denn die Möwen haben Salzdrüsen. Mit diesen entledigen sie sich vom Zuviel an Salz, das sie unweigerlich mit ihrem Leben am und auf dem Meer aufnehmen. Für die allermeisten Feriengäste reichte der Augenschein aus: Die Möwen hatten Hunger. Sie bekamen deshalb, was das Frühstück oder die Vorräte hergaben. Erstaunlich schnell passten sich die Möwen dem Tagesrhythmus der jeweiligen Gäste eines Ferienhauses an. Stand man später als üblich auf, waren sie schon auf der Terrasse und klopften auch mal an die Glastüre.

Nach der großen Invasion von Eichelhähern wurde das anders. Diese hatte anscheinend auch den Mittelmeerraum erreicht. Als ich zwei Jahre danach in die Ferienanlage auf Istrien kam, fiel mir sofort auf, dass viel mehr Häher als früher herumflogen. In den vergangenen Jahren hatte es sie zwar auch gegeben. Ihr Rätschen war aus dem Dickicht zu hören gewesen, wo sie nach reifen Eicheln der Steineichen suchten oder Raupen fraßen, die in Massen in der Macchie lebten. Aber ins Freie trauten sie sich in üblicher Vorsicht kaum und wenn doch, nur um einen schnellen Flug zu einem anderen dichten Gebüsch zu machen. Das war nun alles anders geworden. Eichelhäher saßen überall auf den Dächern der Ferienhäuschen. Sie hielten weit weniger Abstand zu den Menschen als gewohnt. Zum Frühstück kam die erwartete Möwe nicht. Als doch eine mit der eleganten Leichtigkeit ihres Fluges daherschwebte, wurde sie sofort von einem Eichelhäher angegriffen. Ein zweiter folgte. Während dieser die Möwe von vorn belästigte, fasste der Erste diese an einer Schwanzfeder und zog so sehr daran, dass sie während des Fluges ins Schaukeln kam. Sie kreischte nach Möwenart auf, machte ein paar heftigere Flügelschläge und flog davon, hinaus aufs Meer. Der nächsten erging es genauso. Nun zeigte sich, dass die ganze Ferienanlage fest im Griff der Eichelhäher war. Die viel grö-

ßeren Möwen hatten keine Chance, sich gegen die stets paar-
weise, oft auch zu dritt zusammenarbeitenden Häher durch-
zusetzen. Diese waren es nun, die auf der Mauer der Veranda
keck, nämlich mit Aufstellen ihres Kopfgefieders und Dre-
hungen und Wendungen des Kopfes ein Frühstück heischten.
Sie erhielten es, weil es reizte, den weiteren Fortgang des Geschehens mitzuverfolgen.
Die Häher hielten nicht nur die Möwen fern, sondern auch
die Katzen unter Druck, die in durchaus vergleichbarer Weise
Kostgänger auf Zeit bei den meistens für zwei oder drei Wochen gekommenen Feriengästen wurden. Anders als früher,
als sie munter auf die Terrasse gehüpft, an der Türe geschnurrt
oder miaut hatten, drückten sie sich nun scheu die Mauern
entlang, versuchten sich im Schatten zu halten und schauten
ängstlich immer wieder nach oben. Trotz ihrer Vorsicht zogen
sie es vor, entweder in den Häuschen oder wenigstens unter
dem Tisch auf der Terrasse das ihnen gebotene Futter zu verzehren. Als ein Stück Katzenfutter aus der Dose für eines dieser recht ausgehungerten Kätzchen so verlockend war, dass sie
es im Freien annahm, griff ein Häher ohne zu zögern an. Die
Katze verschlang den Brocken hastig und zog sich unter den
Tisch zurück. Wollte man beiden etwas zukommen lassen,
mussten sie räumlich und zeitlich getrennt werden – wie bei
einer ökologischen Sonderung. Die Katze erhielt Futter innen
und in der Abenddämmerung, die Häher am Vormittag beim
Frühstück. Die Möwen blieben als Größte abgeschlagen auf
dem Meer. Viel weniger als früher, vielleicht nur noch ein
Drittel oder gar nur ein Viertel, flogen abends zu ihrem
Schlafplatz auf einer kleinen Felseninsel vor der Küste. Den
Hähern hätte ich die erfolgreiche Vertreibung der großen
Möwen wirklich nicht zugetraut.
Früher hatte es mehrfach schon Ansiedlungsversuche von Ei-
chelhähern in Städten gegeben. Die meisten waren nicht er-

folgreich. Nach wenigen Jahren waren die Häher wieder verschwunden. Auch dieser Befund deutet darauf hin, dass es sich um Zurückgebliebene von größeren Invasionen gehandelt hatte. Die Häher aus der Invasion von 2002 starten erneut einen solchen Versuch. Noch verläuft dieser erfolgreich, wie mir das Häherpaar bewies, das sich im sonnigen Januarmorgen 2009, ohne auf mich zu achten, in wenigen Metern Entfernung von der Straße Eicheln aus einem Versteck holte, um sie zu verzehren.

Die damalige Abwanderung aus ihren Brutgebieten, in denen die Lage kritisch geworden war, führte nicht in den Untergang. Sie wurde zum Beginn eines neuen Lebens. Vermutlich sind früher die Häher einfach wieder abgeschossen worden, weil sie viel zutraulicher als die Erfahreneren waren, die hierzulande in Wald und Flur die lebensrettende Scheu von klein an lernten.

In der Großstadt brauchen sie die Furcht vor den Menschen nicht. Hier werden sie nicht gejagt. So konnten die Flüchtlinge aus den Weiten des menschenarmen Nordostens zum Zuge kommen. Sie wagten sich in die Menschenwelt hinein und wurden fündig. Die Stadt eignet sich als Lebensraum. Bäume, die fast alljährlich reichlich Eicheln oder Bucheckern tragen, sind in großer Zahl vorhanden. Anderes Lebenswichtiges auch. Der Mensch verfolgt sie hier nicht mehr. Ihre bedeutendsten Feinde sind die anderen Arten aus ihrer Rabenvogelfamilie, die Krähen und die Elstern. Die Eichelhäher sind zwar die Schwächeren, vielleicht aber die Gewitzteren. Die nächsten Jahre werden spannend zu sehen, wie nun gleich drei Rabenvogelarten im selben Lebensraum miteinander auskommen. Sie konkurrieren miteinander und setzen dabei ihre Intelligenz ein.

Rabenschwarze Intelligenz weltweit

Die Krähen von Tokio

Die Krähen von Tokio machten vor einigen Jahren Schlagzeilen in der Boulevardpresse. Auch einen Fernsehfilm gab es über sie. Diese nahen Verwandten unserer Rabenkrähen fallen bei genauerer Betrachtung durch ihren dicken Schnabel auf. Nach diesem war die Art, die Dschungelkrähe oder Hauskrähe, wie sie umgangssprachlich genannt wird, wissenschaftlich *macrorhynchos* bezeichnet worden. *Macrorhynchos* bedeutet Großschnabel. Ihre Größe steckt aber nicht im Schnabel, sondern im Gehirn. Wie schon kurz beschrieben, lernten die »Japaner« unter diesen in Süd- und Südostasien sehr weit verbreiteten Krähen den Umgang mit dem Straßenverkehr. In der Metropole Tokio, der mit über 35 Millionen größten städtischen Zusammenballung von Menschen, fanden sie sich bestens zurecht, obwohl es, von wenigen Parkanlagen abgesehen, kaum freies Grün in dieser Megalopolis gibt. Die sehr auf Sauberkeit bedachten Japaner hinterlassen auch nahezu keinen Abfall. Wo immer etwas anfällt, wird es umgehend entfernt. Die Bewohner von Tokio dürfen wegen der Krähen ihre Plastiksäcke mit Abfall auch nur unmittelbar vor Eintreffen der Müllabfuhr vor die Wohnungen stellen. Die Krähen hackten sich nämlich die Müllsäcke auf und holten sich, was verwertbar war. Von undurchsichtigen Müllsäcken ließen sie sich nicht täuschen. Trotz dieser Gegenmaßnahmen überlebten die Krähen in Tokio.
Nüsse spielen für ihre Ernährung eine bedeutende Rolle. Dass diese im Hinblick auf den Nährwert sehr ergiebig sind,

braucht nicht noch einmal ausgebreitet zu werden. Das Problem war in Tokio anders gelagert. In einer so dicht bebauten Riesenstadt gibt es kaum größere, ruhige Hinterhöfe oder Nebenstraßen ohne Verkehr. Die Autos fahren zwar langsam, aber fast ununterbrochen. Menschen sind überall zugange. Wo also die Nüsse abwerfen, wenn der Verkehr nahezu immer rollt? Auf den flachen Dächern der Hochhäuser? Die sind anderweitig genutzt. Platz ist knapp, sehr knapp in Tokio. Mit Yokohama und anderen, in Europa dem Namen nach unbekannten Städten ist Tokio zu einer einzigen Riesenstadt zusammengewachsen. In weiten Bereichen fehlt es dort an den bei uns üblichen, vergleichsweise geräumigen Gärten um die Wohnhäuser. Wo es Gärtchen gibt, sind sie vom Zwang der Platznot gleichsam nach Bonsai-Art miniaturisiert.

Die Dschungelkrähe erwies sich auch in so einem Großstadtdschungel als findig genug. Sie schaffte es, den Verkehrsablauf richtig einzuschätzen. Ampeln regeln den langsamen Fluss der Autos. Die Krähen lernten, die so gehaltvollen, aber harten Nüsse nicht einfach irgendwo abzuwerfen, wenn der Moment gerade günstig erschien, sondern sich an die Verkehrsregeln zu halten. Bei ruhendem Verkehr tragen sie die Nüsse auf die Fahrbahnen. Der nächste Schub von Autos überfährt diese; wenn nicht gleich beim ersten Mal, dann beim nächsten Schub. Sobald der Verkehr wieder von den Rotampeln angehalten wird, holen sich die Krähen die aufgedrückten Nüsse. Wertvoller Inhalt geht dabei, weil zu flach gedrückt, unweigerlich verloren. Doch so ein Verlust macht auf jeden Fall weniger aus, als die Nüsse ganz zu verlieren. Das Überfahrenlassen bringt weit weniger Aufwand mit sich, als herumzufliegen und im Rüttelflug über dem Verkehrsfluss zu warten, bis die Lage günstig ist für den Abwurf der Nuss. Die Nachsuche folgt, weil die Teile der Nuss nicht einfach am gewünschten Ort liegen bleiben.

Taifunen und den Spritzen der Feuerwehr hält so ein Nest japanischer Dschungelkrähen aus Drahtkleiderbügeln stand.

Dass das Problem der harten Nüsse nicht nur ein einziges Mal von den Krähen gelöst und dann kopiert wurde, haben die Krähen in München bewiesen. Mit an Sicherheit grenzender Wahrscheinlichkeit dürfen wir annehmen, dass die Münchner Krähen von selbst darauf gekommen sind. Die Kunde von der neuen Technik verbreitete sich nicht von Japan aus über den ganzen asiatischen Kontinent. Daher fehlt den Münchner Stadtkrähen eine andere wichtige Entdeckung ihrer japanischen Gattungsverwandten. Dort, wiederum in Groß-Tokio, ist das Baumaterial für die Nester knapp, weil Japaner nicht nur selbst fast nichts achtlos wegwerfen, sondern auch all das, was aus der Natur als Abfall kommt, sehr schnell und vollständig entfernen. Geeignete Ästchen für den Bau der Nester zu finden, gestaltet sich in Tokio für die Krähen als sehr schwierig und aufwändig. Sie müssen versuchen, passende

Zweige von den Alleen oder von den Kirschbäumen in den kleinen Vorgärten abzureißen, von denen es ziemlich viele in der Riesenstadt gibt. Die Kirschblüte ist bekanntlich in Japan sehr beliebt. Haben die Krähen das geschafft und das wertvolle Nistmaterial auch gegen ihre Nistnachbarn verteidigen können, die in ganz unjapanischer Art überhaupt nicht zögern, aus anderen Krähennestern Material zu klauen, kommt nun vielleicht die Feuerwehr. Denn wo es an guten Nistmöglichkeiten mangelt, rücken auch die Dschungelkrähen zusammen. Sie bilden lockere Brutkolonien. Meinungsverschiedenheiten und Frustrationen, die darin auftreten, schreien sie sich laut aus dem Hals. Das stört die Ruhe der Anwohner.

Außerdem lassen sie fallen, was sie von sich geben (müssen), wobei sie das japanische Grundgebot von größtmöglicher Sauberkeit missachten. Auch wegen dieser beständigen Verschmutzung wird die Feuerwehr geholt, die die Nester entfernen soll. Diese Aufgabe erledigte die Feuerwehr, wie das auch hierzulande immer wieder geschah. Sie spritzte die Nester mit einem kräftigen Wasserstrahl aus den Bäumen. So lange noch keine Gelege oder Jungvögel darin waren, erschien diese rüde Vorgehensweise vertretbar. Bei uns ist sie verboten. Die Brutkolonien der Saatkrähen schützt die EU-Artenschutzverordnung. Grundsätzlich dürfen auch keine Ausnahmegenehmigungen für Bekämpfungen während der Fortpflanzungszeit erteilt werden. In Japan verhielt es sich ordnungsrechtlich wohl ähnlich. Schon die Bildung einer lockeren Brutkolonie sollte daher vorbeugend durch Zerstörung der noch im Bau befindlichen Nester unterbunden werden. Für die Krähen bedeutete dies gleich einen doppelten Verlust. Das vom Wasserstrahl herunter gespülte, so mühsam zusammengetragene Nistmaterial war verloren, weil die Feuerwehr sogleich alles höchst ordentlich beseitigte. Verlustig ging auch die Zeit, die in den Nestbau schon investiert war. Sie ließ sich nicht wieder zurückholen, weil das Jahr ohne Rücksicht auf solche Verluste fortschreitet.

Die Großstadtdschungelkrähen fanden mit der Verwendung von Drahtkleiderbügeln die Lösung. Sie ist wohl ihrem krähen-vogeltypischen Interesse für Metallisches zu danken. Solche Bügel hängen überall auf den kleinen Balkonen, denn Japaner lüften (und waschen) ihre Kleidung weitaus häufiger als Europäer. Die Krähen mussten nur die Funktion des Hakens durchschauen, um sie mühelos und unauffällig von den Plastikschnüren abheben zu können. Fairerweise klauen sie nur freie Bügel und keine mit feinen Seidenblusen und dergleichen. Die Nester aber, die sie mit diesen Drahtbügeln erbauen, halten der Feuerwehr und den Taifunen stand. Sie verhaken sich fast von selbst zu einem auch für Menschenhände kaum noch entwirrbaren Drahtverhau. In der Wärme der Sommermonate von Tokio brauchen solche Drahtnester nur eine leichte Innenauskleidung, die ein Durchfallen der Eier oder der kleinen Krähenjungen verhindert. Da tun ein paar Stofffetzen ihren Dienst. Wichtiger ist die Haltbarkeit des Nests. Diese dürfte von keiner anderen Nestkonstruktion zu übertreffen sein, denn selbst ein Zurechtbiegen dieser Drahtbügel fällt den Krähen mit ihren kräftigen Schnäbeln nicht allzu schwer.

Selbstverständlich gibt es in Tokio nicht nur Krähengegner. Es formierten sich auch Gruppen und Organisationen zum Schutz dieser cleveren Vögel. Sie verweisen darauf, dass man in Japan seit vielen Jahrhunderten, bis zurück in die Zeiten des europäischen Mittelalters, »Krähengeister« in Form der Karasu Tengus verehrt. Tengus lassen sich schwer kennzeichnen und mehr schlecht als recht mit »Himmelshunde« oder »Waldgeister« übersetzen. In ihrer japanischen Urform, die wahrscheinlich mit dem Buddhismus von Indien her über China und Korea nach Japan gekommen war, trugen die »Krähen-Tengus« einen markanten Vogelschnabel, Federn und

Flügel, ansonsten aber Menschengestalt. Später verloren sie ihre Vogelform. Tengus zeichnet die Begabung für magische Künste aus. Vorbild gaben dafür die Krähen ab. In Anlehnung (und mit deren hintersinniger Ablehnung) an die fernöstliche Bezeichnung der Europäer als »Langnasen« oder »Großnasen« wurden sie zum »Langnasen-Tengu« mit Menschengesicht umgeformt. Mehr zu mythischen Rabenvögeln im letzten Kapitel.

Neukaledonische Krähen

Den Krähen von Tokio eine besondere Intelligenz zuzubilligen, entspricht unseren Klischeevorstellungen von der Stadt. Hier herrscht und blüht Kultur; hier sammelt sich die Intelligenz, weil der Überfluss neue Freiheiten ermöglicht, die es auf dem Land bei harter Arbeit nicht gibt. Zumindest konzentriert sich der Fortschritt in den modernen Metropolen. Wer es schafft, sich in diese neue Welt einzuklinken, wird geradezu mitgezogen von ihrem Streben nach Neuem, nach Besserem. Was könnte da besser passen als die Leistungen der Krähen in Tokio?

Im fernen Neukaledonien läuft das Leben zwar auch recht europäisch, aber der Südseeumgebung gemäß weitaus gemächlicher. Von der Hektik der Weltstädte ist nichts zu spüren. Die französische Art harmoniert mit den traditionellen Formen der Lebensweise in der Südsee. Dass Bodenschätze in großem Stil abgebaut und damit überdimensionale Maschinen in die beschauliche Inselwelt gekommen sind, beeinträchtigt die Eignung Neukaledoniens als Ferienparadies. Die dortigen Krähen, die Kaledonische Krähe *Corvus moneduloides*, gibt es nur auf Neukaledonien und den benachbarten Loyality-Inseln. Sie sind mit etwa 40 Zentimetern Länge erheblich kleiner als die fast 50 Zentimeter langen japanischen Dschungelkrähen oder unsere Rabenkrähen. Wie diese sind sie ganz schwarz, aber ihr Gefieder schimmert stärker metallisch purpurn, blau und grün, je nach Lichteinfall.

Ursprünglich lebten sie in den Wäldern, die diese Inseln in mehr oder weniger dichtem Wuchs bedeckten. Seit der Besiedlung durch Menschen, insbesondere aber seit der großflächigen Umgestaltung in ein Bergbau- und landwirtschaftliches Kulturland gibt es sie auch in diesen neuen Lebensräumen. Wie alle Krähen sind die neukaledonischen neugierig. Ihre Berühmtheit erlangten sie, als entdeckt wurde, dass sie sich selbst Werkzeuge herstellen. Haben sie etwa in einem von Moos dicht bedeckten Baumstamm oder in morschem Holz eine dicke Larve eines Käfers gefunden, versuchen sie nicht, diese mühsam herauszuschlagen. Wahrscheinlich würde nach dieser Behandlungsweise auch kaum mehr als eine weitgehend leere Larvenhaut und ein dünnflüssiger Brei übrig sein. Sie schauen sich um, taxieren die Zweige in der Umgebung, brechen einen passenden ab, entblättern und entasten ihn, bis er als »Fleischspieß« passt. Damit stochern sie nun die Larve heraus. Das Werkzeug nehmen sie entweder mit, wenn sie in der Nähe ähnlich vorgehen, oder sie fertigen ein neues bei Bedarf.

Kaktusstacheln oder spitze Hölzchen benutzen zwar auch die Spechtfinken *Camarhynchus pallidus* von Galapagos zur Nahrungssuche, aber bei den neukaledonischen Krähen kommen das gezielte Herstellen und Bearbeiten hinzu. Das war bisher nur von Schimpansen, den mit uns Menschen nächstverwandten Menschenaffen bekannt. Die Herstellung von Werkzeugen gilt als besondere Intelligenzleistung, weil der spätere Zweck vorhergesehen werden muss. Sie geschieht zudem so gezielt, dass das Werkzeug den momentanen Anforderungen entspricht und nicht einfach einem festen Schema automatisch zu entsprechen hat.

»Betty« hat sich selbst ein Drahtstück zum Haken gebogen, um damit Fleisch aus dem Zylinder zu angeln.

Die Neukaledonierkrähen können noch mehr. Das wurde per Zufall entdeckt. Ein Krähenpaar, das die Forscher »Abel« und »Betty« genannt hatten, mochte sehr gerne Schweineherz (verständlicherweise). Die Forscher boten ihnen ein gerades Stück Draht und eines mit einem kleinen Haken zur Auswahl. Damit sollten sie entweder einen kleinen Behälter mit Fleischstückchen aus einem Glaszylinder herausheben oder die Fleischstückchen herausstochern. Abel holte sich sogleich den Haken und angelte sich das Schälchen mit Fleisch. Er hielt offenbar nichts davon, seiner Partnerin den Vortritt zu lassen. Doch Betty hatte das nicht nötig. Sie nahm das gerade Drahtstückchen, bog sich ein Ende als Haken zurecht und holte sich ihr Fleischschälchen mit dem gleichermaßen funktionierenden Gerät. Beide Krähen waren von Hand aufgezogen worden und hatten vorher noch nie Bekanntschaft mit Draht gemacht. Materialeigenschaften zu untersuchen, steckte also weiter verbreitet in den Krähenvögeln. Auch in Europa bauen manche Rabenkrähen Draht oder Streifen von Metallfolien in ihre Nester ein. Metallisches reizt diese Vögel mehr als einfach nur Glänzendes.

Auf Neukaledonien wurde zudem festgestellt, dass solche technischen Kenntnisse und Fähigkeiten bei den Krähen von Generation zu Generation weitergegeben werden. So bilden sich Traditionen heraus. Auch das war vorher nur von Menschenaffen und Affen bekannt; etwa von den Japanmakaken, die gelernt hatten, dass Süßkartoffeln schmackhafter werden, wenn man sie in Meerwasser eintaucht. Am Strand ausgestreutes und dadurch mit Sand stark verunreinigtes Getreide hingegen ließ sich reinigen, wenn man die Handvoll ins Wasser mitnahm. Die Körner schwimmen oben und können nun mühelos ohne Sand verzehrt werden. Die Makaken tun das besonders gern an Quellen mit sauberem Wasser. Diese Entdeckungen verbreiteten sich unter den Makaken in der betreffenden Gegend in Japan von Generation zu Generation. Den Affen, die dort wie die Menschen im Winter heiße Quellen aufsuchen, wenn es zu kalt geworden ist und viel Schnee liegt, traut man solche Traditionsbildungen zu. Ihr Gruppenleben ähnelt unseren Großfamilien. Zweifellos sind die Makaken auch recht intelligent. Das meinen wir zumindest aus dem Mienenspiel ihrer Gesichter ablesen zu können. Selten täuschen wir uns dabei.

Aber Vögel, rabenschwarze Vögel! Dass auch sie, die uns entwicklungsgeschichtlich so fern stehen, eine verblüffend hohe Intelligenz entwickelt haben könnten, passte gar nicht in die Vorstellungswelt vieler Biologen. Im fernen Neukaledonien zeigten recht gewöhnlich aussehende Krähen, wie falsch wir mit dieser Meinung lagen. Sie entpuppte sich als Vorurteil. Dabei haben die Krähen als die Kleineren unter den schwarzen Krähenvögeln gar nicht einmal das größte Gehirn. Das haben die Raben.

Bernd Heinrichs Raben

Das faszinierendste Buch über Raben hat aus meiner Sicht der amerikanische Biologe Bernd Heinrich geschrieben. Er stammt aus Deutschland, begab sich aber frühzeitig in die USA, weil dort für seine Interessen ungleich günstigere Bedingungen im Studium und vor allem in der Forschung an Tieren in der freien Natur als bei uns geboten waren. Sie sind nach wie vor sehr viel besser als in Deutschland, wo sich die Bedingungen in den letzten Jahrzehnten aufgrund der vielfältigen Einschränkungen durch die Artenschutzgesetze noch erheblich verschlechtert haben. Das ist die bittere Wahrheit. Sie hat dazu geführt, dass großartige Forschungen an den Rabenvögeln und anderen auch bei uns in ungefährdeten Beständen vorkommenden, aber geschützten Tieren irgendwo auf der Welt gemacht werden, nur nicht mehr hierzulande.

Bei den Kolkraben war einer der Pioniere der damalige Direktor des Berliner Zoos Oskar Heinroth. Er beeinflusste maßgeblich den jungen Konrad Lorenz. Oskar Heinroth zog sehr viele verschiedene Vögel von klein an auf. Manche wurden auf ihn geprägt, andere blieben einfach vertraut. In jedem Fall eröffneten sie mit ihrem Leben unter Menschen tiefe Einblicke in ihre besondere Lebensweise. Konrad Lorenz fing mit Dohlen und Wildgänsen an. Er hatte einen zahmen Kakadu und andere Vögel. Mit Dohlen baute er eine kleine Kolonie auf. Das war alles zu einer Zeit, in der er unbekannt war. Allenfalls konnte sein Vater, ein sehr angesehener Wiener Arzt, dem sich aus seiner ärztlichen Sicht so eigenwillig mit Tieren beschäftigenden Sohn Hilfestellung leisten. Noch griffen aber keine Verbote seitens des Naturschutzes zu. Dieser war vorhanden, aber auf das Notwendige beschränkt. Dohlen, Krähen und schließlich auch die größten und schönsten, die Kolkraben, faszinierten Konrad Lorenz. Als er nach dem

218

Zweiten Weltkrieg die Vergleichende Verhaltensforschung aufbauen und auch institutionell mit bester Förderung durch die Max-Planck-Gesellschaft entwickeln konnte, setzte er einen jungen Biologen auf Kolkraben an. Eberhard Gwinner erforschte nun jahrelang das arttypische Verhalten dieser Vögel. Seine Verhaltensstudien legten die Basis für alle weiteren Forschungen an dieser faszinierenden Vogelart. Doch in Deutschland war die Gwinner'sche Arbeit schon auf Großvolieren beschränkt. Die Bedingungen wurden immer enger.

Bernd Heinrich wählte das Bessere. In den weiten Wäldern von Maine im Nordosten der USA fand er die Gegend und den passenden Ort für seine Forschungen an handaufgezogenen, vor allem aber an völlig frei lebenden Kolkraben. Dort ließen sich Verhaltensweisen, die Eberhard Gwinner beschrieben hatte, in ihrer natürlichen Umwelt studieren. Bernd Heinrich fasste seine Erlebnisse und Experimente im Buch *Die Seele des Raben* zusammen, das im ursprünglich englischen Text zutreffender *Raben im Winter* hieß. Denn es ist der Winter, der die Kolkraben vor die größten Herausforderungen stellt. Bei Schnee und Kälte droht ihnen das Verhungern, so findig sie auch sein mögen. Die Schneehöhen können zu groß werden, um an Verstecke zu gelangen. Die Kälte der langen Winternächte erfordert einen besonders hohen Verbrauch an Energie, um den Körper auf über 40 Grad Celsius warm zu halten. Das Beste, was es in dieser Zeit gibt, sind die Kadaver ums Leben gekommener Wildtiere. Ein großer Hirsch wäre für Wochen die Überlebensgarantie; außer er fiel einem Wolfsrudel zum Opfer. Dann bleibt für die Raben weniger oder fast gar nichts übrig.

In dieser Zeit lohnt die Zusammenarbeit ganz besonders. Haben umherstreifende Kolkraben aus Nichtbrüter- und Jungenschwärmen einen größeren Kadaver entdeckt, rufen sie mit ganz besonderen Lauten ihre Gruppe herbei. Gemeinsam machen sie sich an die Verwertung des Kadavers. Dabei sind sie, ist die Gruppe groß genug, den Revierinhabern der Gegend überlegen. Kommt das Revierpaar drohend angeflogen, sieht es sich einer Übermacht anderer Kolkraben gegenüber. Ein kräftezehrender Kampf lohnt dann nicht. Die Übermacht hat von vornherein gewonnen. Dem revierbesitzenden Paar bleibt nichts anderes übrig, als die Eindringlinge gewähren zu lassen. Höchstens kann es selbst versuchen, am Kadaver teilzuhaben. Ist der Happen dagegen klein, etwa ein frisch überfahrener Hase am Rand einer Fernstraße, versucht der Entdecker das gute Stück möglichst für sich allein zu haben. Er vermeidet Aufsehen, wird alles, was er nicht gleich verzehren kann, verstecken und klammheimlich wiederkommen, um den Rest zu nutzen. Kolkraben passen sich, so das Ergebnis der Untersuchungen von Bernd Heinrich, den Verhältnissen an. Sie reagieren intelligent auf die Lage, nicht stereotyp. Sie setzen ihre Fähigkeiten in der Praxis einsichtig um. Das führt dazu, dass sie auch Artgenossen zu täuschen versuchen, wenn die Situation dies geboten erscheinen lässt. So können sie, wie das vielfach auch andernorts an gekäfigten Kolkraben beobachtet worden ist, durch einen Warnruf, der auf einen Luftfeind, einen großen Greifvogel, hinweist, die Aufmerksamkeit der Artgenossen für jenen entscheidenden Moment ablenken, in dem der Warnende das geheim gehaltene Futter verstecken kann. Haben die Genossen aber seinen zu stark geblähten Kehlsack bemerkt, tun sie nur so, als ob sie nach dem Feind schauen würden, beobachten in Wirklichkeit aber ganz genau, was der Warner macht – und klauen ihm die versteckte Beute umgehend.

So baut sich eine Rabengesellschaft auf, die durchzogen ist von wechselseitig größtem Vertrauen der Partner eines Paares untereinander und stetem Misstrauen den Artgenossen gegenüber. Denn unter diesen sucht jeder seine eigenen Vorteile. Freundlichkeit kann eine vorgetäuschte sein. Das kennen wir doch nur allzu sehr aus der eigenen Umgebung in der Menschenwelt. Vertrauen ist gut, Kontrolle besser. Dieses Motto gilt bei uns wie unter Kolkraben. Bis hin zum Seitensprung. Das Kolkrabenpaar hält zwar, wenn alles Äußere gut geht und die Fortpflanzung klappt, lebenslang zusammen. Die Partner unterstützen einander, verteidigen gemeinsam Revier und Brut, sind fast immer zusammen und meistens in Sichtweite. Daran tun sie gut, denn sollte sich die Gelegenheit ergeben, die Nachbarin zu besuchen, die gerade mit dem Eierlegen begonnen hat, wird das Männchen die Chance nutzen, mit ihr kurz »fremdzugehen«. Dass dies gelingt, setzt natürlich voraus, dass das dortige Weibchen mitmacht. Dann ist eben in der Brut auch ein Jungvogel, der einen anderen Vater hat. Dieser wird wie die Geschwister lautstark mit knallrotem Rachen um Futter betteln und, so genug davon vorhanden ist, ohne Unterschied mit großgezogen werden. Der »rechtmäßige Vater« kann den Sprössling ohnehin nicht von den eigenen Jungen unterscheiden. Während der fremdgehende Rabe kilometerweit bei der Nachbarin weg war, passiert das Gleiche vielleicht bei seinem Weibchen. Und so gleicht sich das alles insgesamt irgendwie aus. In den Nachwuchs eines bestimmten Rabenpaares kommt genetische Vielfalt hinein, die es allein nicht hätte erzeugen können. Wahrscheinlich ist das der Grund, weshalb sich die Kolkraben nicht stärker in Unterarten aufgespalten haben. Der genetische Austausch ist zu groß dafür.

So sind Bernd Heinrichs Raben aus den Wäldern von Maine näher verwandt mit den fernen nordostasiatischen Kolkraben als mit den näher lebenden von Kalifornien. Diese gelangten aller Wahrscheinlichkeit nach schon weit früher, vielleicht in einer Zwischeneiszeit, nach Kalifornien, während die Alaska,

Kanada und den größten Teil des US-amerikanischen Nordamerika bewohnenden Kolkraben sehr eng mit den heutigen
eurasiatischen Artgenossen verwandt sind.

Wir haben hier in Deutschland über 12 000 Kolkrabenbrut-
paare. Weil sie unter Artenschutz stehen, sind sie allerdings
nur durchs Fernglas zu beobachten. Wissen wir denn schon
genug über die sagenhaften Raben, dass sie durch »Artenschutz« menschenfern bleiben sollen?

Raben im österreichischen Almtal

Nein, wir wissen nicht genug. Neues, höchst Erstaunliches
über die Kolkraben ist seit der Zeit von Konrad Lorenz und
Eberhard Gwinner hinzugekommen. Nicht in Deutschland,
wo der Nobelpreisträger den größten Teil seiner Forschungen
durchgeführt und die Vergleichende Verhaltensforschung als
Wissenschaft begründet hatte, sondern in einem abgelegenen
Alpental in Österreich wird das Erbe von Konrad Lorenz
weiterentwickelt. Die Grundlage schuf ein Mäzen, SKH Prinz
Ernst August von Hannover, der Grundherr des Cumberland-
Wildparks bei Grünau im oberösterreichischen Almtal. Dort
war Konrad Lorenz nach seinem Ausscheiden aus dem aktiven Dienst in der Max-Planck-Gesellschaft die Möglichkeit
geboten worden, eine auf die Forschung an heimischen Wild-
tieren ausgerichtete Station aufzubauen; die *Ethologische Forschungsstelle Grünau*. Gegenwärtig leitet sie Professor Kurt
Kotrschal. Er ist gewissermaßen ein geistiger Enkel des Nobel-
preisträgers, denn er führte die Lorenz'schen Forschungen in
neue Dimensionen hinein.

Maßgeblich beteiligt seitens der erforschten Tiere sind die
Kolkraben. Sie werden für die wissenschaftlichen Experimente in großen Flugvolieren gehalten. Aber die im Tal lebenden,

frei fliegenden Kolkraben, die hier ihre Reviere haben oder in Gruppen von 20 bis 120 Vögeln umherschweifen, machen ebenso mit. Sie kommen zu den Fütterungen der Wildschweine, Wölfe und Bären, piesacken schon mal einen Hirsch oder tauschen sich auf Kolkrabisch mit ihren Artgenossen in den Großkäfigen aus. Dass Wildschweine einen oder mehrere Kolkraben als »Reiter« auf dem Rücken tragen, gehört zum fast alltäglichen Bild. Die Schweine haben sich daran gewöhnt. Auf Bäumen am nahen Waldrand warten die Raben, bis frühmorgens die Fütterung der Tiere in den Gehegen beginnt. Sobald der Tierpfleger mit den Futterkübeln des Weges kommt, stellen sich auch die Raben ein. Sie kennen ihn wie auch eine Reihe weiterer vertrauenswürdiger Menschen im Park, die Forscher mit eingeschlossen. Bei Fremden bleiben sie distanzierter und vorsichtig. Man könnte den Eindruck gewinnen, sie stufen fremde Menschen ein wie Wölfe. Auch wenn sie häufig, meistens sogar erfolgreich, versuchen, den Wölfen Fleischbrocken wegzunehmen, halten sie Sicherheitsabstand. Stets sind sie abflugbereit. Es kommt gelegentlich auch vor, dass es einem Wolf gelingt, einen allzu dreisten Raben zu schnappen und zu töten. Dieser Fall wird auch in der sogenannten Wildnis mitunter auftreten. Wie beim menschengeprägten Kolkraben Mao beschrieben, übertragen die Kolkraben ihre Abneigung gegenüber den Wölfen auch auf Hunde, auch das lässt sich im Almtal beobachten.

Ein anderes Verhalten kann man im Wildpark mühelos aus der Nähe mit ansehen: Jüngere, unerfahrene Raben lassen den Alten den »Vortritt«, wenn es darum geht, etwas Neues zu erkunden. Kotrschal nannte das Verhalten sehr treffend »Neophobie«, weil es der vom Menschen bekannten Distanziertheit der/des Fremden in vielerlei Hinsicht ähnelt. Kolkraben sind also nicht einfach nur nach Krähenart neugierig, sondern vorsichtig zurückhaltend. So sehr sie dem

Frei lebende Kolkraben bei den Wildschweinen, Cumberland-Wildpark im oberösterreichischen Almtal

Vertrauten trauen, so kritisch beäugen und so ablehnend behandeln sie das Fremde. Der große Vorteil der Vorgehensweise in der Almtal-Forschung wird hier deutlich. Anders als Konrad Lorenz werden dort nicht nur einzelne, mit dem Pfleger vertraute oder gar menschengeprägte Vögel gehalten und beobachtet, sondern ganze Gruppen mit ihrem Sozialverhalten, ihren persönlichen Eigenarten und Besonderheiten. Die Forschungsstelle in Grünau deckt damit das ganze Spektrum ab, das von völlig frei lebenden Kolkrabenpaaren und -gruppen über die miteinander in geräumigen Großvolieren gehaltenen bis zum Einzelvogel reicht. Lebensgeschichten entstehen so; Lebensläufe, die Geschichte haben! Wie bei uns Menschen auch. Bernd Heinrich konnte »seine« Kolkraben in den Wäldern von Maine jahrelang studieren. In

Grünau geht die Forschung nun über Jahrzehnte. Kolkraben angeln sich im Experiment mühelos Fleischstücke, die an einer Schnur hängen, auch über Umwege. Also erkennen sie den Zusammenhang von Fleisch und Schnur. Ihr Können beeindruckt. Dass sich Kolkraben mehr unterschiedliche Dinge, die sie nur sekundenlang sehen, merken können als wir, mag erstaunlich sein. Aber welche Bedeutung haben solche Fähigkeiten im wirklichen Leben dieser Vögel? Solche Fragen beantworten sich im Almtal mit der Zeit ganz von selbst. Denn Kolkraben sind findig; gerissener mitunter als die Forscher, die ihnen »Aufgaben« stellen. Mao hatte das auf seine Weise ausgedrückt, als er den Hund, der ihm als »brav« gepriesen worden war, nicht selbst jagte, sondern hinter sich herlaufen ließ. Bis der Hund, der die Rabenabsichten nicht durchschaute, total erschöpft war. Man tut deshalb auch im Almtal gut daran, nicht zu versuchen, die Kolkraben zu necken. Die frei fliegenden könnten das übel nehmen und auf ganz unerwartete Weise zurückschlagen. Ein Hieb mit dem mächtigen Schnabel tut weh. Die Steinadler in den Alpen und die Seeadler in Nordostdeutschland wissen, dass es besser ist, von den großen Raben Abstand zu halten. Einem Feind, der zu nahe kommt, würden sie hemmungslos auch ein Auge ausschlagen.

Rabenmütter, wie Gertrude Drack im Almtal, und Rabenväter, wie Peter Schoberl, der im österreichischen Vorarlberg lebt, kennen die andere Seite. Kein Rabe und auch keine Krähe hackt der anderen ein Auge aus – wenn der/die andere der Partner ist! Da kann auch der Mensch sicher sein, dass der Riesenschnabel, der mit scharfer Spitze zunächst die Augenbrauen putzt, das Auge nicht verletzen wird, wenn es an die Wimpern geht. Doch wehe, ein anderer Mensch, ein Fremder, nähert sich dem Menschenpartner zu sehr. Dann wird nicht nur der große Rabe, sondern sogar eine kleine Dohle gefährlich.

Die Verbindung von Käfighaltung und Freilandbeobachtung an Kolkraben hat selbstverständlich auch ihre Grenzen. Ein Wildpark stellt mit den täglichen Fütterungen einen Sonderfall dar, den es in der Wildnis so gut wie nie gibt. Am ehesten vergleichbar wären Stellen in Nordamerika und Ostasien, an denen Lachse in großen Mengen vom Meer her die Flüsse aufwärts wandern. An bestimmten, für den Lachsfang günstigen Stellen sammeln sich dann Bären und Adler. Sie schwelgen zeitweise geradezu in diesem Überfluss. Das kommt auch den Kolkraben zugute. Sie brauchen von ihren Schlafbäumen zur passenden Zeit nur zu den Stromschnellen zu fliegen, wo die Bären ihren Fang im Morgenlicht beginnen. Es wird genug für sie abfallen. In Ostasien, auf Kamtschatka vor allem, geht das auch ohne Bären, weil die See- und die Riesenseeadler Lachse erbeuten und sich Reste davon abjagen lassen. In Nordamerika liefern die Weißkopfseeadler den entsprechenden Tribut für die Raben. So kommt eine Situation wie bei der täglichen Fütterung in einem Wildpark durchaus auch in der Wildnis zustande. Auf das gesamte Verbreitungsgebiet der Kolkraben bezogen, bleibt sie dennoch eine Rarität.

Das Verstecken von Fleisch aber, das sich in freier Wildbahn beobachten lässt, gibt den Forschern in den Wildtierparks daher noch manches Rätsel auf. Hungrige Kolkraben versuchen nämlich eher, die ersten Brocken, die sie ergattern, zu verstecken als satte. Eberhard Gwinner stellte dies bereits in den 1960er-Jahren fest. Genau das Gegenteil würde man annehmen. Meine Rabenkrähe Tommy verhielt sich allerdings ganz ähnlich. Bekam Tommy nach ein oder zwei »fleischlosen Tagen« ein Eintagsküken, war er richtig wild darauf. Doch zuerst versteckte er den größeren Teil, manchmal sogar das ganze Küken, bevor er anfing, den Rest zu verzehren. Da er durch unerwartet Interessantes, wie einen Spaziergang mit mir, abgelenkt werden konnte, passierte

Sogar Elstern können einem Seeadler so lästig werden, dass sich dieser aus ihrem Revier zurückzieht.

es immer wieder, dass er versteckte Küken vergaß. Fand er später die Reste, stanken sie und waren auch für eine Krähe ungenießbar.

Ähnliches stellte Bernd Heinrich an seinen Kolkraben fest. Eigene Verstecke fanden sie schon nach einem Tag nur noch in der Hälfte der Fälle. Waren zwei Wochen vergangen, lag die Wiederfundquote nur noch bei 32 Prozent und nach vier Wochen bei knapp acht Prozent. Heinrich schloss daraus, dass Kolkraben zwar über ein gutes Raum-Gedächtnis, aber nur über ein mäßiges Kurzzeitgedächtnis verfügen. Treibt sie ihre Intelligenz zu schnell hin zu Neuem? Warum verstecken sie bei Hunger und nicht wie die kleineren Rabenkrähen bei Überfluss? Weshalb sollten sich die Krähen Dutzende, die Häher sogar Hunderte von Einzelverstecken merken können, die mit einem viel größeren Gehirn ausgestatteten Kolkraben aber nur einzelne, und das auch bloß für kurze Zeit?

Solche Fragen werden sich mit den Langzeituntersuchungen, wie sie in der Forschungsstelle Grünau betrieben werden, wahrscheinlich auch lösen lassen. Einstweilen kann nur vermutet werden, dass es sich bei warmer Umgebung gar nicht lohnt, ein Fleischversteck für längere Zeit im Gedächtnis zu behalten. Im Winter hingegen, bei Kälte und Schnee, sollte die Anlage von Vorräten sich durchaus lohnen, zumal wenn das Fleischstück fett ist. Nüsse dagegen eignen sich ihrer Natur nach hervorragend für die langfristige Aufbewahrung in Verstecken. Vom Fleisch eines (frischen) Tierkadavers hat der einzelne Rabe mehr, wenn er die ersten Stücke kurzzeitig versteckt und sich ein paar weitere holt, als bei sofortigem Verzehr. Handeln die Raben also »einsichtig« oder sieht es nur für uns so aus? Vieles in ihrem Verhalten verblüfft so sehr, dass wir geneigt sind, sie für besonders intelligent zu halten. Die Wissenschaft muss den Eindruck beständig kritisch hinterfragen. Darin liegt eine ihrer Hauptaufgaben und auch ihre größte Stärke. Sie darf dem Augenschein nicht trauen. Schmälern will sie die Leistungen von Tieren damit jedoch nicht. Gerade die Forscher, die in die Lebensgeheimnisse besonders intelligenter Tiere eindringen wollen, trauen diesen in aller Regel mehr zu, als sie nach außen zugeben. Sie müssen skeptisch bleiben, gerade weil sie »ihren Tieren« so zugetan sind. Die Vermenschlichung von Tieren hat sehr viel Unheil angerichtet. Seit Urzeiten wird ihnen alles (Un)Mögliche zugeschoben, unterstellt und angelastet. Keine Tiergruppe haben Vorurteile und Wahnvorstellungen so sehr getroffen wie die Rabenvögel, zumal die »Schwarzen« unter ihnen. Einzig die Ratten kamen zu einem ähnlich schlechten Ruf wie die Krähen. Die Geschichte der Einschätzung von Rabenvögeln ist ein dunkles Kapitel der Kulturgeschichte.

Rabenmythen

Denn – schnupp! – der Tante Nase fasst er an;
Und nochmals triumphiert das Laster!

Sagenhafte Rabenvögel

Vom weisen und weißen Raben zur »alten Krähe«

Geschichtlich gesehen wissen wir am meisten über die Raben. Sie waren sicherlich bereits den eiszeitlichen Jägern bekannt. Denn wo immer sie, noch ohne Gewehr und knallenden Schüssen Tiere erlegten, stellten sich alsbald die Raben ein. Wo sich Raben sammelten, hatten vielleicht Wölfe gerade Beute gemacht. Die Jägergruppen konnten das frisch getötete Tier den Raubtieren abjagen. Umgekehrt schützte die rasche Verwertung der Abfälle einer erfolgreichen Jagd die Menschen davor, dass Wölfe und Bären vom Blut- und Kadavergeruch angelockt wurden. Das war für die Jägergruppe von Vorteil. Die Raben bildeten anders als die großen Raubtiere für die Menschen keine Gefahr. Die kleineren Krähen schlossen sich den großen Raben an. Aus nordamerikanischen Beobachtungen ist bekannt, dass Raben sogar Kojoten und gelegentlich auch Wölfe rufen, wenn sie den Kadaver eines Großtieres gefunden haben, weil sie selbst zu schwach sind, das Aas zu öffnen. Es bleibt dennoch genug für sie. Damit ist es vorstellbar, dass die Raben auch die nordischen Jäger gerufen und mit ihrem Flug an die richtige Stelle in den Weiten der eiszeitlichen Tundren geführt hatten.
Sehr früh erhielten sie daher Namen, deren Wurzeln sich aus den heutigen Sprachen erschließen lassen. Ursprünglich waren sie sicher lautmalerisch. In Europa geht das Wort »Rabe« auf das Proto-Germanische *khrabanas* zurück. Althochdeutsch hieß es *hraban*, ähnlich dem englischen *raven*. Im altschottischen *corby* oder *corbie* und im französischen *corbeau*

ist hingegen die mediterrane Wurzel mit dem lateinischen *corvus* erhalten, das für beide »Schwarzen« stand, für den Kolkraben und für die Rabenkrähe. In den meisten indoeuropäischen Sprachen ahmt auch die Bezeichnung »Krähe« die krächzenden Lautäußerungen nach: *krâwa* althochdeutsch, *krâ, kraeje, kreie* oder *krowe* mittelhochdeutsch und *krâja* altslawisch. Die Sprachwurzel benannte schnarrende, kratzende Geräusche mit *ker* oder *kar*. Die Krähen sind also »Krächzer«. Auf das Schwarz verweisen die alten Bezeichnungen interessanterweise nicht. Daraus lässt sich schließen, dass die abwertende Behandlung »der Schwarzen« zeitgeschichtlich jüngeren Ursprungs ist.

Hingegen bekräftigen die sprachgeschichtlichen Befunde die uralte Beziehung zwischen Raben und Menschen. Ihr Name diente im Deutschen zur Verstärkung von »schwarz« mit Wörtern wie »rabenschwarz« und »kohlrabenschwarz«. Schwarz, das Fehlen von Farbe, ist symbolträchtig. Als Kontrast wird in der Regel weiß gegenüber gestellt. Die Bezeichnung »schwarzes Schaf« besagt für die begriffliche Vorstellung mehr als tausend Worte. An einem »schwarzen Tag« geht alles schief. »Schwarzfahrer« setzen sich wie »Schwarzhändler« über die öffentliche Ordnung hinweg. Wer »schwarz sieht« hält wenig von der Zukunft (oder hat seinen Fernsehempfang nicht angemeldet). Umgekehrt strahlt Weiß Reinheit, Unschuld, Weisheit und Anderes aus, was der Seite des Guten zugerechnet wird. Die früher in der Erziehung der Kinder übliche Drohung mit dem »schwarzen Mann« drückte die tiefe Verwurzelung von »schwarz & böse« aus. Gemeint war der Teufel, erschreckt hat man die Kinder aber mit Kaminkehrern oder dunkelhäutigen Mitmenschen. Der äußerst seltene »weiße Rabe« widerstrebte dieser als natürlich empfundenen Ordnung so sehr, dass er gleichsam die Perversion des Raben geworden ist; das »weiße Schaf« seiner schwarzen Familie. Er diente in einem bezeichnenden Sonderfall in der griechischen Mythologie. Dazu mehr im nächsten Kapitel.

Dass der Bezug auf die Raben in nördlichen Regionen stärker als in den wärmeren südlichen ausgebildet war, hängt mit dem Vorhandensein oder Fehlen von Geiern zusammen. Die »Aasgeier« der Alpen, die Gänsegeier *Gyps fulvus*, sind Zugvögel, die nur in den Sommermonaten in die Bergwelt kommen. Die Raben bleiben das ganze Jahr. Die Domäne der Krähen und Raben beginnt dort, wo die Geier nicht oder nur in zeitlich geringem Umfang leben können. Geier sind zudem reine Leichenentsorger. Es fehlt ihnen das Aktive, das Kluge, das die Raben auszeichnet. Untätig warten die Geier in den Steilwänden, in denen sie nächtigen oder brüten, bis das Wetter für ihren kräftesparenden Segelflug taugt. Die Raben trotzen auch den Regenstürmen, die Geier in einem Bild großer Traurigkeit mit hängenden Köpfen über sich ergehen lassen.

Zu den Jägervölkern passten die Raben daher ungleich besser als die Geier. Und da sie sogar mit den mächtigen Adlern ihr Spiel treiben, galten sie praktisch überall in den Gebieten, in denen sie vorkommen, als etwas Besonderes. Nordamerikanische Indianerstämme verwendeten den Raben als Totemtier oder benannten sich nach den Krähen. Bei den Germanen waren, wie schon ausgeführt, die beiden Kolkraben »Hugin« und »Munin« die unantastbaren Boten für Wotan (Odin). Die Vorstellung vom »weisen Raben« wurzelt tief in der Vergangenheit. Die Klugheit der Raben und Krähen war allen Völkern, die sich überwiegend von Jagd und Fischfang ernährten, offenkundig. Von der nordamerikanischen Pazifikküste und nahezu das ganze nördliche Eurasien bis in die Hochgebirge des Himalajas (Bhutan) und zu den Kelten von Wales und Irland reichte die Verehrung der Raben. In Wales gab es eine keltische Gottheit mit Namen »Bran«. Das bedeutet direkt Rabe.

Das fahle Licht des Hohen Nordens verleiht dem Raben auch in unserer Zeit noch die Aura des germanischen Göttervogels.

Wenn aber die Raben, die um den Tower in London fliegen, diesen verlassen, wird der Legende zufolge die englische Monarchie ein jähes Ende nehmen. Zum Schutz der Monarchie hat man den Raben im Tower die Flügel gestutzt. Die solcherart gleichsam als den *Royals* zugehörig geadelten Raben wurden dadurch immer weiter von den gemeinen (*common*) Krähen abgerückt. Deren Endstation im Abwärtstrend des Sozialprestiges wurde die »alte Krähe« als Schimpfwort: dünnbeinig, düster gekleidet und stets lamentierend oder schimpfend. Außenseiter eben!

Mythologie der Raben

Die Raben lieferten reichlich Stoff für Geschichten und Mythologien. Ganze Bücher ließen sich allein damit füllen. Weltweit kommen sie in ihren Verbreitungsgebieten in Sagen und Märchen vor. Betont wird in den alten Märchen immer ihre Klugheit. Grundlage dafür bildete die nordische Mythologie. Die beiden Kolkraben »Hugin« und »Munin« konnten Gott Odin in seiner Weltesche »Yggdrasil« ja nur deswegen berichten, was unten in der Menschenwelt vor sich ging, weil sie klug und weise waren. Der Sage nach ist auch – viel später – König Artus in einen Raben verwandelt worden, der fortan sein geheimes Wissen trägt.

Raben waren dem griechischen Gott Apoll heilig; höchst bezeichnend, denn Apoll war der Schönste in der Götterwelt! Also konnte der Rabe gar nicht als düster, schwarz und hässlich empfunden worden sein, wie sonst hätte sich der Gott der Schönheit damit ausgestattet. »Koronis« hießen der Rabe (oder die Krähe) in der altgriechischen Mythologie und auch eine Erscheinungsform der Göttin Athene. »Koronis« hieß sie ihres Lieblingsvogels wegen, der Krähe. Athene wurde auch als Heilerin »Hygieia« verehrt und war Schutzgöttin Athens. Nicht die weise Eule der Athene stand am Anfang, sondern der weise Rabe »Koronis«.

Die Göttin war auch Schutzherrin des Krähen-Orakels von Thessalien (die Ähnlichkeit mit der Funktion der germanischen Götter-Raben ist offensichtlich!), über das der Clan der Lapithen bis zur Invasion der kriegerischen Hellenen herrschte. Zu diesem Kult gehörte einer der Helden (Heroen), der später Chronos genannt wurde. Als »Vater der Zeit« wurde er mit einer Sichel in der Hand dargestellt. Mit dieser entmannte er den Uranos. Daraus entwickelte sich im europäischen Spätmittelalter der »Tod« mit Sichel und Stundenglas. Chronos,

236

der Tod, zeigt den Lebenden, wie vergänglich ihr Dasein ist. Ursprünglich war Kronos also das (männliche) Pendant zur weissagenden Krähe Koronis und nicht negativ besetzt.

Erst lange nach der Christianisierung wurde der Rabe in Europa ein böses Tier. Seine mystische Bedeutung und hohe Wertschätzung bei den Vorgängerkulten trugen die Schuld an diesem Wandel. Die Bibel enthält bereits Vorstufen für diese Rabenverachtung.

So ließ der Bibelübersetzung Martin Luthers zufolge Noah nach den 40 Tagen Regen einen Raben als ersten Vogel erkunden, ob »die Wasser vertrockneten auf Erden«. Danach erst schickte er drei Tauben los. Die Erste kehrte ohne etwas zurück. Die Zweite trug einen Ölzweig. Die Dritte und Letzte kam nicht wieder. Dies nahm Noah als Zeichen, dass wieder Land zu sehen war. (Vgl. 1 Mos 8,6-12) Luther benutzte für das Alte Testament die Massora, eine Thorafassung, die jüdische Gelehrte zwischen 750 und 1000 AD. erstellt hatten. Die Erzählung von der Sintflut war aus dem Akkadischen entlehnt worden, der semitischen Sprache der Babylonier und Assyrer. Dort gab es im Gilgamesch-Epos jedoch eine etwas andere Reihenfolge: Utnapischtim, die Entsprechung zu Noah, ließ zunächst eine Taube, dann eine Schwalbe fliegen und schließlich den Raben. Doch was tat dieser? »Der Rabe flog und sah das Wasser schwinden, er suchte Futter, scharrte im Schlamm, krächzte und kam nicht wieder.«

Die kurze Charakterisierung im Gilgamesch-Epos entspricht der Natur des Raben. Nach der verheerenden Flut hatte er die besten Möglichkeiten, sich von Aas, auch von menschlichen Leichen, zu ernähren. Das legt der akkadische Mythos nahe. Im Alten Testament sollte aber die Sintflut als Strafgericht Gottes nicht etwa eine zerstörte Welt hinterlassen haben, in deren Schlamm Kadaver steckten, sondern eine neue Welt bieten, die als Erstes einen Ölzweig hervorbringt.

Das Verzehren von Aas kennzeichnet eine wichtige Seite im Wesen des Raben. In der griechischen und vorderasiatischen Mythologie werden Raben und Krähen jedoch auch oft mit Wassermangel in Beziehung gebracht.

Einer Fabel zufolge bat Apoll einmal einen Raben um Wasser, das er Zeus opfern wollte. Der Rabe jedoch kümmerte sich nicht um den Wunsch des Gottes, sondern trieb sich an einem Weizenfeld und um einen Feigenbaum herum, bis die Körner und die Früchte reif waren. Zur Strafe ließ ihn Apoll den Sommer über Durst leiden.

Diese Erzählung hängt mit dem Sternbild des Raben (Corvus Sitiens) zusammen, das die Zeit des Wechsels von der sommerlichen Trockenzeit zu den Herbstregen anzeigen sollte. In einer Enzyklopädie des 16. Jahrhunderts heißt es dazu: »Man will auch gewiss glauben, dass die kleine Art der Raben im Monath Junio nicht saufe, und dieses daher schlüssen, weil sie zu dieser Zeit auf den Äckern ganz matt zusammen sitzen und zu schreyen pflegen.«

Sogar eine biblische Quelle weist auf die Verbindung von Raben und Dürre hin. Der Prophet Elia kündet im Buch der Könige als Strafe Gottes eine Dürre an: »Es soll diese Jahre weder Tau noch Regen kommen, ich sage es denn.«

Um dem Zorn Ahabs zu entfliehen, verbirgt sich Elia am Bache Krit, der im Jordan mündet. Raben versorgen ihn am Morgen und Abend mit Brot und Fleisch. Als der Bach vertrocknet, findet Elia Unterschlupf bei einer Witwe in der Nähe von Sidon, deren Ölkrug und Mehltopf so lange unerschöpflich sind, »bis auf den Tag, an dem der HERR es wird regnen lassen auf Erden«. (Vgl. 1 Kön 17)

Der Prophet der Dürre wird also erst vom Vogel ernährt, der die Trockenzeit anzeigt, dann aber von einem geheimnisvollen Vorratstopf, der nicht leer wird, bis wieder Regen fällt. In der vorchristlichen Zeit gab es also keineswegs eine einseitige

Ablehnung oder Verdammung der Rabenvögel. Erst mit ihrer spätmittelalterlichen Verteufelung geriet das in Jahrtausenden angesammelte Wissen um die Rabenvögel weitgehend in Vergessenheit.

Dabei wusste man schon in der Antike erstaunlich gut Bescheid über so manche Eigentümlichkeit in der Lebensweise von Raben und Krähen. So hatte im zweiten nachchristlichen Jahrhundert Claudius Aelianus unter Bezugnahme auf Aristoteles den Unterschied zwischen umherstreifenden Landkrähen und territorialen Paaren beschrieben und das Phänomen der »Rabeneltern« geschildert, die ihre Jungen verstoßen: »Aristoteles berichtet, dass die Raben den Unterschied zwischen guten und mageren Böden kennen. Denn auf Land, das reichlich allerlei Frucht trägt, treten sie in großen Verbänden auf, aber auf unfruchtbarem, trockenem Gebiet nur jeweils in Paaren. Seine Jungen pflegt jeder Rabe aus seinem Nest zu verbannen, kaum dass sie erwachsen sind. Deswegen suchen sich die Jungen ihr eigenes Futter, und später sorgen sie nicht für den Unterhalt ihrer Eltern.«

Eineinhalb Jahrtausende ruhte dieses Wissen, bis neues Interesse an den Rabenvögeln die alten Vorurteile infrage stellte und nicht mehr gelten ließ. Der Höhepunkt der Verteufelung der Raben wurde mit den Hexenverfolgungen erreicht. Sie und die Krähen symbolisierten in diesen finsteren Zeiten den Tod als Galgenvögel und die Verfehlungen, zu denen sich Hexen hatten hinreißen lassen. Die Krähe auf der Schulter drückte nicht nur den späteren Tod, sondern bereits das sichere Todesurteil aus. In dieser Zeit wurde der bis heute nachwirkende Aberglaube zu den Krähenvögeln geprägt.

Unglücksraben

Totenvögel

Auch durch eine weitere Gewohnheit der Menschen im Mittelalter wurde das Bild der Raben vom Totenvogel gefestigt. Vermutlich waren es die offenen Müllkippen an den Rändern der Städte, lockten die Raben und Krähen in den Siedlungsbereich der Menschen. Mit den Abfällen aus der menschlichen Ernährung fanden sie jene Nahrung, die für sie bestens passt. Das ging wohl Jahrhunderte so. Denn man entledigte sich auch der Tierkadaver und der nicht verwertbaren Schlachtabfälle auf diese Weise. Kolkraben kamen und verzehrten das Fleisch. Rabenkrähen gesellten sich, respektvoll Abstand haltend, zu ihnen. Ein weiterer glänzend schwarzer Vogel mit nacktem, rötlichem Gesicht und langem Stocherschnabel lebte von diesen Abfällen. Sein deutscher Name nimmt darauf Bezug: Waldrapp = Wall-Rabe.
Der Waldrapp *Geronticus eremita* gehört zur Vogelfamilie der Ibisse. Er ist mit dem heiligen Ibis *Threskiornis aethiopica* der alten Ägypter verwandt, aber anders als dieser hoch geschätzte und in Afrika weit verbreitete Vogel so rar geworden, dass sein Aussterben befürchtet werden muss. Nachzuchten von in Gefangenschaft gehaltenen Waldrappen sollen die Art erhalten. Dazu werden die Vögel ausgewildert und mit Ultraleichtflugzeugen im Herbst in ein geeignetes Winterquartier geleitet.
Sein früheres Vorkommen nördlich der Alpen verweist auf die Menge an Kadavern, die an den Wällen und Gräben der mit-

telalterlichen Städte den schwarzen Vögeln zum Fraße vorgeworfen wurden. Dort kamen ihnen die Menschen vergangener Jahrhunderte nahe, nicht in Feld und Flur oder in der Stadt selbst, wo nur die Dohlen die Türme bewohnten. Dort, an der »Schädelstätte«, formte sich das historische Bild der Totenvögel.

Rabenschwarze Ansichten

Zäh hält sich das Überkommene, sehr zäh. Was sich die finsteren Jahrhunderte hindurch in der Volksmeinung verfestigte, widersetzt sich der eigenen Anschauung und der Vernunft. Die Rabenvögel tragen das Stigma der Todesvögel. Alfred Hitchcock konnte darauf ohne Begründungen zurückgreifen. Die Angst stieg ganz von selbst auf, als die schwarzen Vögel geisterhaft anfingen, die Menschen zu umfliegen und auf sie einzuhacken. Die im düsteren Licht mit einbezogenen Möwen mutierten zur ganz besonders »falschen« Version der Unheilbringer, die mit ihrem Schwarz wenigstens »ehrlich« als Todesvögel dahergeflogen kommen. Verfemt sind sie alle, die schwarz gefiederten Flieger; wir lieben das Bunte und schätzen das Helle, das Saubere! Und wenn die Krähenschwärme in der Düsternis des späten Herbstes, wenn die Stimmung wegen Lichtmangel auf Melancholie umgeschaltet hat, quorrend die Baumgruppe am Stadtrand umkreisen, auf der sie nächtigen wollen, bedarf es keines weiteren Anstoßes, das unbestimmte Grauen zu empfinden. Ein Grauen, das nicht in die Helle des Morgens, sondern in die Finsternis der Nacht übergeht.

In »Vereinsamt« drückte Friedrich Nietzsche 1884 seine rabenschwarze Stimmung aus. Bezeichnenderweise gehört es zu den bekanntesten deutschsprachigen Gedichten.

»Die Krähen schrei'n / Und ziehen schwirren Flugs zur Stadt: / Bald wird es schnei'n – / Wohl dem, der jetzt noch – Heimat hat!

Nun stehst du starr, / Schaust rückwärts ach! wie lange schon! / Was bist du, Narr, / Vor Winters in die Welt – entflohn?

(…)

Flieg', Vogel, schnarr' / Dein Lied im Wüsten-Vogel-Ton! – / Versteck' du Narr, / Dein blutend Herz in Eis und Hohn!

Die Krähen schrei'n / Und ziehen schwirren Flugs zur Stadt: / Bald wird es schnei'n – / Weh dem, der keine Heimat hat!«

Raben tauchen auch im 20. Jahrhundert in vielfältiger Weise auf. Sie erscheinen im *Herrn der Ringe* von J. R. R. Tolkien. Raben sind Maskottchen und Namengeber für das American Football Team *Ravens* von Baltimore. Auf dem Waffenrock der Männer der Isle of Man und in der Nationalflagge von Bhutan sind sie zu finden. Im fernen Yukon-Territory wurde der Rabe zum offiziellen »Landesvogel« erkoren. Dort, wo das Weiß des Winters einen Großteil des Jahres das Landschaftsbild prägt, gibt das Schwarz des Raben offenbar den besten Kontrast.
Das lustige Gegenstück zu den düsteren Rabenfiguren schuf Wilhelm Busch mit »Hans Huckebein«, dem Unglücksraben! Der Rabe, der wohl eher eine Rabenkrähe war, tut alles, was er nicht soll, was aber seiner Frechheit zugeschrieben wird. Natürlich endet er, wie's ihm gebührt! Es steckt ja stets auch die Moral in der Geschicht'. Eine solche verpackte auch Eugen Roth in seinem *Tierleben*.
Zu den Raben schrieb er:

»Die Edelraben oder Kolk- / warn einst bekannt im deutschen Volk, / als man noch unter jedem Galgen / sie um die Leichen

»Die Bosheit war sein Hauptpläsier,
Drum«, spricht die Tante, »hängt er hier!«

sah sich balgen. / Sie werden zahm zwar, lernen sprechen, / groß bleibt ihr Hang doch zum Verbrechen. / Der Rabe schwarz an Leib und Seele, / sinnt ständig, wo, wie, was er stehle. / Er plündert jedes Vogelnest, / holt, was nicht niet- und nagelfest. / Der Rabe ›Grab, Grab, Grab!‹ nur schreit; / er ist auch immer schwarz gekleidt.«

Zu Raben- und Nebelkrähe weiß er:

»Oft meint man, einen richtigen Raben / unzweifelbar vor sich zu haben, / und sieht dann doch, aus größrer Nähe, / dass es nur eine *Raben-Krähe*. / Die Schwierigkeit wächst ganz erheblich / im Herbst besonders, wenn es neblich, / ob's nicht – es ähneln sich die zwei – / gar eine *Nebelkrähe* sei. / Es bleibt zu jeder Schandtat fähig / sich ziemlich alles gleich was krähig: / Doch keine hackt beim Leichenschmaus / der andern je ein Auge aus.«

Schließlich kommt er bei der Saatkrähe zur Moral:

»Dass alles sich noch mehr verwirrt, / erwähnt noch eine dritte wird: / Die *Ackerkrähe* oder *Saat-* / Leibeigen einst im Preu-
ßenstaat, / besonders häufig in ganz Pommern, / lebt dorten
auch in schönen Sommern, / indes im Winter sie sich wärmt /
in Bayern, wo sie furchtbar lärmt, / nichts tut, zudringlich alles
frisst / und schwer nur zu vertreiben ist. / Wir selber sahn
sie oft genug, / Gewürme hackend, hinterm Pflug. / Die Krähe oft auf Eier trifft, / auf denen klar steht: ›Vorsicht Gift!‹ / Sie
stirbt, weil sie nicht lesen kann: / Man sieht, an Bildung ist was
dran!«

Wie anders sind die lebendigen, von keinen finsteren Vorurteilen belasteten Raben, wenn sie im Frühlingswind ihre
Kreise über den Wäldern und Bergen ziehen. Da zeigen sie
all jenen, die zuschauen wollen, ihr Können. Sie drehen
Loopings, wirbeln umeinander, spielen in den Lüften wie
närrisch geworden, steigen auf ins Blau, bis sie zum Pünkt-
chen schrumpfen, lassen sich fallen, wie vom Blitz aus heite-
rem Himmel getroffen, und übertönen mit ihren Rufen das
Rauschen der Wälder. Ihrer Kleinausgabe, den Rabenkrähen, kann es schon mal einfallen, an einem Leitungs-
draht Saltos zu drehen. Wer ihr Vertrauen gewonnen hat,
kann sie anreden. Mit schief gehaltenem Kopf werden diese
Vögel zuhören.
Doch gerade dort, wo die Freiheit grenzenlos sein sollte, über
den Wäldern und den Bergen, nicht im Gewühle der Städte,
trifft sie der tödliche Schuss; abgefeuert, weil das Vor-Urteil
weiterhin diktiert.

Ausblick

Was möchte ich mit diesem Buch bezwecken? Diese Frage stellte ich mir zweimal: Zuerst als ich anfing, das Material über die Krähenvögel zu sichten, das sich im Laufe der Jahrzehnte angesammelt hatte, und dann wieder am Ende des Textes. Die Antwort fiel zu Beginn anders aus als am Ende. Mein Krähenbuch sollte eine Zusammenfassung der Erlebnisse mit diesen so intelligenten Vögeln werden. Oft hatte ich von meiner Krähe Tommy oder vom Kolkraben Mao erzählt. Die Zuhörenden wollten mehr und Genaueres über diese Vögel erfahren. Begeisterung stand am Anfang. Je mehr die Arbeit am Text fortschritt, desto stärker rückte die Problematik unseres Umgangs mit den Rabenvögeln in den Vordergrund. Es geht ihnen nicht gut, denn ausgerechnet sie, die intelligentesten Vögel, werden gnadenlos verfolgt. Noch in unserer Zeit, die sich für aufgeklärt hält, fallen sie den Vorurteilen aus finsterer Vergangenheit zum Opfer. Mit wurde klar, dass ich immer mehr auch für sie schrieb, für die verfemten Schwarzen. Verglichen mit den kleinen Singvögeln haben sie nur eine Handvoll Freunde. Oft stehen ihre Fürsprecher allein, wenn es um eine sachliche Behandlung von Kolkrabe, Rabenkrähe, Nebelkrähe, Elster und Eichelhäher geht. Der staatliche Naturschutz beugte sich dem Druck der Jäger und genehmigt Jahr für Jahr die hunderttausendfache Vernichtung. Der privat organisierte Vogelschutz hält die Krähen meistens nicht für wichtig genug, um sich stärker zu engagieren. Die Wissenschaftler aber, die mit den Rabenvögeln ar-

beiten, werden von beiden Seiten aktiv oder passiv einge-
engt – bis sie aufgeben.

Es stimmt ja, dass die Rabenvögel, den Kolkraben mit eingeschlossen, in ihren Beständen nicht gefährdet sind. Aber
müssen sie deswegen zu Hunderttausenden abgeschossen
werden? Hier in Deutschland regen wir uns seit Jahrzehnten
über den Singvogelfang in Süd- und Westeuropa auf. Auch bei
uns wurde dieser noch bis ins 20. Jahrhundert hinein prakti-
ziert. Raffinierteste Fangmethoden kamen zum Einsatz. Bei
uns ist das Geschichte. Nicht so in anderen Ländern der Europäischen Union. Dort wird auf die »Tradition« gepocht, nachdem die Notwendigkeit wegen Fleischmangel nicht mehr als
Argument vorgebracht werden kann. Mit dem Abschuss der
Rabenvögel findet auch bei uns alljährlich hunderttausendfache Singvogelvernichtung statt. Die Begründung hierfür fällt
genauso in den Bereich der »Tradition«, weil man das Raubzeug halt immer schon bekämpft hat. Ob gerechtfertigt oder
nicht, diese entscheidende Frage stellt sich dann nicht mehr.
Dennoch zeigen wir mit dem Finger auf die Anderen, die in
Europa Singvögel »morden«!

Der Artenschutz, unter den die Krähenvögel durch die Europäische Vogelschutzrichtlinie geraten sind, brachte ihnen in
der Bilanz wohl mehr Feinde als Freunde. Denn wer unter den
Jägern vorher das Raubzeug im Revier nicht oder nur in unbe-
deutendem Umfang bejagt hatte, sah sich nun fast gezwun-
gen, in der durch die Ausnahmeregelungen ermöglichten Bekämpfung mitzumachen. Man weiß ja nie, wie sich die Dinge
entwickeln. Die Naturschutzbehörden, die den Massenabschuss nicht verhindern konnten, schränkten dafür den Zugriff der an Krähen, Dohlen und Elstern interessierten Naturfreunde umso stärker ein. Ihre Aufzucht und Haltung
bedarf einer Sondergenehmigung für jeden Einzelfall. Diese
massive Einschränkung hat insbesondere die jungen Men-

schen von Krähen und Dohlen ferngehalten. Wer diese Vögel so halten möchte, wie der junge Konrad Lorenz und viele andere, mich selbst eingeschlossen, vor Inkrafttreten der Vogelschutzverordnung, hat so gut wie keine Aussichten, das genehmigt zu bekommen. Da sich davon eine Gefährdung der Bestände als Begründung der restriktiven Haltung der Behörden nicht ableiten lässt, argumentieren sie mit der »Gefährlichkeit« der Krähenvögel. Sicher ist es richtig, dassSchnabelhiebe von Krähen, selbst solche von der kleinen Dohle, schmerzhaft sein können. Aber gehört es zum Aufgabenbereich des Artenschutzes, darüber zu befinden? Hundebisse gibt es alljährlich Tausende in Deutschland. Manche verlaufen lebensgefährlich für die Gebissenen, einige sogar tödlich. Dennoch waren nicht einmal schwere Verletzungen und Todesfälle Grund genug, bestimmte Hunderassen in der Öffentlichkeit zu verbieten.

Nachbars Katze kann auch beißen und kratzen, wenn sie in bester Absicht auf den Arm genommen wird, sie dies aber nicht will. Das weiß und akzeptiert man. Als »gefährlich« werden Katzen deswegen nicht eingestuft. Wer in geeigneter ländlicher Umgebung eine Rabenkrähe oder einen Kolkraben halten möchte, wird sich in seinem eigenen Interesse über die Haftpflicht versichern. Vom Naturschutz sollte er sich aber nicht vorschreiben lassen müssen, ob er diese Vögel halten oder nicht halten darf. Im Interesse der Rabenvögel würde ich mir wünschen, dass die Haltungsbeschränkungen außer Kraft gesetzt werden, so lange es den Massenabschuss gibt. Es würde genügen, die Untere Naturschutzbehörde zu informieren, dass man eine Krähe oder eine Dohle hält. Nochmals: Es kann nicht sein, dass Krähen, Elstern und Eichelhäher völlig legal, aber ohne jegliche öffentliche oder staatliche Kontrolle, Jahr für Jahr zu Hunderttausenden abgeschossen werden, den wenigen Naturfreunden, die solche Vögel halten möchte, aus

Artenschutzgründen dies aber verwehrt wird. Mit »Schutz« hat das nichts zu tun, sehr viel aber mit Abschreckung und einem Papier(tiger)naturschutz, der immer unbeliebter wird. So verliert die Natur Freunde, anstatt sie zu gewinnen.

Diese Kritik gilt keineswegs nur für die naturschutzrechtliche Behandlung der Rabenvögel. Auch für viele andere »geschützte Arten« trifft sie zu. Lediglich in vergleichsweise wenigen Fällen ist es tatsächlich notwendig, alle Menschen, nicht nur die Naturfreunde, so weit wie möglich von den vom Aussterben bedrohten Restvorkommen fernzuhalten, damit sich diese wieder erholen können. Aber nur so lange, bis die Bestandserholung die kritischen Schwellen überschritten hat. Die Notwendigkeit des Schutzes würde sich unter solchen Verhältnissen allen gleichermaßen erschließen. Was jedoch über das Nötige hinausgeht, wird zum Verhinderungs-Naturschutz. Und genau so einen Pseudoschutz können wir überhaupt nicht gebrauchen. Er schadet der Natur mehr, als er ihr nützt. Nichts würde es kosten, die unnützen und wirkungslosen Einschränkungen abzuschaffen, aber sehr viel bringen – für die an der Natur Interessierten und für die geschützten Arten selbst. Gerade die Krähenvögel brauchen keinen behördlichen Schutz vor ihren Freunden. Was sie brauchen, sind Menschen, die sich für die verfemten »Schwarzen« begeistern und einsetzen. Es würde für unsere Intelligenz sprechen, unintelligente Regelungen so schnell wie möglich außer Kraft zu setzen. Rabenvögel würden sich nicht so verhalten wie wir.

Nachwort zur 4. Auflage

Schon wenige Wochen nach Erscheinen des Buches wurden bereits die 2. und 3. Auflage notwendig; so rasch, dass ich als Autor nicht schnell genug reagieren konnte. Das war auch gut so. Denn es traf eine Flut von Zuschriften und Anfragen ein, die mir zeigten, dass es ein viel größeres Interesse an den Rabenvögeln gibt, als ich das angenommen hatte oder auch nur zu hoffen gewagt hätte. Viele Menschen interessieren sich für Raben, Krähen, Elstern und Häher. Was ich nach gut drei Monaten seit Erscheinen der »Rabenschwarzen Intelligenz« an Berichten erhielt, würde zusammengestellt fast schon ein weiteres Buch ergeben. Ergreifende Erlebnisse sind dabei, wie auch wissenschaftlich sehr aufschlussreiche Beobachtungen. Das Autorentrio Gerhard & Renate Friedrich und Viola de Galgóczy machte mich auf ihr Buch aufmerksam, in dem die Hauptfigur eine beim Sturm aus dem Nest gefallene Saatkrähe ist. Sie wurde von der Familie großgezogen. Was es dabei alles an Gefühlen zu erleben und zu verstehen gab, hilft dabei, die Gefühlswelt der Kinder und ihr Werden (besser) zu verstehen (»Mit Kindern Gefühle entdecken«, Beltz Verlag 2008). Andere Zuschriften berichteten über ihre persönlichen Erfahrungen mit Krähen oder, wie gegenwärtig in Ottobrunn bei München, von den angestrebten Vernichtungskampagnen.

Mein Buch berührt offenbar viele Menschen; vor allem solche, die sich mit den frei lebenden Tieren und mit dem von Voreingenommenheiten und Intoleranz geprägten Verhältnis zu ihnen befassen. Ihnen allen, die sich an mich gewandt haben, danke ich! Ich bat sie, mich weiterhin über ihre Beob-achtungen und Erlebnisse zu informieren. Ermuntern, das zu tun, möchte ich alle, die sich noch nicht gerührt haben. Ich werde im Rahmen meiner Möglichkeiten antworten, die mir übermittelten Erfahrungen sammeln und in die weitere Behandlung des Mensch-Tier-Verhältnisses mit einfließen lassen. Besonders danke ich den Medien, die das Thema so bereitwillig aufgegriffen und in die Öffentlichkeit hinaus getragen haben.

Josef H. Reichholf (25. Juni 2009)

Literaturhinweise

Untersuchungen über die Rabenvögel gibt es in so großer Zahl, dass sie, wollte ich alle auffindbaren Fachveröffentlichungen zusammenstellen, den Rahmen dieses für die interessierte Öffentlichkeit bestimmten Buches sprengen würden. Selbst eine Auswahl fiele unbefriedigend aus, weil sie mehr über die persönlichen Neigungen als über den allgemeinen Sachstand aussagen würde. Deshalb verweise ich für den deutschsprachigen Raum auf das großartige *Handbuch der Vögel Mitteleuropas*, herausgegeben von Urs Glutz von Blotzheim, erschienen im Aula-Verlag, Wiesbaden. Band 13/III (1993) enthält die bis zu Beginn der 1990er-Jahre verfügbaren ornithologischen Untersuchungsergebnisse an Rabenvögeln. Wie man diese Vögel in früheren Zeiten einstufte, geht aus den in vielen Bibliotheken noch vorhandenen, alten Bänden von *Brehms Tierleben* (19. Jahrhundert) hervor.

Sehr empfehlenswert halte ich die nachfolgend aufgeführten Bücher. Die Liste ist ergänzt mit den wenigen, im Text konkret genannten Untersuchungen, die nicht im Buchformat veröffentlicht worden sind. Einige meiner eigenen Veröffentlichungen über Rabenvögel habe ich deshalb mit in die Literaturliste aufgenommen, weil im Buch darauf Bezug genommen worden ist. Wer meine Ausführungen genauer und mit Zahlen belegt nachlesen möchte, findet so die Quellen. Zur »Europäischen Vogelschutzrichtlinie« siehe *Der Rat der Europäischen Gemeinschaften (1979)*: Richtlinie des Rates vom 2. April 1979 über die Erhaltung der wildlebenden Vogelarten (79/ 409/EWG) Abl. EG Nr. L 103.

Bährmann, U. (1968): Die Elster. Neue Brehm-Bücherei 393, Ziemsen, Wittenberg.

Bauer, H.-G. & P. Berthold (1996): Die Brutvögel Mitteleuropas. Bestand und Gefährdung. Aula Verlag, Wiesbaden.

Bayerische Akademie der Wissenschaften (2002): Über die Jagd – Kulturelle Aspekte und aktuelle Funktionen. Rundgespräch 25 der Kommission für Ökologie, F. Pfeil Verlag, München.

Bezzel, E. (1982): Vögel in der Kulturlandschaft. Ulmer, Stuttgart.

Bezzel, E., I. Geiersberger, G. v. Lossow & R. Pfeifer (2005): Brutvögel in Bayern. Ulmer, Stuttgart.

Birkhead, T. R. (1991): The Magpies. Poyser, Calton, England.

Böhmer, A. (1976): Zur Struktur der schweizerischen Rabenkrähenpopulation. Ornithologischer Beobachter 73: 109–136.

Cerutti, H. (1996): Wie die Krähe das Auto benutzt. Herder, Freiburg.

Coombs, F. (1978): The Crows. Batsford, London.

Corze, H. (1970): Searching image in Carrion Crow. Zeitschrift für Tierpsychologie, Beiheft 5. Parey, Hamburg.

Deckert, G. (1980): Siedlungsdichte und Nahrungssuche bei Elster *Pica pica* und Nebelkrähe *Corvus corone cornix*. Beiträge zur Vogelkunde (Jena) 26: 305–334.

Drack, G. (1995): Der Kolkrabe (*Corvus corax*) als Wegbegleiter im Cumberland-Naturwildpark. Cumberland-Wildpark GmbH.

Dwenger, R. (1989): Die Dohle. Neue Brehm-Bücherei 588, Ziemsen, Wittenberg.

Epple, W. (1997): Rabenvögel. G. Braun Buchverlag, Karlsruhe.

Erlinger, G. (1974): Die Bestandsentwicklung von Rabenkrähe *Corvus c. corone* und Elster *Pica pica* nach Einstellung der Jagd im NSG *Hagenauer Bucht* am unteren Inn. Anzeiger der Ornithologischen Gesellschaft in Bayern 13: 245–247.

Gattiker, E. & L. (1989): Die Vögel im Volksglauben. Aula, Wiesbaden.

Glandt, D. (2008): Der Kolkrabe. Aula, Wiesbaden.

Goodwin, D. (1976): Crows of the World. British Museum (Natural History), London.

Gwinner, E. (1964): Untersuchungen über das Ausdrucks- und Sozialverhalten des Kolkraben. Zeitschrift für Tierpsychologie 21: 657–748.

Heinrich, B. (1994): Die Seele des Raben. Eine zoologische Detektivgeschichte. S. Fischer Taschenbuch, Frankfurt.

Keve, A. (1985): Der Eichelhäher *Garrulus glandarius*. Neue Brehm-Bücherei 410. Ziemsen, Wittenberg.

Koller, J. (1978): Die Vogelwelt im Dachauer Moos und im Allacher Forst. (Eigenverlag), Karlsfeld.

Kooiker, G. (1991): Untersuchungen zum Einfluss der Elster (*Pica pica*) auf ausgewählte Stadtvogelarten in Osnabrück. Vogelwelt 112: 225–236.

Kooiker, G. (1994): Weitere Ergebnisse zum Einfluss der Elster *Pica pica* auf Stadtvogelarten in Osnabrück. Vogelwelt 115: 39–44.

Langgemach, T., M. Bernhardt & J. Schultz (1995): Zur Rolle der Kolkraben (*Corvus corax*) bei der Freilandhaltung von Schafen. Naturschutz und Landespflege in Brandenburg 4: 14–18.

Lenz, H. O. (1856): Zoologie der alten Griechen und Römer, deutsch in Auszügen aus deren Schriften nebst Anmerkungen. M. Ständig, Wiesbaden.

Lorenz, K. (1927): Beobachtungen an Dohlen. Journal für Ornithologie 75: 511–519.

Lorenz, K. (1931): Beiträge zur Ethologie sozialer Corviden. Journal für Ornithologie 79: 67–120.

Lorenz, K. (1935): Der Kumpan in der Umwelt des Vogels. Journal für Ornithologie 83: 137–213.

Mäck, U. (1991): Erste Ergebnisse einer Populationsuntersuchung an Elstern (*Pica pica*) in Ulm. Ökologie der Vögel 13: 237–241.

Mäck, U. & M.-E. Jürgens (1999): Aaskrähe, Elster und Eichelhäher in Deutschland. Bundesamt für Naturschutz, Bonn.

Mattes, H. (1978): Der Tannenhäher im Engadin. Studien zu seiner Ökologie und Funktion im Arvenwald. Münstersche Geographische Arbeiten 2: 1–87. Paderborn.

Melde, M. (1984): Raben- und Nebelkrähe. Neue Brehm-Bücherei 414. Ziemsen, Wittenberg.

Müller, P. (1996): Klimawandel, Flächennutzungsdynamik und Prädation als populationssteuernde Faktoren beim Feldhasen. Schriftenreihe des Landesjagdverbandes Bayern 2: 5–24.

Rahmann, H., M. Rahmann, J. Hildenbrand & J. Storm (1988): Rabenvögel. Ökologie und Schadwirkung von Eichelhäher, Elster und Rabenkrähe. Margraf, Weikersheim.

Reichholf, J. H. (2000): Schwanzlose Rabenkrähe Corvus corone corone lebt wenigstens sieben Jahre und brütet mindestens zweimal erfolgreich. Ornithologische Mitteilungen 52: 360–364.

Reichholf, J. H. (2002): Krähenbejagung, Niederwild und Singvogelschutz. Vogeljagd: 105–116, Ökologischer Jagdverein Bayern, Rothenburg.

Reichholf, J. H. (2002): Warum hat die Saatkrähe *Corvus frugilegus* ein nacktes Gesicht? Ornithologische Mitteilungen 54: 230–233.

Reichholf, J. H. (2003): Hohe Siedlungsdichte und Trio-Bildung bei Rabenkrähen *Corvus corone corone*. Ornithologische Mitteilungen 55: 262–264.

Reichholf, J. H. (2003): Umfang und Bedeutung des Nüsse-Abwerfens von Rabenkrähen *Corvus c. corone*. Ornithologische Mitteilungen 55: 362–366.

Reichholf, J. H. (2004): Winternutzung versteckter Walnüsse durch Rabenkrähen *Corvus c. corone*. Ornithologische Mitteilungen 56: 257–262.

Reichholf, J. H. (2005): Fernstreckenzählungen als einfache Methode zur großflächigen Ermittlung des Bruterfolgs von Rabenkrähen *Corvus c. corone*. Ornithologische Mitteilungen 57: 184–187.

Reichholf, J. H. (2007): Warum brachen die ruralen Bestände der Elster *Pica pica* in den 1970er Jahren weithin zusammen? Ornithologische Mitteilungen 59: 184–189.

Reichholf, J. H. (2007): Stadtnatur. oekom, München.

Sachteleben, J., T. Blick, A. Geyer, T. Kröber & S. Pönisch (1992): Bruterfolg, Siedlungsdichte und Raumnutzung der Elster in unterschiedlichen Habitaten. Journal für Ornithologie 133: 389–402.

Tompa, F. S. (1975): A preliminary investigation of the Carrion Crow *Corvus c. corone* problem in Switzerland. Part I. Der Ornithologische Beobachter 72: 181–198.

Tompa, F. S. (1976): Zum Rabenkrähenproblem in der Schweiz. Der Ornithologische Beobachter 73: 195–208.

Witt, K. (1989): Haben Elstern (*Pica pica*) einen Einfluss auf die Kleinvogelwelt einer Großstadt? Vogelwelt 110: 142–150.

Wittenberg, J. (1968): Freilanduntersuchungen zu Brutbiologie und Verhalten der Rabenkrähe (*Corvus corone corone*). Zoologisches Jahrbuch Systematik 95: 16–146.

Würfels, M. (1994): Siedlungsdichte und Beziehungsgefüge von Elster, Rabenkrähe und Habicht 1992 im Stadtgebiet von Köln. Charadrius 30: 94–103.